工业机器人系列教材

工业机器人操作与编程

主　编　王厚英　刘振权　应再恩

副主编　谭敬晃　廖建平　艾　龙　何春林

参　编　陈铭钊　李福武　卢运娇　王东升　王丽辉

陈庆祥　陈丽春　王怡舒　郭金鹏　邓南虎

哈爾濱工程大學出版社

Harbin Engineering University Press

内容简介

本书以ABB IRB 120型六轴串联工业机器人（本书中简称机器人）为对象，分6个项目详细讲解了工业机器人的系统认知与操作、手动操纵、I/O通信设置、基础与高级示教编程以及日常维护等内容。各项目后均附有项目评测，方便知识的温习。

本书实现了互联网与传统教育的完美融合，采用“纸质教材＋数字课程”的出版形式，扫描二维码即可观看微课等视频类数字资源，随扫随学，突破传统课堂教学的时空限制，可以有效激发学生的自主学习热情，打造高效课堂。

本书可作为中、高职院校工业机器人技术、电气自动化技术等相关专业的教材或企业培训用书，也可作为高职院校机电及相关专业学生的实践选修课教材，还可供从事工业机器人操作相关工作尤其是刚进入工业机器人行业的工程技术人员参考。

图书在版编目（CIP）数据

工业机器人操作与编程 / 王厚英，刘振权，应再恩主编 . — 哈尔滨：哈尔滨工程大学出版社，2021.6

ISBN 978-7-5661-3099-0

Ⅰ . ①工… Ⅱ . ①王… ②刘… ③应… Ⅲ . ①工业机器人—操作—高等职业教育—教材②工业机器人—程序设计—高等职业教育—教材 Ⅳ . ① TP242.2

中国版本图书馆 CIP 数据核字 (2021) 第 112919 号

工业机器人操作与编程
GONGYE JIQIREN CAOZUO YU BIANCHENG

选题策划 雷 霞
责任编辑 丁 伟
封面设计 付 娜

出版发行 哈尔滨工程大学出版社
社 址 哈尔滨市南岗区南通大街 145 号
邮政编码 150001
发行电话 0451-82519328
传 真 0451-82519699
经 销 新华书店
印 刷 哈尔滨市石桥印务有限公司
开 本 787 mm × 1 092 mm 1/16
印 张 13.25
字 数 337 千字
版 次 2021 年 6 月第 1 版
印 次 2021 年 6 月第 1 次印刷
定 价 45.00 元
http：//www.hrbeupress.com
E-mail：heupress@hrbeu.edu.cn

前　言

2014年6月，习近平总书记在两院院士大会上指出，“机器人革命”有望成为“第三次工业革命”的一个切入点和重要增长点。在《中国制造2025》规划中，机器人是十大重点发展方向之一。近年来，虽然多方因素推动着我国工业机器人的发展，但是工业机器人专业人才的匮乏已经成为产业发展的瓶颈。2016年3月21日，工业和信息化部、发展和改革委员会、财政部正式印发的《机器人产业发展规划（2016—2020年）》（以下简称《规划》）为“十三五”期间我国机器人产业发展描绘了清晰的蓝图，《规划》中明确了急需加强大专院校机器人相关专业学科建设，加大工业机器人职业培训教育力度，注重专业人才的培养，着力于应用型人才的队伍建设。

2016年，教育部为发挥企业在工业机器人领域中的技术优势，与北京华航唯实机器人科技股份有限公司、上海ABB工程有限公司、上海新时达机器人有限公司合作，从全国职业院校中遴选115所合作院校，共同建设15个开放式公共实训基地、100个应用人才培养中心。通过制定符合行业发展需求的工业机器人人才培养方案，促进职业院校工业机器人专业内涵建设，规范岗位课程体系和技能人才培养模式，提升教师专业技术能力。随着职业教育工业机器人专业建设的不断深入，开发适合职业教育教学需要的，具有产教融合特点的工业机器人专业教材成为辅助专业建设和教学的一项重要工作。在此背景下，工业机器人行业企业与职业院校深度合作，共同开发了以“理实一体、工学结合”为指导思路，采用“任务驱动”教学法和应用“细胞式”教学理念的工业机器人岗位课程系列教材。本书即为该系列教材之一。

“工业机器人操作与编程”是工业机器人专业方向的核心课程。针对此门课程，本书根据中高职在授课时的难易程度差异，将工业机器人操作与编程的基础理论知识和实操任务一同整合到教学活动中，使理论基础与实训教学有效衔接，以培养学生的综合职业能力，非常适合工业机器人入门学习。本书一共包含6个项目：项目1主要教授读者快速认识工业机器人这个全新的智能设备，同时也介绍了较为基础的设置的操作；项目2主要介绍工业机器人的手动操纵，即工业机器人的基本操作；项目3着重讲解工业机器人的I/O通信设置，即工业机器人如何与周边设备进行通信；项目4和项目5主要讲解工业机器人编程相关的内容，由基础编程到高级编程，向读者全面展示了工业机器人的编程体系及使用方法；项目6主要介绍工业机器人的日常维护，其作用是保证机器人能够在生产作业中得到正确、合理的应用。

本书由北海职业学院的王厚英、刘振权及台州职业技术学院的应再恩任主编；由北海职业学院的谭敬晃，成都汽车职业技术学校的廖建平，重庆南川隆化职业中学校的艾龙、何春林任副主编；北海职业学院的陈铭钊、李福武、卢运娇、王东升、王丽辉、陈庆祥、陈丽春、王怡舒及成都汽车职业技术学校的郭金鹏、邓南虎也参与了本书的编写工作。本书具体编写分工如下：王厚英负责编写项目 4、项目 5 的任务 5.1 和任务 5.2；刘振权负责编写项目 1；应再恩负责编写项目 3、项目 6 的任务 6.1 和任务 6.2；谭敬晃负责编写项目 2 的任务 2.1 至任务 2.3；廖建平负责编写项目 6 的任务 6.3 和任务 6.4；艾龙负责编写项目 2 的任务 2.4；何春林负责编写项目 5 的任务 5.3。全书由王厚英统稿和定稿。

本书在编写过程中得到了北京华航唯实机器人科技股份有限公司的成萍等工程师的大力支持，在此深表谢意。

北京华航唯实机器人科技股份有限公司为本书开发了丰富的配套教学资源，包括教学课件、微课和习题等，读者扫描二维码即可观看教学课件、微课等视频类数字资源。

由于编者水平有限，书中难免存在不足之处，恳请广大读者批评指正。

编　者

2021 年 3 月

目　录

项目 1　工业机器人的系统认知与操作

工业机器人是一种面向工业领域的多关节机械手或多自由度的机器装置，一般有3~6个自由度。本项目基于ABB IRB 120型工业机器人编写，这是一款六自由度工业机器人。它既可依靠编写好的程序自动执行工作，也可在人类操作下运行。本项目将针对该款工业机器人进行工业机器人系统组成的讲解，读者通过本项目的学习可以掌握启动、关闭、重启工业机器人以及使用示教器等技能，为后续进一步学习打下基础。

任务 1.1　工业机器人的系统认知

【任务描述】

工业机器人本体需要与控制器、示教器、连接线缆等相配合才能够形成一个完整的工业机器人系统进行运作。本任务分别讲解了工业机器人系统的四大组成部分，介绍了工业机器人本体的一些技术参数和控制器、示教器的结构，同时还介绍了工业机器人系统使用安全的知识。

【任务实施】

<table>
<tr><td>项目名称</td><td colspan="3">工业机器人的系统认知与操作</td><td>任务名称</td><td colspan="3">工业机器人的系统认知</td></tr>
<tr><td>班级</td><td></td><td>姓名</td><td></td><td>学号</td><td></td><td>组别</td><td></td></tr>
<tr><td>任务内容</td><td colspan="7">本任务介绍了工业机器人系统的组成部分、工作范围，讲解了工业机器人本体的安装方式、尺寸、管线、接口等知识，介绍工业机器人控制器与示教器的结构，并在最后讲解了使用工业机器人系统过程中应认知的安全标识和注意事项</td></tr>
<tr><td rowspan="5">任务目标</td><td colspan="7">1. 了解ABB工业机器人系统的组成</td></tr>
<tr><td colspan="7">2. 掌握ABB IRB 120型工业机器人的技术参数</td></tr>
<tr><td colspan="7">3. 了解示教器的结构与功能</td></tr>
<tr><td colspan="7">4. 了解IRC5紧凑型控制器的功能、开关、按钮与接口</td></tr>
<tr><td colspan="7">5. 了解使用工业机器人过程中的安全注意事项</td></tr>
</table>

工业机器人系统主要有四大部分，分别为工业机器人本体、控制器、示教器以及连接线缆。ABB IRB 120 型工业机器人系统如图 1-1 所示，工业机器人本体通过动力线缆和 SMB 控制线缆与控制器连接；示教器通过示教器线缆与控制器连接；控制器通过电源线缆从外部获取电能，并提供给示教器与工业机器人本体。

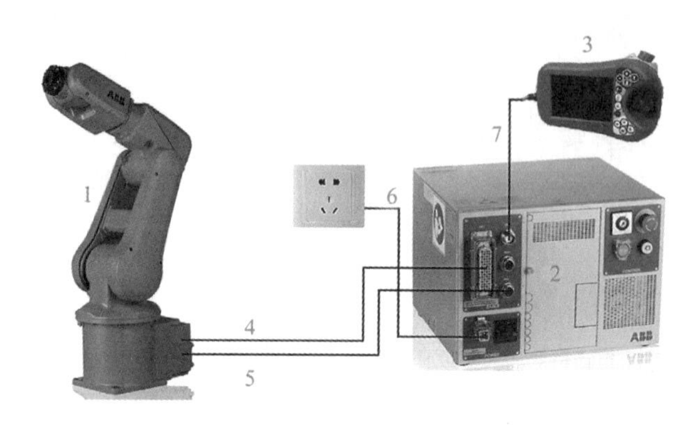

1—工业机器人本体；2—控制器；3—示教器；4—动力线缆；
5—SMB 控制线缆；6—电源线缆；7—示教器线缆。

图 1-1　ABB IRB 120 型工业机器人系统

在实际工作中，受厂房空间大小限制，工业机器人的工作范围是必须考虑的因素。工业机器人的工作范围直接关系到工业机器人与其他设备之间的距离，过大的工作范围会导致空间的浪费，而过小的工作范围则不利于工业机器人开展更多的工作。

ABB IRB 120 型工业机器人作为 ABB 工业机器人家族中最小的成员，既实现了较小的占地空间，也拥有足够的范围供其施展才能。其具体的工作空间、转动半径如图 1-2 所示，各关节轴的动作范围与速度见表 1-1。

这里要注意的是，工业机器人手臂的极限位置在手腕中心处指定。

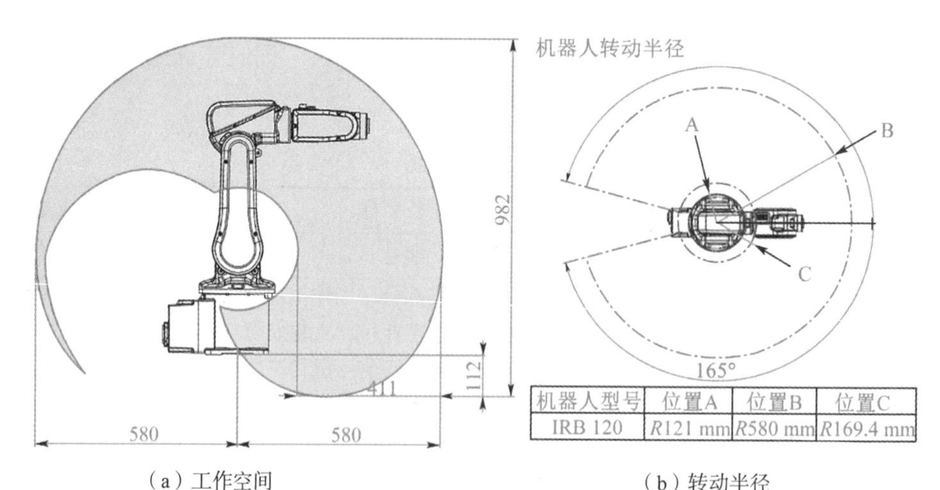

机器人型号	位置A	位置B	位置C
IRB 120	R121 mm	R580 mm	R169.4 mm

（a）工作空间　　（b）转动半径

注：位置 A 为工业机器人 1 轴的最小转动半径。

图 1-2　ABB IRB 120 型工业机器人的工作空间与转动半径

表 1-1 ABB IRB 120 型工业机器人各关节轴的动作范围与速度

轴序号	动作范围 / (°)	最大速度 / [(°)·s^{-1}]
1	–165 ~ +165	250
2	–110 ~ +110	250
3	–90 ~ +70	250
4	–160 ~ +160	360
5	–120 ~ +120	360
6	–400 ~ +400	420

1. ABB 工业机器人的本体认知

下面围绕安装方式、管线、电气接口及机械接口等方面对 ABB IRB 120 型工业机器人本体进行详细的介绍。

（1）工业机器人安装方式

ABB IRB 120 型工业机器人可通过地面安装、倒置安装或以任何角度（围绕 *X* 或 *Y* 轴倾斜）安装在墙上。图 1-3、图 1-4、图 1-5 分别展示了 ABB IRB 120 型工业机器人地面安装、墙壁安装和倾斜安装、悬挂安装。地面安装、墙壁安装与悬挂安装时参照基坐标系的最大负载分别见表 1-2、表 1-3、表 1-4。其中图 1-4（a）展示了 ABB IRB 120 型工业机器人墙壁安装，图 1-4（b）则展示了绕 *Y* 轴倾斜的安装方式。对于除地面安装以外的安装方式，需重新定义用于确定安装角度的系统参数值。

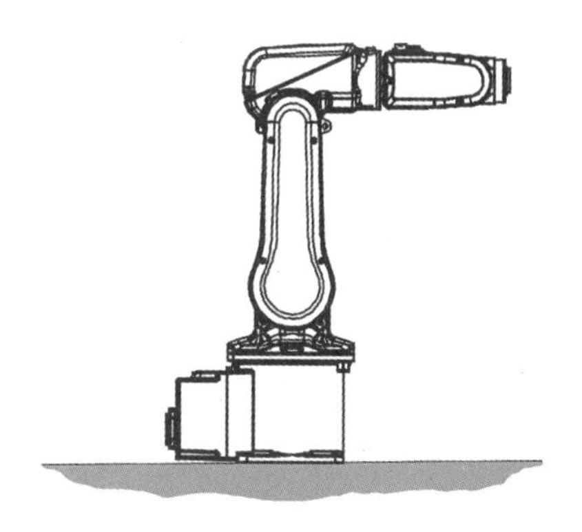

图 1-3 ABB IRB 120 型工业机器人地面安装

需要注意的是，不同型号工业机器人所支持的安装方式略有不同，具体请参考厂家的产品手册。

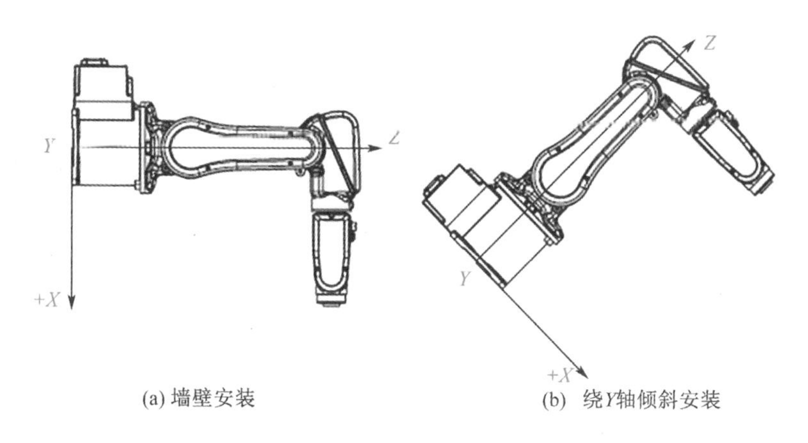

(a) 墙壁安装　　(b) 绕 *Y* 轴倾斜安装

图 1-4 ABB IRB 120 型工业机器人墙壁安装和绕 *Y* 轴倾斜安装

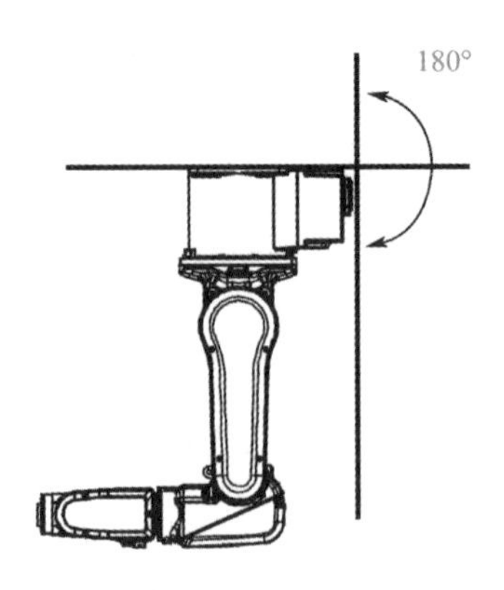

图 1-5　ABB IRB 120 型工业机器人悬挂安装

表 1-2　地面安装时参照基坐标系的最大负载

力	耐久性负载（操作中）	最大负载（紧急停止）
XY 向力 /N	±265	±515
Z 向力 /N	–265±200	–265±365
XY 向转矩 /（N・m）	±195	±400
Z 向转矩 /（N・m）	±85	±155

表 1-3　墙壁安装时参照基坐标系的最大负载

力	耐久性负载（操作中）	最大负载（紧急停止）
XY 向力 /N	± 265	± 515
Z 向力 /N	–265 ± 200	–265 ± 365
XY 向转矩 /（N・m）	± 195	± 400
Z 向转 S 矩 /（N・m）	± 85	± 155

表 1-4　悬挂安装时参照基坐标系的最大负载

力	耐久性负载（操作中）	最大负载（紧急停止）
XY 向力 /N	± 265	± 515
Z 向力 /N	–265 ± 200	–265 ± 365
XY 向转矩 /（N・m）	± 195	± 400
Z 向转矩 /（N・m）	± 85	± 155

（2）工业机器人管线

ABB IRB 120 型工业机器人的空气管线、用户线缆等均嵌入机身。图 1-6 为 ABB IRB 120 型工业机器人电缆线束位置图，图中示出了各关节轴处的电机位置，由图中可以看到电缆由底座接入，电缆均集成在工业机器人内部，这种设计极大地方便了用户的使用。

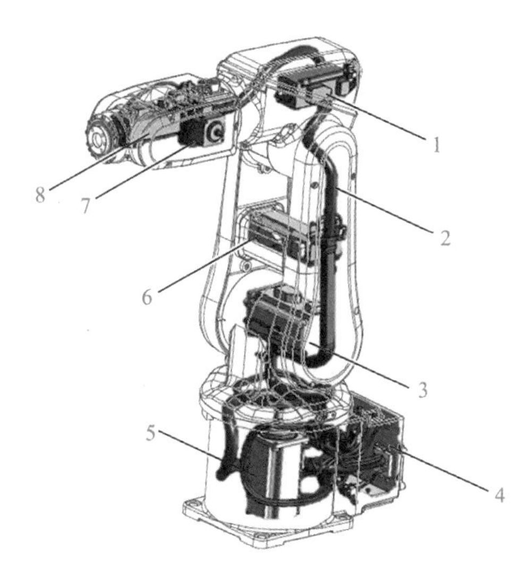

1—电机轴 ④；2—电缆线束；3—电机轴 ②；4—平板（电缆线束的一部分）；
5—电机轴 ①；6—电机轴 ③；7—电机轴 ⑤；8—电机轴 ⑥。

图 1-6　ABB IRB 120 型工业机器人电缆线束位置图

（3）工业机器人电气接口

图 1-6 的“7”处对应工业机器人底座处的接口平板。图 1-7 为工业机器人底座处电气接口示意图。工业机器人底座处有压缩空气接口 4 个，SMB 电缆与用户电缆接口各 1 个，电机动力电缆接口 1 个，其中压缩空气接口可为气缸、吸盘、快换装置等提供动力。

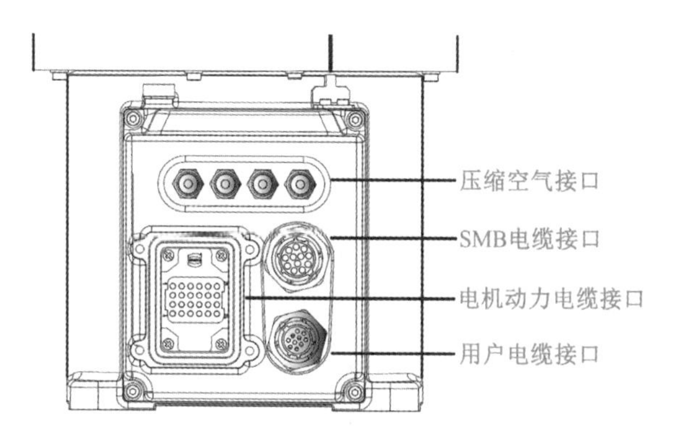

图 1-7　工业机器人底座处电气接口示意图

图 1-8 为工业机器人本体上臂处电气接口示意图。工业机器人上臂处有压缩空气接口 4 个，用户电缆接口 1 个，分别与工业机器人底座上的对应接口连接。工业机器人上臂接口与底座接口关系如图 1-9 所示。

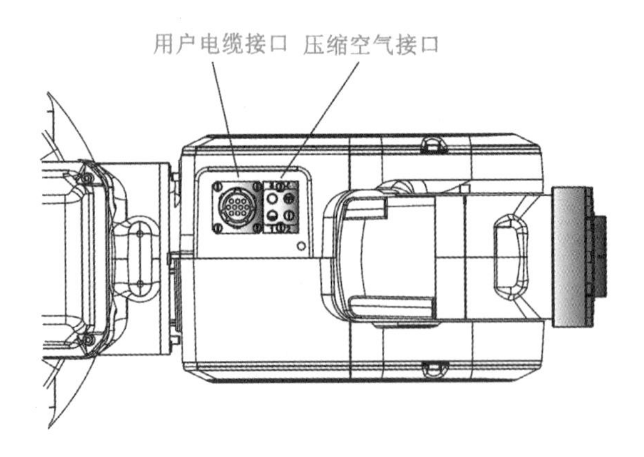

图 1-8　工业机器人本体上臂处电气接口示意图

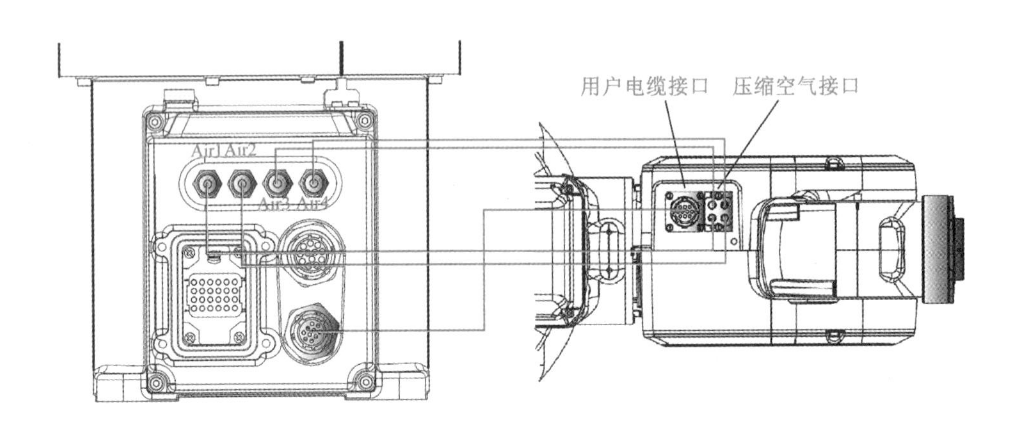

图 1-9　工业机器人上臂接口与底座接口关系图

（4）工业机器人机械接口

使用者购买了相应型号的工业机器人之后，需自行安装工业机器人到工作位置，这就需要了解工业机器人的机械接口。科学、合理地安装工业机器人可以有效保证工业机器人工作时的精度。图 1-10 示出了 ABB IRB 120 型工业机器人本体底座安装孔位尺寸，固定所需螺栓与垫圈的规格见表 1-5。

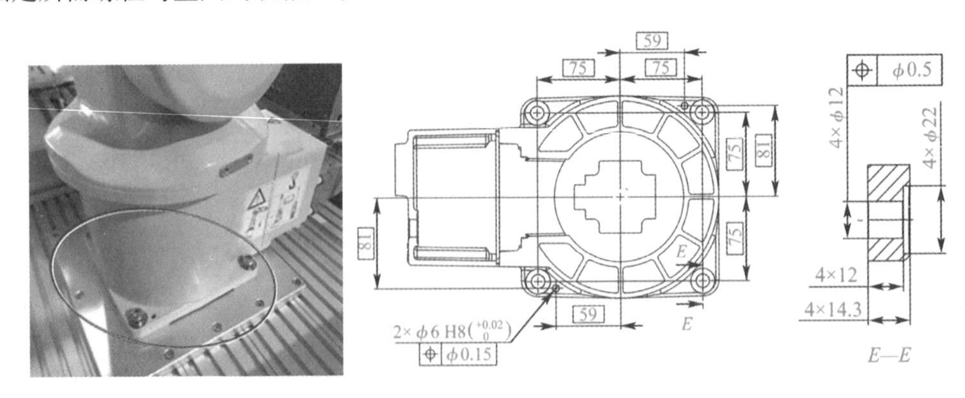

图 1-10　ABB IRB 120 型工业机器人本体底座安装孔位尺寸

表 1-5　ABB IRB 120 型工业机器人紧固参数

紧固件与参数	规格与标准
连接螺栓，4 件	M10 mm × 25 mm（在底座上直接安装）
导销，2 件	6 mm × 20 mm
垫圈，4 件	10.5 mm × 20 mm × 2 mm
质量	质量等级 8.8
拧紧转矩	47 N · m

在完成工业机器人本体安装之后，根据工业机器人的实际用途还需要将所需的工具安装到工业机器人的手腕处。法兰是连接工业机器人本体与外部工具或执行机构的部件，图 1-11 展示了 ABB IRB 120 型工业机器人工具法兰的尺寸数据。

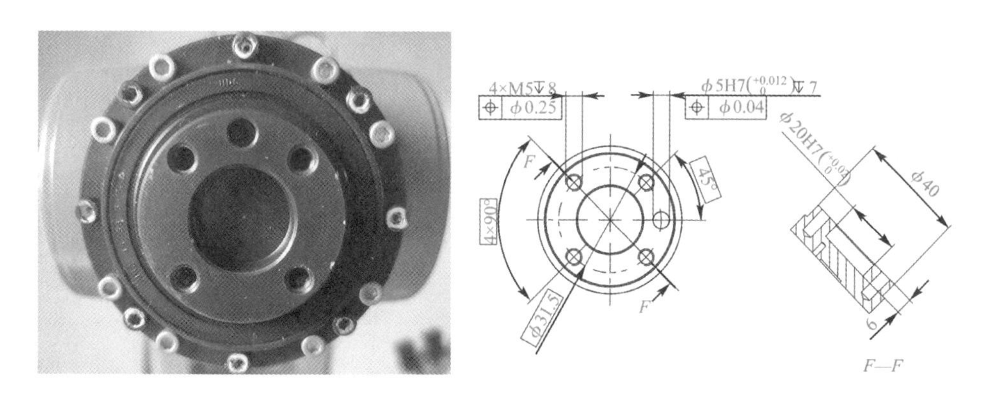

图 1-11　ABB IRB 120 型工业机器人工具法兰的尺寸数据

2. ABB 工业机器人的控制器认知

工业机器人的控制系统硬件部分为整个控制系统提供良好的物理平台。作为控制系统软件部分的工作平台，控制系统硬件对整个控制系统的性能和可扩展性起着决定性的作用。工业机器人控制系统的硬件一般指工业机器人的控制器，又名控制柜。

在工业机器人系统的控制过程中，控制器的工作内容涉及大量的坐标变换、插补运算及实时控制。控制器决定着工业机器人的性能，是工业机器人系统中最核心的部件。

型号不同，ABB 工业机器人配备的控制器也有所不同，一般常用的控制器有四种，按柜体体积从小到大分别为 IRC5 紧凑型控制器、IRC5 单柜型控制器、IRC5P Paint 喷涂机器人控制器以及 IRC5 PMC 面板安装式控制器，如图 1-12 所示。

本书所述 ABB IRB 120 型工业机器人配备的是 IRC5 紧凑型控制器。下面详细介绍该控制器。

IRC5 紧凑型控制器是专为中小型工业机器人开发的一款控制器，适用于 ABB 工业机器人 IRB 120、IRB 140、IRB 260、IRB 360、IRB 1200、IRB 1410、IRB 1600、IRB 910SC 等型号，具有结构紧凑、小巧的优点，不仅搬运方便，还大大节省了工业机器人的操作空间。其质量虽然只有 30 g，却浓缩了 IRC5 控制器的绝大部分功能与部件，仅需单相 220 V 电源即可运行，更方便在各种场合进行调试。

(a) IRC5 紧凑型控制器

(b) IRC5 单柜型控制器

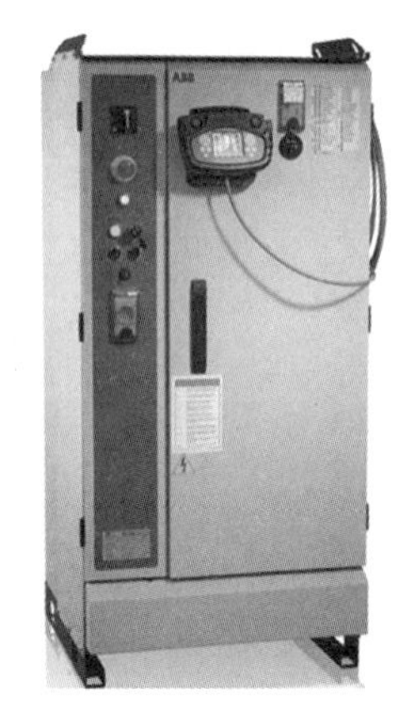

(c) IRC5P Paint 喷涂机器人控制器

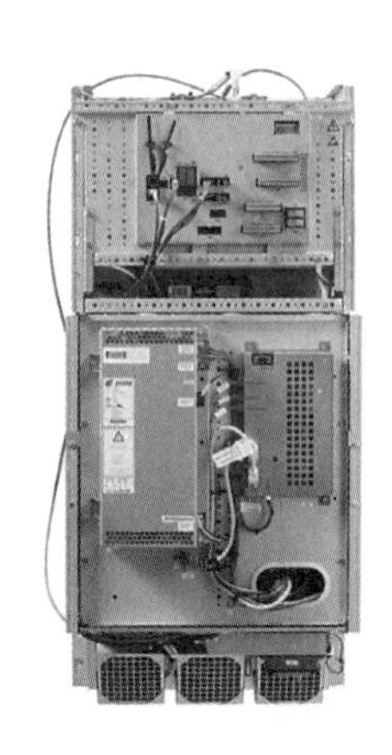

(d) IRC5 PMC 面板安装式控制器

图 1-12　四种常用控制器

从图 1-13 中可以看到，IRC5 紧凑型控制器前面板上有 5 个按钮或开关。

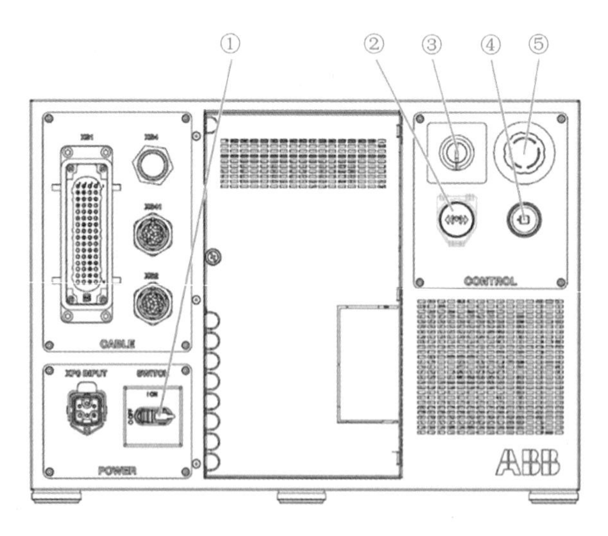

图 1-13　IRC5 紧凑型控制器前面板

①主电源开关：用于启动工业机器人系统。

②制动闸释放按钮：按钮位于盖子下，用于 ABB IRB 120 型工业机器人制动闸释放，该按钮用于在某些情况下手动移动工业机器人（机器人型号不同，制动闸释放按钮的位置也不同）。

③模式切换开关：用于切换工业机器人系统的操作模式，即自动模式与手动模式。

④电机开启：用于在触发紧急停止等情况下使电机断电后，给电机重新上电。

⑤紧急停止：用于在紧急情况下停止工业机器人运动。

在 IRC5 紧凑型控制器上集成有多种电气接口，如图 1-14 所示。

① XS.4 FlexPendant 连接接口：用于连接示教器与控制器。

② XS.1 机器人供电连接接口：用于连接工业机器人本体与控制器，从而为工业机器人本体中的电机提供动力。

③ XS.41 附加轴 SMB 连接接口：用于连接附加轴与控制器，从而实现控制器对附加轴的控制。

④ XS.2 机器人 SMB 连接接口：用于连接工业机器人本体与控制器，从而实现控制器对执行器（即工业机器人本体）的控制。

⑤ XP.0 主电路连接接口：用于为控制器提供电源。

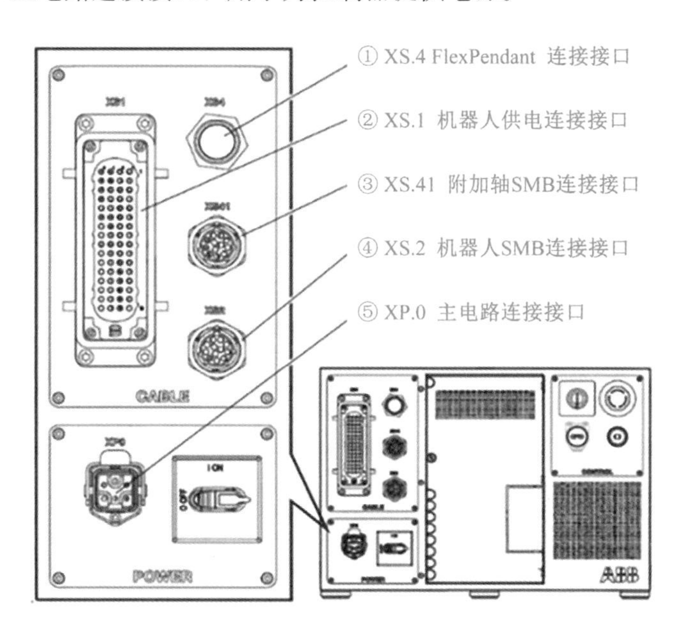

图 1-14 IRC5 紧凑型控制器连接接口

3. ABB 工业机器人的示教器认知与使用

示教器是操作工业机器人的重要工具，工业机器人的绝大部分操作都在示教器上完成，包括手动操纵、程序设计、编辑参数等。示教器内置计算机系统，其中存储了工业机器人控制中所需的数据，并可通过示教器触摸屏、按键、控制杆与示教器交互操纵工业机器人运动。

IRC5 紧凑型控制器通常配备的示教器为 FlexPendant 示教器（图 1-15），其结构如图 1-16 所示。

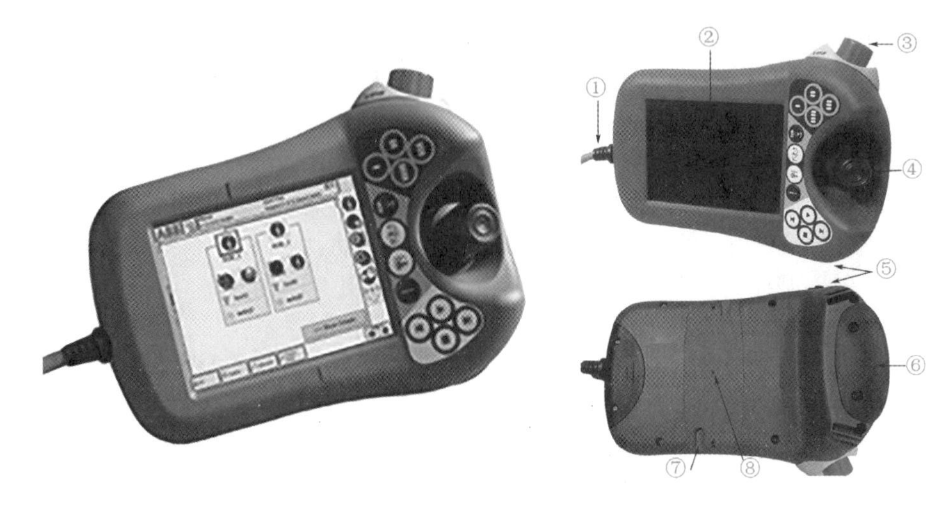

图 1-15　FlexPendant 示教器　　　图 1-16　FlexPendant 示教器的结构

①连接器：用于连接示教器与工业机器人控制器，同时为 FlexPendant 提供电源。

②触摸屏：工业机器人系统的人机交互接口，使用 FlexPendant 时用触摸笔触摸屏幕，注意避免使用螺丝刀等尖锐物体，以防划伤屏幕。

③紧急停止按钮：当遇到紧急情况时，按下此按钮可以切断工业机器人系统中除手动制动释放电路外的电源并使运转部件停止。

④控制杆：用于手动操纵工业机器人。

⑤ USB 端口：将 USB 存储器连接到 USB 端口可以读取或保存文件，USB 存储器在对话和 FlexPendant 资源管理器中显示为“驱动器 /USB：可移动的”（注意：在不使用时请盖上 USB 端口的保护盖）。

⑥使动装置：用于保证设备与人员安全，并可在手动模式下令电机上电。稍后将讲解其详细用法。

⑦触摸笔：操作触摸屏的工具，触摸笔随 FlexPendant 提供，放在 FlexPendant 的后面，可通过拉小手柄从示教器背面取出。

⑧重置按钮：重置按钮会重置 FlexPendant，而不是控制器上的系统。示教器死机等异常情况可使用此按钮解决。

4. 工业机器人的安全使用

前面已经了解到，工业机器人工作时速度较快，因此需要注意操作时的人身安全；同时工业机器人作为比较精密、贵重的设备，操作时还需注意工业机器人本身的设备安全。

为了操作人员的人身安全，首先应注意不要站在工业机器人的工作范围内；其次在手动操纵工业机器人时，注意速度适当、方向正确，以免发生危险。

对于设备安全，首先应避免有障碍物位于工业机器人的运行轨迹上；其次在手动操纵时，也应注意避免碰撞。

下面分别讲解机器人使用过程中需要注意的安全标识和为确保安全需要遵守的几条原则。

（1）安全标识

在工业机器人使用过程中，安全标识对可能对人身、设备造成危险的行为进行了警告。当见到相关标识时，务必仔细阅读相关手册并按照说明进行操作。工业机器人安全标识见表 1-6。

表 1-6 工业机器人安全标识

标识	名称	含义
	危险	警告如果不依照说明操作，就会发生事故，并导致严重或致命的人员伤害和/或严重的产品损坏。该标识适用于以下险情：碰触高压电气装置、爆炸或火灾、有毒气体、压轧、撞击和从高处跌落等
	警告	警告如果不依照说明操作，可能会发生事故，造成严重的伤害（可能致命）和/或重大的产品损坏。该标识适用于以下险情：触碰高压电气单元、爆炸、火灾、吸入有毒气体、挤压、撞击、高空坠落等
	电击	针对可能会导致严重的人身伤害或死亡的电气危险的警告
	小心	警告如果不依照说明操作，可能会发生造成伤害和/或产品损坏的事故。该标识适用于以下险情：灼伤、眼部伤害、皮肤伤害、听力损伤、挤压或滑倒、跌倒、撞击、高空坠落等。此外，它还适用于某些涉及功能要求的警告消息，即在装配和移除设备过程中出现有可能损坏产品或引起产品故障的情况时，就会采用这一标识
	静电放电（ESD）	针对可能会导致严重产品损坏的电气危险的警告
	注意	描述重要的事实和条件

（2）安全使用

为了保证操作工业机器人时的人员与设备安全，请遵循以下几条原则：

①如果在保护空间内有工作人员，请手动操纵工业机器人系统。

②当进入保护空间时，请始终带好 FlexPendant 示教器，以便随时控制工业机器人。

③注意旋转或运动的工具，如切削工具和锯；确保在接近工业机器人之前，这些工

具已经停止运动。

④留意工件和工业机器人的发烫表面。工业机器人电机和其他部件会发烫。

⑤注意夹具并确保夹好工件。如果夹具打开，工件会脱落并导致人员伤害或设备损坏；在夹具非常有力的情况下，若不按照正确方法操作，极易导致人员伤害。

⑥注意液压、气压系统以及带电部件；即使断电，这些电路上的残余电量也很危险。

⑦注意始终根据工业机器人的风险评估情况，选择合适的个人防护装备。

任务 1.2　工业机器人系统的启动

【任务描述】

启动工业机器人

在使用工业机器人前的第一步就是启动工业机器人系统。本任务介绍如何通过控制器启动工业机器人系统。

【任务实施】

项目名称	工业机器人的系统认知与操作			任务名称	工业机器人系统的启动		
班级		姓名		学号		组别	
任务内容	通过操作控制器按钮启动工业机器人系统，使示教器显示开机画面						
任务目标	掌握启动工业机器人系统的技能						

在任务 1.1 中已经了解了控制器的按钮，下面使用控制器上的电源开关来启动工业机器人系统。启动工业机器人的步骤见表 1-7。

表 1-7　启动工业机器人的步骤

序号	步骤	图示
1	在启动工业机器人之前，应首先确保外部电源已正确连接	
2	找到控制器的电源开关，将其由“OFF”顺时针旋转至“ON”	

表 1-7（续）

序号	步骤	图示
3	此时请耐心等待，完成工业机器人系统启动后，示教器触摸屏将显示右图所示画面	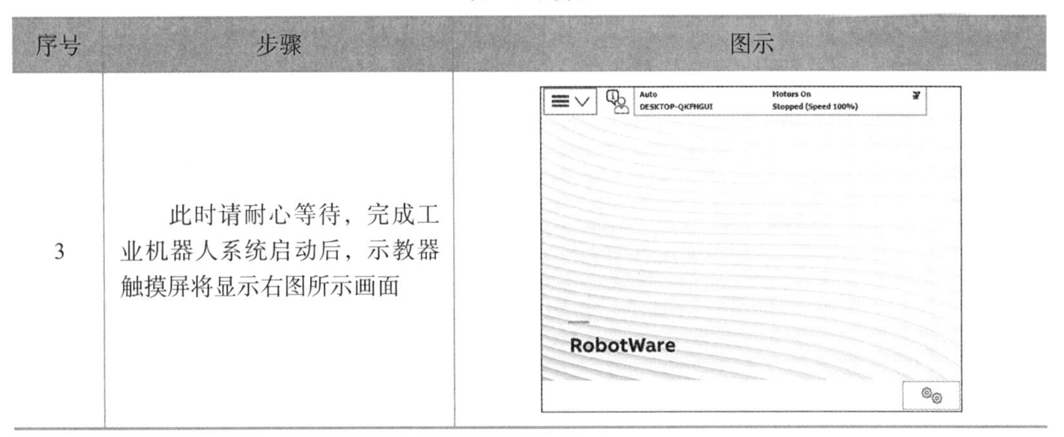

任务 1.3　示教器运行环境的设置

【任务描述】

为了便于操作人员操控，在使用工业机器人系统前，需要对示教器运行环境进行设置。本任务将详细讲解设置示教器语言及时间的方法。

【知识准备】

示教器触摸屏是与工业机器人系统交互的主要操作接口，工业机器人系统启动后可见示教器触摸屏的默认界面，如图 1-17 所示。

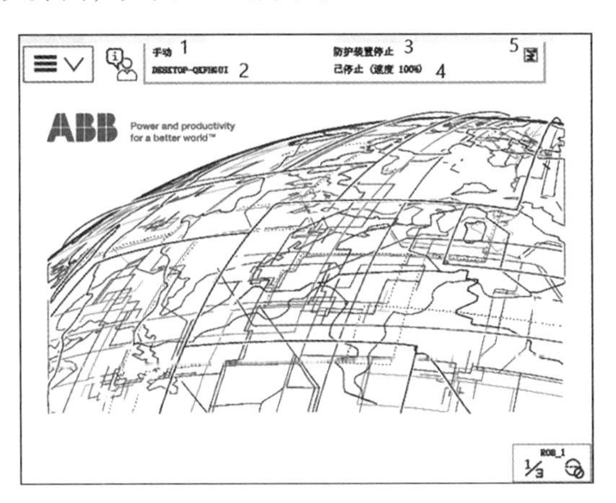

图 1-17　示教器默认界面

图 1-17 所示默认界面的最上方为示教器状态栏，通过读取状态栏可以快速获取工业机器人的当前基本状态。状态栏中各部分功能如下。

区域 1，操作模式：显示了当前工业机器人处于手动或自动模式。

区域 2，显示了系统名称与控制器名称。

区域 3，控制器状态：该区域会直接反映当前控制器的使能状态，详见本书任务 1.4 示教器的安全使用方法。当紧急停止、碰撞等情况发生时，此处也会有不同显示。

区域 4，程序状态与运行速度：显示了当前程序的运行状态以及运行速度。

区域 5，机械单元：显示了当前操作的机械单元，默认为工业机器人本体，如工业机器人系统配备了外部轴设备，则可以通过此选项进行切换。

【任务实施】

项目名称	工业机器人的系统认知与操作			任务名称	示教器运行环境的设置		
班级		姓名		学号		组别	
任务内容	通过使用示教器，设置示教器的语言与时间						
任务目标	1. 掌握设置示教器语言的技能						
	2. 掌握设置示教器时间的技能						

1. 语言设置

ABB IRB 120 型工业机器人系统默认的运行环境语言为英文，为了便于操作人员的使用，通常需要对其进行修改。此处以将示教器运行环境语言修改为中文为例进行讲解，完成修改后示教器的显示语言将显示为中文。语言设置的具体修改流程及方法见表 1-8。

示教器
语言设置

表 1-8 语言设置的步骤

序号	步骤	图示
1	在示教器主菜单中，点击“Control Panel”进入控制面板	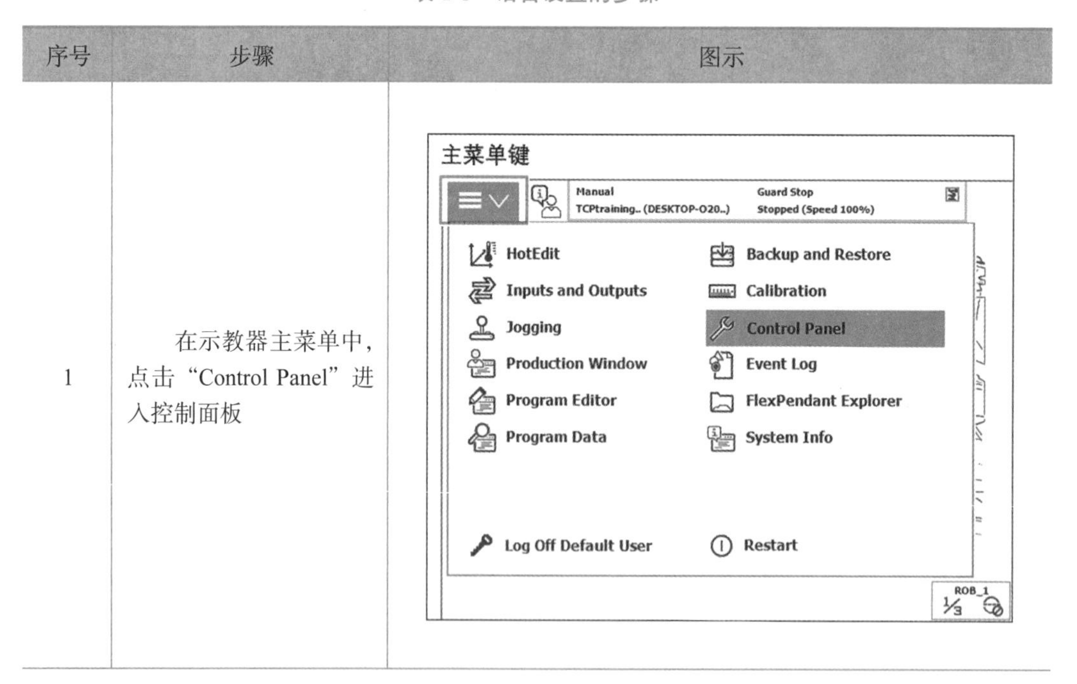

表 1-8（续 1）

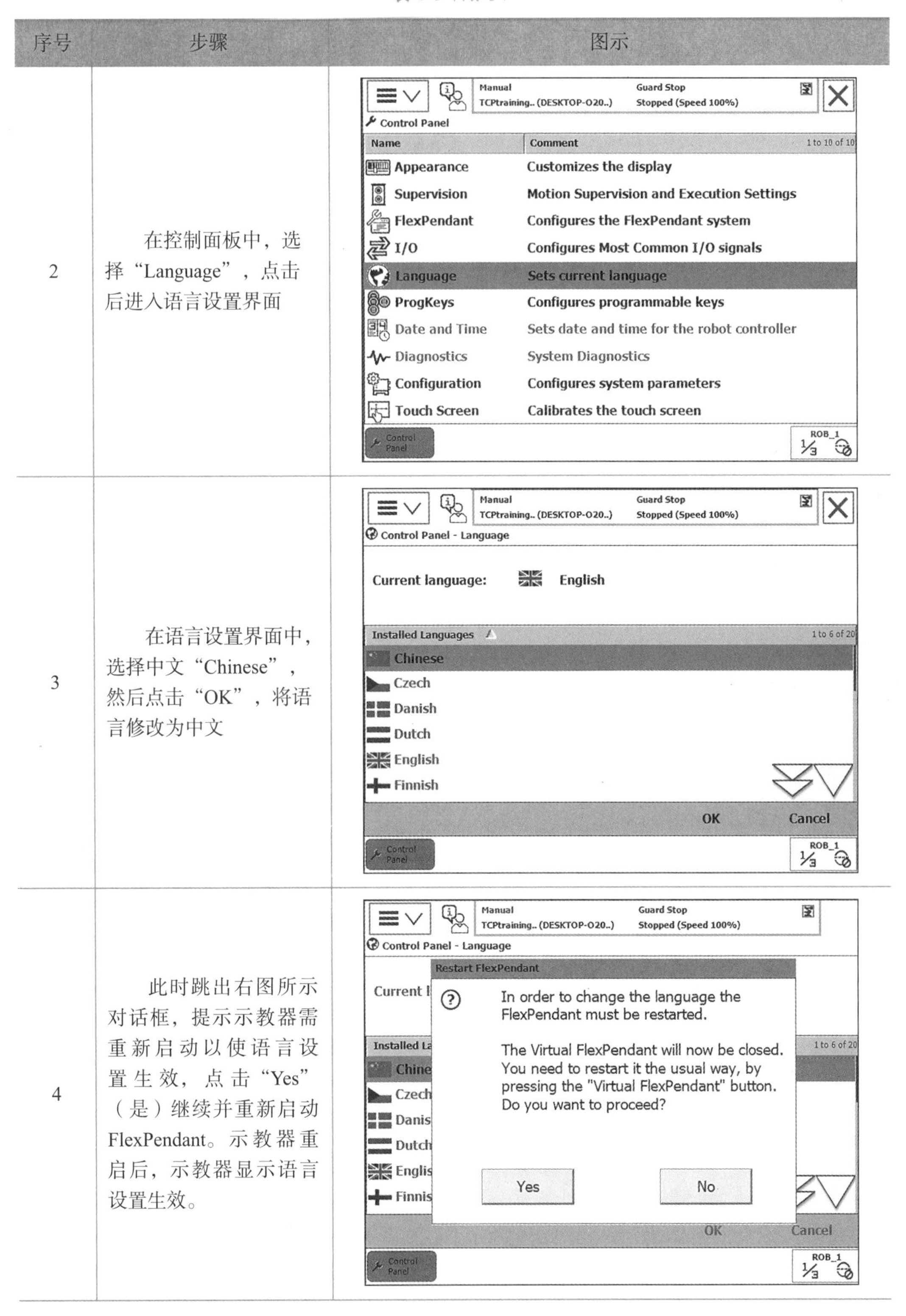

序号	步骤	图示
2	在控制面板中，选择“Language”，点击后进入语言设置界面	
3	在语言设置界面中，选择中文“Chinese”，然后点击“OK”，将语言修改为中文	
4	此时跳出右图所示对话框，提示示教器需重新启动以使语言设置生效，点击“Yes”（是）继续并重新启动FlexPendant。示教器重启后，示教器显示语言设置生效。	

表 1-8（续 2）

序号	步骤	图示
5	示教器会自动重新启动，重新启动后可以看见示教器的操作界面文字显示为中文	手动 TCPtraining (DESKTOP-020MME2) 防护装置停止 已停止（速度 100%） HotEdit 备份与恢复 输入输出 校准 手动操纵 控制面板 自动生产窗口 事件日志 程序编辑器 FlexPendant 资源管理器 程序数据 系统信息 注销 Default User 重新启动 ROB_1 1/3

2. 时间设置

当遇到系统故障需要查找日志或者存储了较多程序时，正确的时间信息有助于快速找到需要的数据。使用示教器修改系统时间的具体设置步骤见表 1-9。

系统时间的设置

表 1-9 示教器时间设置步骤

序号	步骤	图示
1	在主菜单操作界面，点击“控制面板”	手动 MicroWin10-1159 防护装置停止 已停止（速度 100%） HotEdit 备份与恢复 输入输出 校准 手动操纵 控制面板 自动生产窗口 事件日志 程序编辑器 FlexPendant 资源管理器 程序数据 系统信息 注销 Default User 重新启动 控制面板 ROB_1 1/3
2	在控制面板界面，选择“控制器设置——设置网络、日期与时间和 ID”，进入时间设置界面	手动 MicroWin10-1159 防护装置停止 已停止（速度 100%） 控制面板 名称 备注 1 到 10 共 10 外观 自定义显示器 监控 动作监控和执行设置 FlexPendant 配置 FlexPendant 系统 I/O 配置常用 I/O 信号 语言 设置当前语言 ProgKeys 配置可编程按键 控制器设置 设置网络、日期与时间和ID 诊断 系统诊断 配置 配置系统参数 触摸屏 校准触摸屏 控制面板 ROB_1 1/3

表 1-9（续）

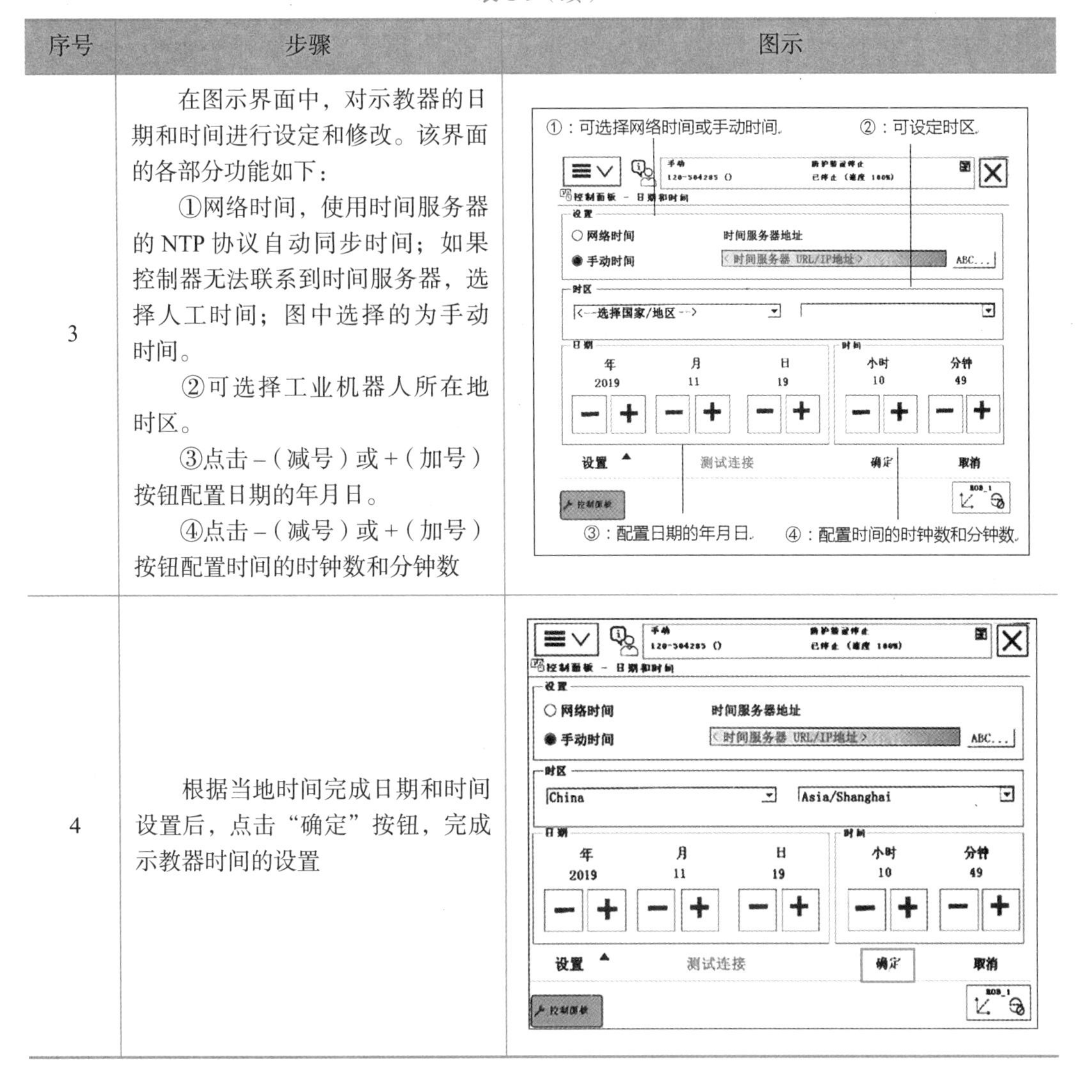

序号	步骤	图示
3	在图示界面中，对示教器的日期和时间进行设定和修改。该界面的各部分功能如下： ①网络时间，使用时间服务器的 NTP 协议自动同步时间；如果控制器无法联系到时间服务器，选择人工时间；图中选择的为手动时间。 ②可选择工业机器人所在地时区。 ③点击 –（减号）或 +（加号）按钮配置日期的年月日。 ④点击 –（减号）或 +（加号）按钮配置时间的时钟数和分钟数	
4	根据当地时间完成日期和时间设置后，点击“确定”按钮，完成示教器时间的设置	

任务 1.4　工业机器人系统的重启与关闭

【任务描述】

在前面的任务中已讲解示教器的构成，本任务中将在此基础上讲解示教器的安全使用方法、示教器的按键与操作接口等内容，并使用示教器进行工业机器人系统的重启与关闭。

【知识准备】

1. 示教器的安全使用方法

示教器的使动装置又叫作使能器按钮，仅在按钮被按下一半（第二挡）的时候才能使电机上电，而在完全按下（第三挡）与完全弹出（第一挡）的状态下会使得电机停止，从而保证人员安全。

示教器的正确手持姿势如图 1-18 所示。

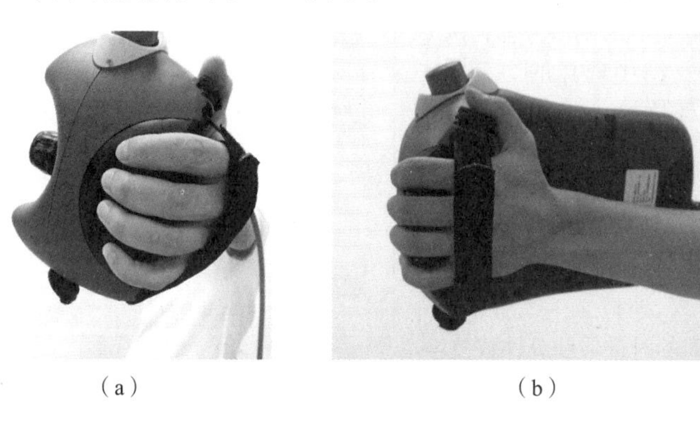

（a）　　　　（b）

图 1-18　示教器的正确手持姿势

使用时，左手四指从固定带中穿过，自然放于使动装置上。在工业机器人开启的状态下，手指放松时使动装置完全弹开并显示“防护装置停止”字样（图 1-19），四指轻按可见示教器状态栏中显示“电机开启”并伴随有咔嚓声（图 1-20），用力按下则可见示教器状态栏中显示“防护装置停止”字样并伴有声响（图 1-19）。

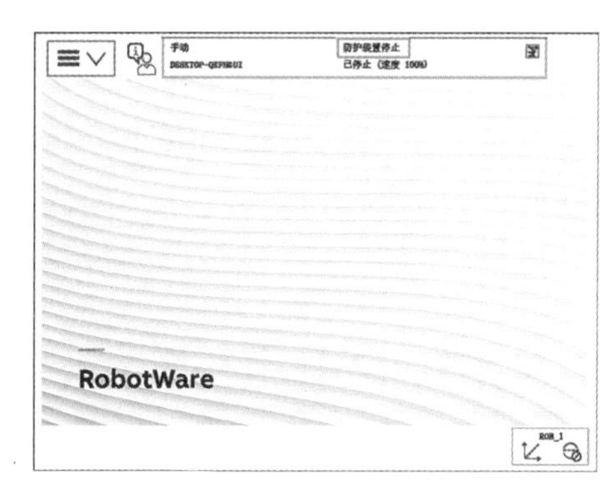

图 1-19　使动装置第一、三挡时的状态显示

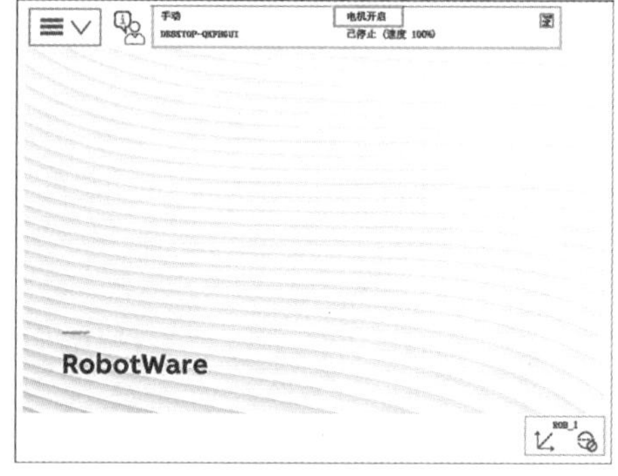

图 1-20　使动装置第二挡时的状态栏显示

2. 示教器的按键与操作接口

示教器上总共有 12 个实体按键，使用这些实体按键可以快速实现一些功能。FlexPendant 示教器实体按键如图 1-21 所示。FlexPendant 示教器实体按键功能见表 1-10。

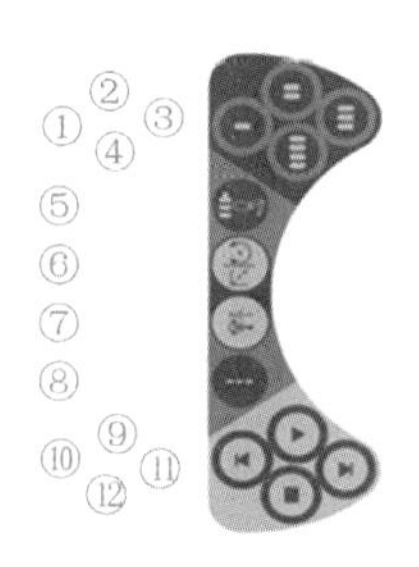

图 1-21　FlexPendant 示教器实体按键

表 1-10　FlexPendant 示教器实体按键功能

编号	功能
① ~ ④	可编程按键，由用户设置专用特定功能（如切换信号状态）
⑤	切换机械单元
⑥	切换动作模式至线性或重定位
⑦	切换动作模式至单轴运动
⑧	切换增量模式（有 / 无）
⑨	启动程序持续运行
⑩	按下此按钮，可使程序后退至上一条指令
⑪	按下此按钮，可使程序前进至下一条指令
⑫	停止程序运行

3. 高级重启界面

关机等操作需要进入高级重启界面进行，该页面中有多种重启选项。运行中的系统通常不需要重启。

如图 1-22 所示，在高级重启页面中，有 5 个选项可供选择：“重启”“重置系统”“重置 RAPID”“恢复到上次自动保存的状态”和“关闭主计算机”。

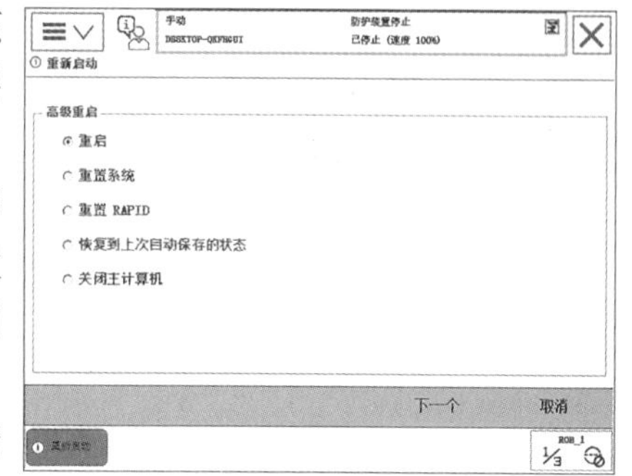

图 1-22　高级重启界面

（1）重启：将系统停止，保存系统，然后再按原有设置启动。

（2）重置系统：将系统恢复到刚安装好的状态，所有系统参数与设置都会丢失。

（3）重置 RAPID：系统恢复，程序模块将会丢失，但系统参数不会改变。

（4）恢复到上次保存的状态：加载上次保存的系统镜像文件。

（5）关闭主计算机：将系统保存并关闭。

【任务实施】

项目名称	工业机器人的系统认知与操作		任务名称	工业机器人系统的重启与关闭	
班级		姓名		学号		组别	
任务内容	通过使用示教器的重启界面，重启和关闭工业机器人系统				
任务目标	掌握工业机器人系统关闭、重启的技能				

1. 重启工业机器人系统

更改系统参数、恢复系统时，需重启工业机器人系统才可以使修改生效，执行上述操作时示教器界面会弹出对话框进行询问，只需要在弹出的窗口中点击“是”即可自动重启工业机器人系统。重新启动对话框如图 1-23 所示。

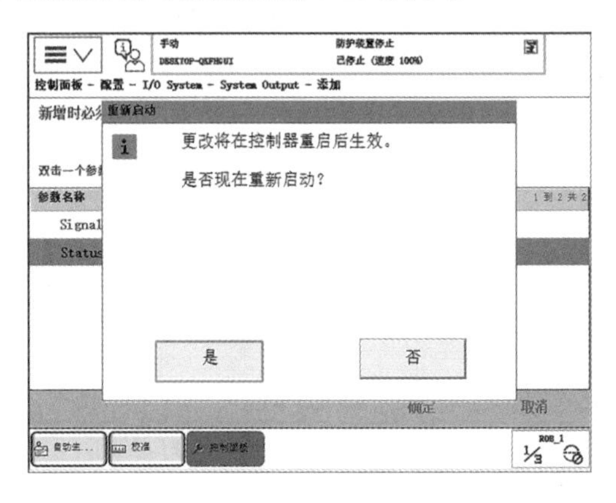

图 1-23　重新启动对话框

如出现系统故障，可根据需求自行重启。因工业机器人重启后可以恢复之前指针所在位置，故工业机器人在重启前无须进行姿态调整等操作。工业机器人重启的具体步骤见表 1-11。

表 1-11　重启工业机器人系统

序号	步骤	图示
1	在示教器的主菜单操作界面，点击“重新启动”，进入重新启动界面	手动 DESKTOP-QKFHGUI 防护装置停止 已停止 (速度 100%) HotEdit　备份与恢复 输入输出　校准 手动操纵　控制面板 自动生产窗口　事件日志 程序编辑器　FlexPendant 资源管理器 程序数据　系统信息 注销 Default User　重新启动

表 1-11（续）

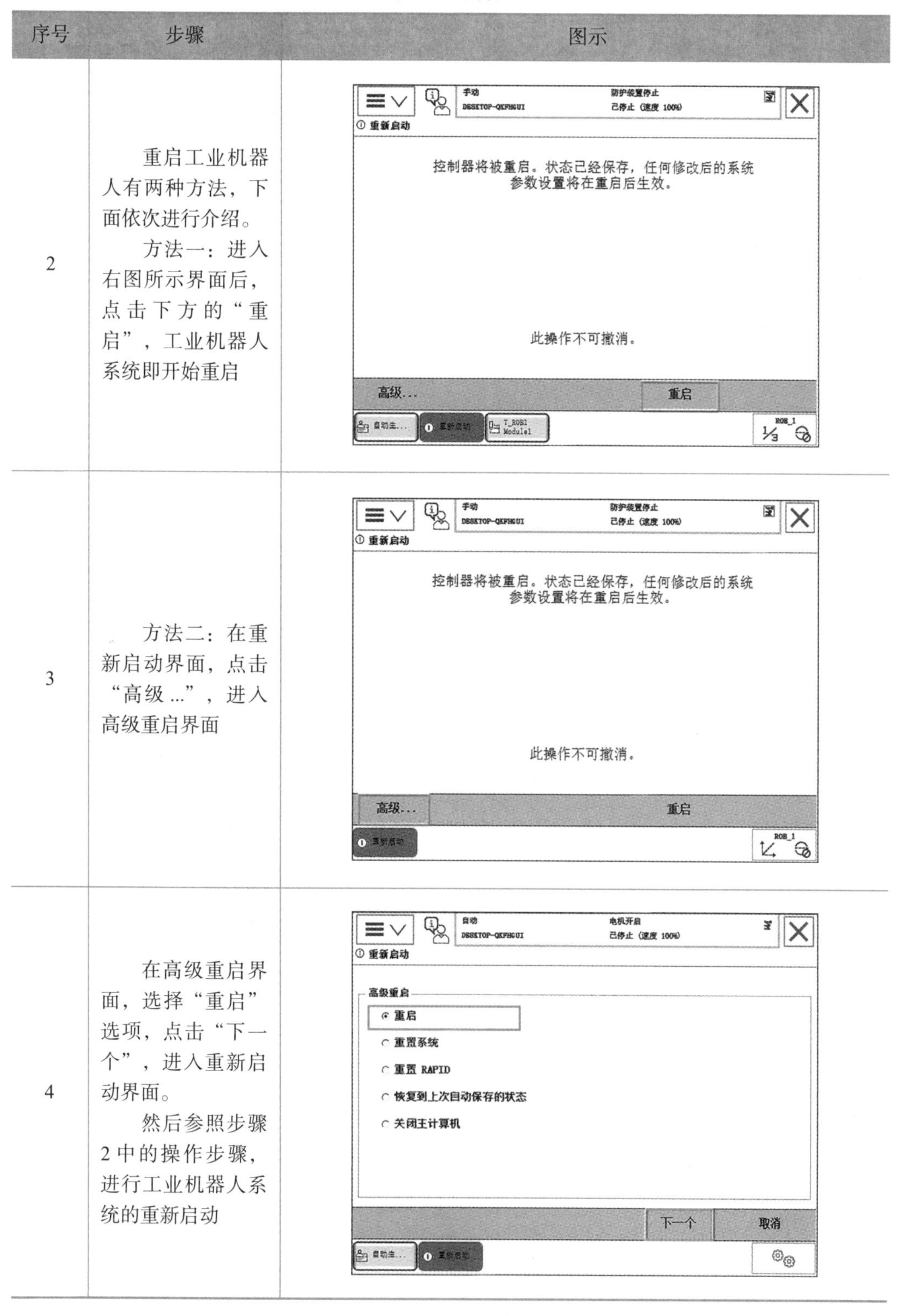

序号	步骤	图示
2	重启工业机器人有两种方法，下面依次进行介绍。 方法一：进入右图所示界面后，点击下方的“重启”，工业机器人系统即开始重启	
3	方法二：在重新启动界面，点击“高级 ...”，进入高级重启界面	
4	在高级重启界面，选择“重启”选项，点击“下一个”，进入重新启动界面。 然后参照步骤2中的操作步骤，进行工业机器人系统的重新启动	

2. 关闭工业机器人系统

在关闭工业机器人之前，如果工业机器人末端装有工具，建议将工具取下。同时建议将工业机器人调整到机械零点位置，如图 1-24 所示。关闭工业机器人系统的步骤见表 1-12。

关闭工业机器人

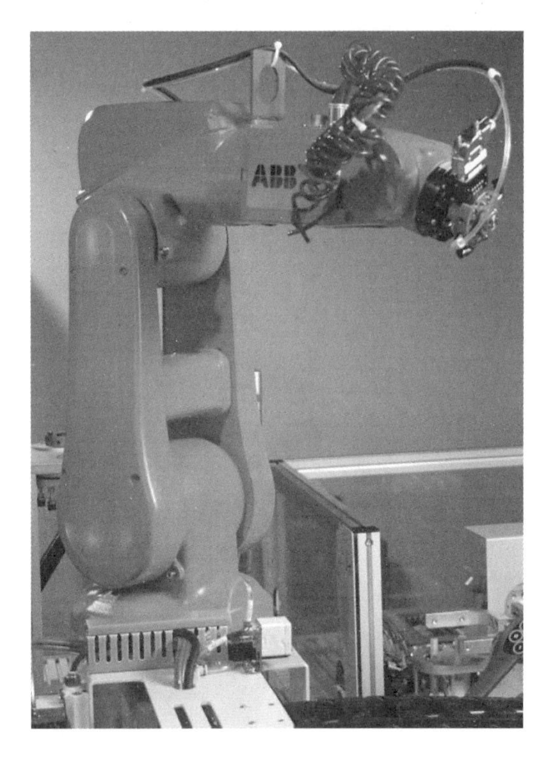

图 1-24　ABB IRB 120 型工业机器人的机械零点位置

表 1-12　关闭工业机器人系统的步骤

序号	步骤	图示
1	进入右图所示工业机器人示教器的高级重启界面	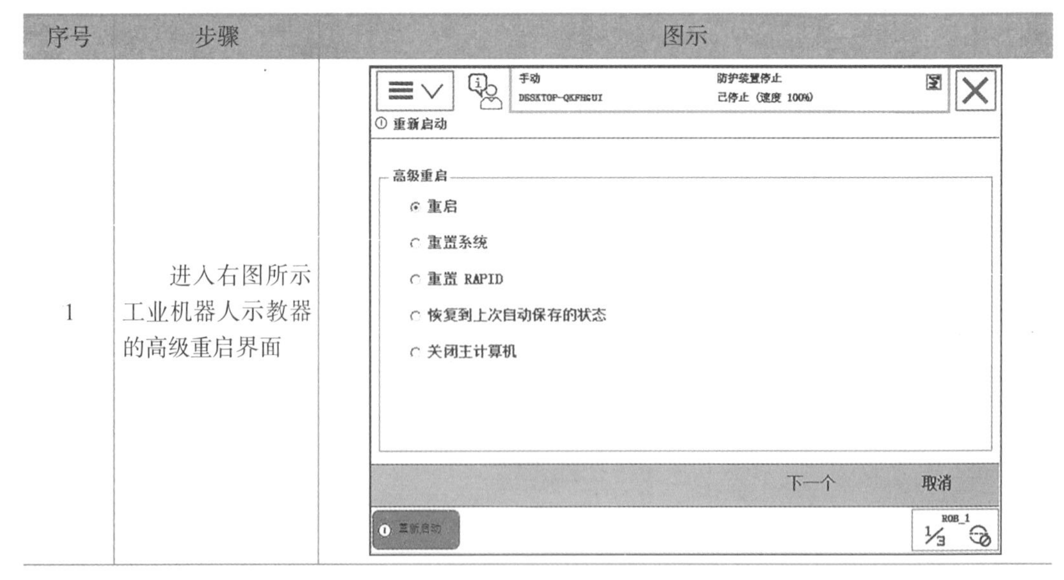

表1-12（续）

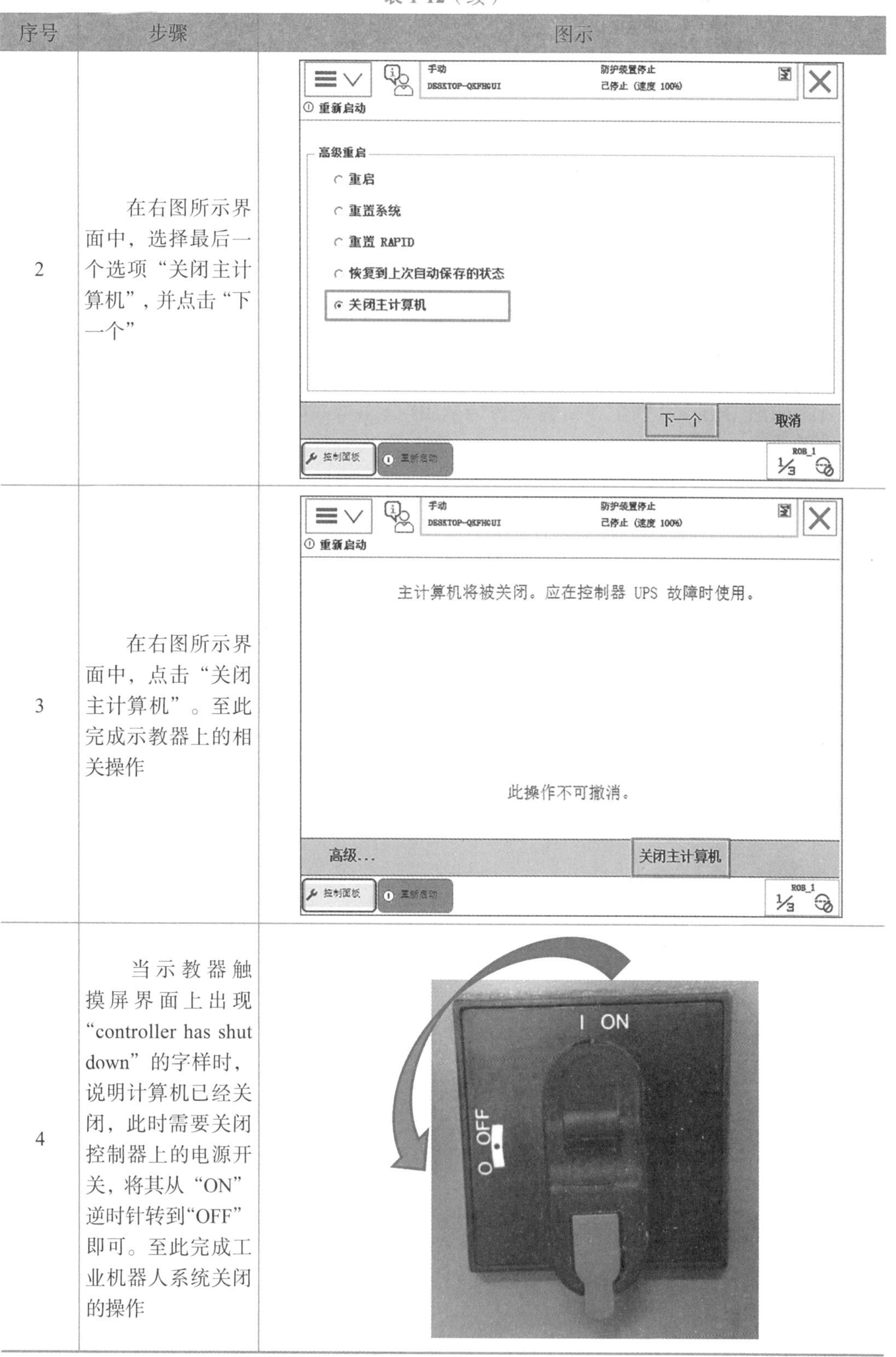

序号	步骤	图示
2	在右图所示界面中，选择最后一个选项“关闭主计算机”，并点击“下一个”	
3	在右图所示界面中，点击“关闭主计算机”。至此完成示教器上的相关操作	
4	当示教器触摸屏界面上出现“controller has shut down”的字样时，说明计算机已经关闭，此时需要关闭控制器上的电源开关，将其从“ON”逆时针转到“OFF”即可。至此完成工业机器人系统关闭的操作	

【项目评测】

1. 选择题

（1）以下关于工业机器人的描述中正确的是（　　）。

A. 工业机器人的接口均位于底座上

B. 工业机器人都需要控制器进行控制

C. 工业机器人只能使用地面方式安装

D. 工业机器人由外部电源单独供电

（2）以下按钮位于控制器上的是（　　）。

A. 可编程按钮　　B. 运动模式切换

C. 电机上电　　D. 连续执行

2. 填空题

（1）ABB IRB 120 型工业机器人作为 ABB 公司至今所生产的最小型工业机器人，其工作半径为________。

（2）工业机器人系统主要由________、________、________和________组成。

项目 2　工业机器人的手动操纵

工业机器人的操作模式有多种，可以在各操作模式下设置不同的运行速度来操纵机器人。本项目将详细讲解手动操纵工业机器人运动及定义工具坐标系的方法。

任务 2.1　安全装置的使用

【任务描述】

在进行工业机器人操纵时，可能发生由操作不当等原因导致的碰撞等情况。工业机器人系统配备了紧急停止按钮，可供紧急状况下断开工业机器人系统中除手动制动释放电路外的所有供电，同时停止工业机器人系统的运动；配备了制动闸，可供手动移动工业机器人本体。在手动操纵工业机器人之前，首先应学习并掌握工业机器人安全装置的使用方法。

【知识准备】

1. 紧急停止

为了防止紧急情况下工业机器人设备损坏或危及人身安全，工业机器人厂家在控制器与示教器上配备了紧急停止按钮。图 2-1（a）所示为 IRC5 紧凑型控制器上紧急停止按钮的位置，图 2-1（b）所示为示教器上紧急停止按钮的位置。同样地，在其他所有可能存在危险的工位上，以及可能引发工业机器人运动的位置上都必须配备这样的紧急停止按钮。

紧急停止按钮在系统中拥有最高优先级，当遇到紧急情况时，按下紧急停止按钮后，包括电机的驱动电源、运动控制系统在内的可能引发危险的部件的电源都会被切断，同时所有的运转部件将会停止运作。

注意：在使用工业机器人的过程中，如果发现紧急停止按钮有任何损坏，必须在第一时间进行更换，并定期进行紧急停止按钮的功能测试，以确保其功能正常。

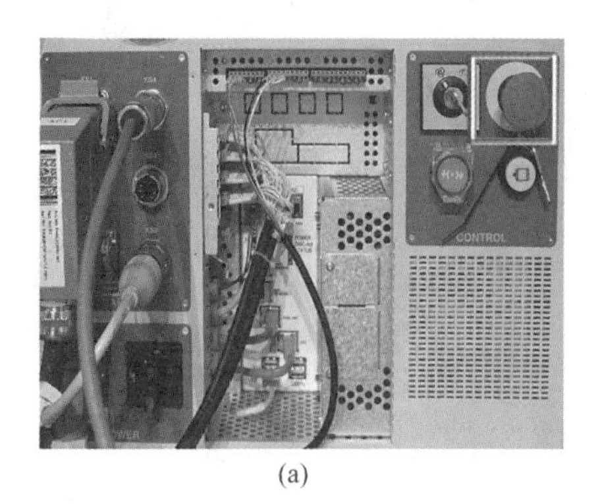

(a)

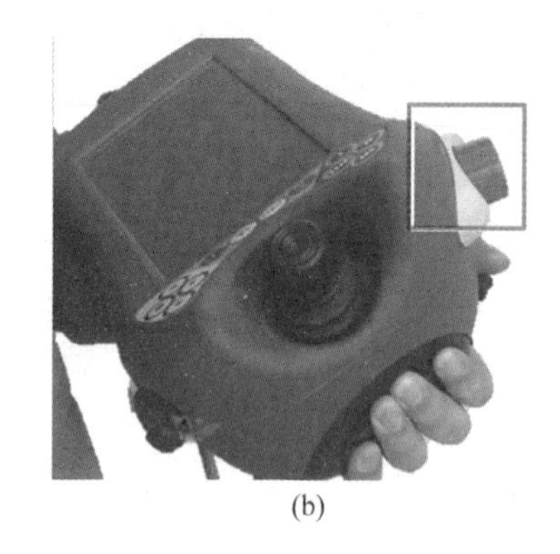

(b)

图 2-1　ABB IRB 120 型工业机器人系统中的紧急停止按钮

2. 制动闸

各关节轴电机均设有制动闸（又称“抱闸”）。制动闸释放按钮在控制器面板上的位置如图 2-2 所示。

图 2-2　制动闸释放按钮

制动闸释放按钮一般用于手动移动工业机器人，例如当工业机器人遇到障碍物或者困住人员时。在工业机器人微校中也需要用到制动闸释放按钮（见任务 6.1）。

注意：为了防止轴 2、轴 3 和轴 5 的手臂跌落，并且保证其余关节轴的稳定性与安全性，仅可在工业机器人本体处于非运行状态时进行制动！

为保证“制动闸释放”按钮（制动接触器 K44）功能正常，需定期对其进行功能测试。

【任务实施】

<table>
<tr><td>项目名称</td><td colspan="3">工业机器人的手动操纵</td><td>任务名称</td><td colspan="3">安全装置的使用</td></tr>
<tr><td>班级</td><td></td><td>姓名</td><td></td><td>学号</td><td></td><td>组别</td><td></td></tr>
<tr><td>任务内容</td><td colspan="7">本任务讲解了如何使用紧急停止按钮，紧急停止按钮按下后如何让工业机器人恢复正常，以及急停后手动移动工业机器人的方法</td></tr>
<tr><td rowspan="2">任务目标</td><td colspan="7">1. 掌握紧急停止按钮使用与恢复的技能</td></tr>
<tr><td colspan="7">2. 掌握使用制动闸释放按钮手动移动工业机器人的方法</td></tr>
</table>

1. 紧急停止的触发与恢复

当遇到紧急情况时，按下控制器或示教器上的紧急停止按钮即可触发工业机器人系统的紧急停止，如图 2-3 所示。

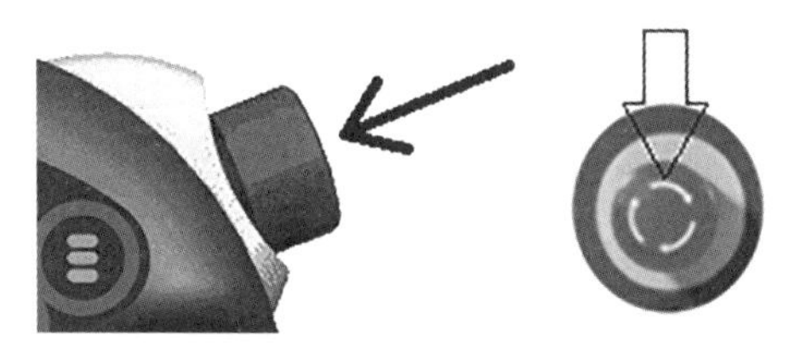

图 2-3　触发紧急停止按钮

工业机器人的紧急停止与恢复

当紧急停止按钮被按下后，需要手动将工业机器人系统复原。紧急停止状态的恢复方法见表 2-1。

表 2-1　紧急停止状态的恢复方法

序号	操作步骤	图示
1	当工业机器人紧急停止按钮被按下后，工业机器人的所有运动部件停止运转，可能造成潜在危险的部件电源被断开，同时示教器上显示右图所示报警信息	
2	为了让紧急停止按钮复位从而恢复工业机器人系统至正常状态，需顺时针旋转紧急停止按钮，至弹起时完成该按钮的复位	
3	复位紧急停止按钮后，还需要按下控制器的电机开启按钮重新给电机上电，点击开启按钮如配图（左）所示。 自动模式下上电后电机开启按钮常亮，如配图（右）所示；手动模式下电机开启按钮闪烁，工业机器人恢复正常工作状态	

2. 释放制动闸手动移动工业机器人

当遇到紧急状况停止后，如果发生人员被工业机器人手臂困住，或者被不易移动的障碍物堵住的情况，需要释放制动闸并手动移动工业机器人。释放制动闸手动移动工业机器人的方法见表 2-2。

注意：本操作需两人合作完成，移动过程中制动闸释放按钮需要持续按住；手动移动仅适用于较小的工业机器人型号，大型工业机器人应使用起重设备。

表 2-2 释放制动闸手动移动工业机器人的方法

序号	操作步骤	图示
1	如有障碍物，应当首先移除障碍物。 由于制动闸释放后，电机制动闸失效，手臂会在重力作用下跌落，为防止事故的发生，须先由一名操作人员托住工业机器人的手臂	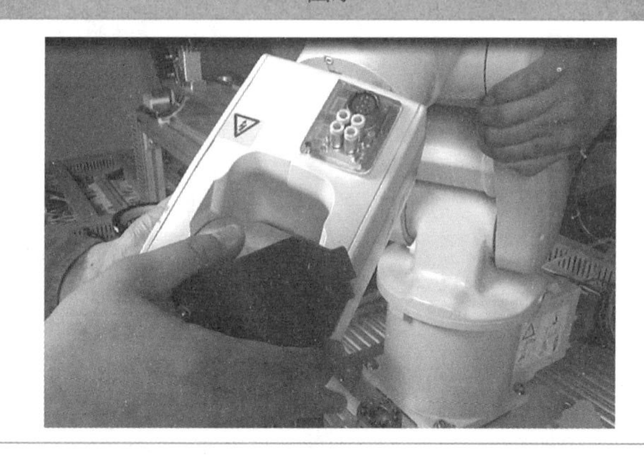
2	另一操作人员持续按下制动闸释放按钮，电机抱死状态解除。 此时托住工业机器人的操作人员可以将其移动到安全位置。 注意：在工业机器人移动到安全位置的过程中，须持续按下制动闸释放按钮。 工业机器人被移动到位后松开制动闸释放按钮	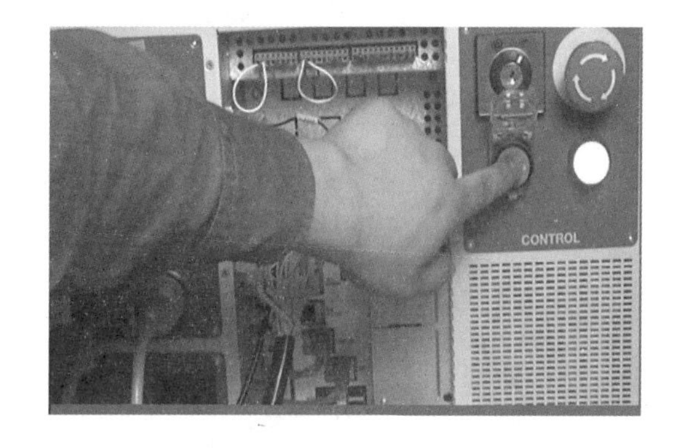
3	松开紧急停止按钮，按下电机开启按钮给电机重新上电，工业机器人系统恢复到正常工作状态	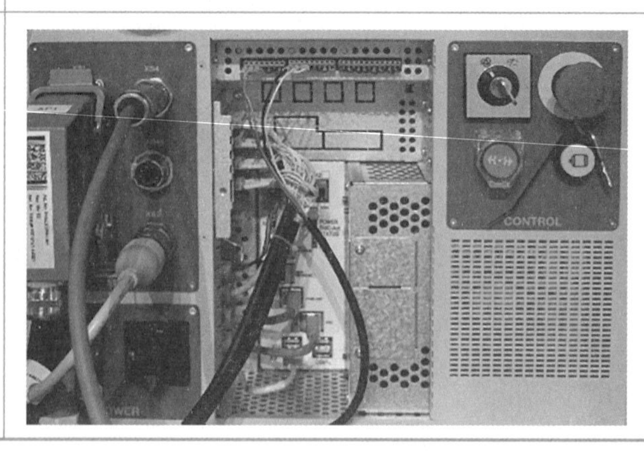

任务 2.2 操作模式、运动模式和运行速度的设置

【任务描述】

ABB IRB 120 型工业机器人可以在手动和自动操作模式下运行。当处于手动操纵模式时，可以通过默认模式和增量模式操纵工业机器人进行点位示教。本任务将详细讲解切换工业机器人的操作模式、设置工业机器人的运动模式以及运行速度的方法。

【知识准备】

1. 工业机器人的操作模式

ABB IRB 120 型工业机器人的操作模式分为手动模式与自动模式两种。

手动模式一般用于工业机器人示教和程序调试时。另外，有的其他型号工业机器人会将手动模式分为手动减速模式与手动全速模式。手动减速模式下速度最高为 250 mm/s，手动全速模式下速度由程序设置。

在手动模式下示教编程时，需将示教器上的使动装置按至中间挡位（即第二挡）使电机上电，此时操作人员可以操纵控制杆控制工业机器人的运动；手动模式下运行、调试程序时，同样需要使电机处于上电状态，同时还应根据需求按下示教器上的实体按键，启动或暂停程序的运行。

自动模式一般用于实际生产中已完成调试验证程序的运行。自动模式下，无须按下使动装置按钮使得电机处于上电状态。自动模式下的速度取决于程序语句设定的速度。

IRC5 紧凑型控制器前面板上的模式切换开关（图 2-4）用于手动模式与自动模式的切换。

图 2-4 模式切换开关在 IRC5 紧凑型控制器上的位置

模式切换开关的钥匙旋转指到图 2-5（a）所示位置时，为自动模式；旋转指到图 2-5（b）所示位置时，为手动模式。

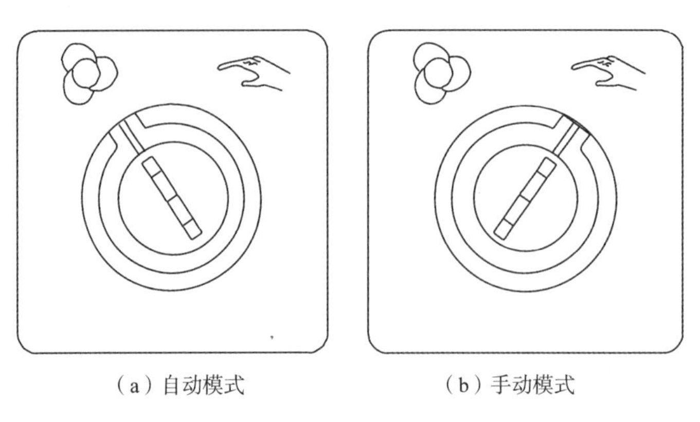

（a）自动模式　　（b）手动模式

图 2-5　模式切换开关

2. 工业机器人的运动模式

手动操纵工业机器人时，工业机器人的运动模式分为默认模式与增量模式两种。

默认模式下，手动操纵工业机器人移动的速度与控制杆拨动幅度有关。控制杆的拨动幅度越大，工业机器人的运动速度越快；反之，控制杆拨动幅度越小，工业机器人的运动速度越慢。

增量模式下，手动操纵工业机器人移动的速度与控制杆偏转的次数、时间以及设置的增量大小有关。增量模式下每偏转控制杆一次，工业机器人移动 1 个增量；持续偏转控制杆（1 s 及以上）时，工业机器人将以 10 个增量每秒的速度持续移动。增量大小可选择预先定义好的数值，如表 2-3 所示，也可以进行自定义，具体方法见任务 2.2 的任务实施。

表 2-3　不同增量在不同运动模式下的具体数值

增　量	小	中	大	用户
轴 /rad	0.000 10	0.000 40	0.002 50	自定义
线 /mm	0.05	1	5	自定义
重定位 /rad	0.000 50	0.004 00	0.009 00	自定义

工业机器人的增量模式，主要用于示教过程中需要精确小距离移动的场合。

3. 工业机器人的运行速度

工业机器人的运行速度因操作模式的不同而有所差异。

默认模式下，可通过更改控制杆的速度百分比来改变手动操纵时的速度。当控制杆幅度一定时，减小控制杆速度百分比，则工业机器人移动速度也按照对应的百分比减小；增大该速度百分比，则工业机器人速度也相应增大。该速度百分比最大为 100%，最小为 10%。

在运行程序时，手动减速模式下速度最高为 250 mm/s，手动全速模式以及自动操作模式下的最高速度都由程序语句决定。在调试程序时，为了保证安全，一般不会使用最高速度运行。此时可以通过快速设置菜单中的速度设置选项设置实际速度与程序速度的百分比进行调节，该百分比最大为 100%，最小为 0%，一次可以调节的最小幅度为 1%。具体的设置方法见任务 2.2 的任务实施。

4. 示教器快速设置菜单

在示教器触摸屏的任意界面中点击右下角“快速设置菜单”按钮可以调出快速设置菜单，如图 2-6 所示。

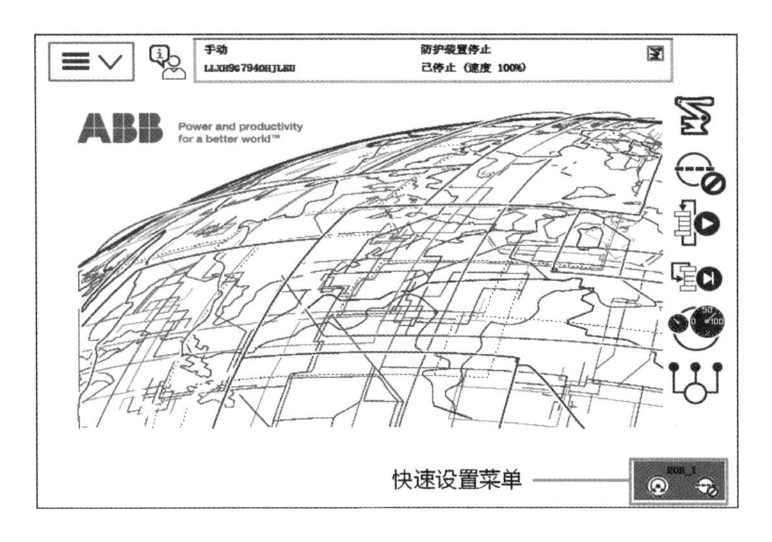

图 2-6　示教器快速设置菜单打开方式

示教器快速设置菜单如图 2-7 所示。快速设置菜单分为机械单元、增量、运行模式、单步模式、速度、任务六个选项。

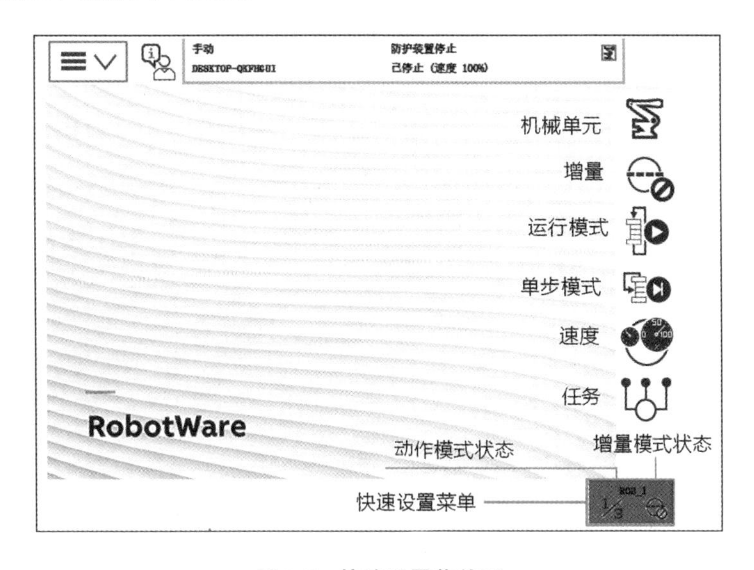

图 2-7　快速设置菜单图

在快速设置菜单中点击第一个按钮可进入机械单元选项（图 2-8）。该选项可用于选择机械单元、动作模式、使用的坐标系以及设置手动运行速度等，且该选项仅在手动模式下才可以使用。

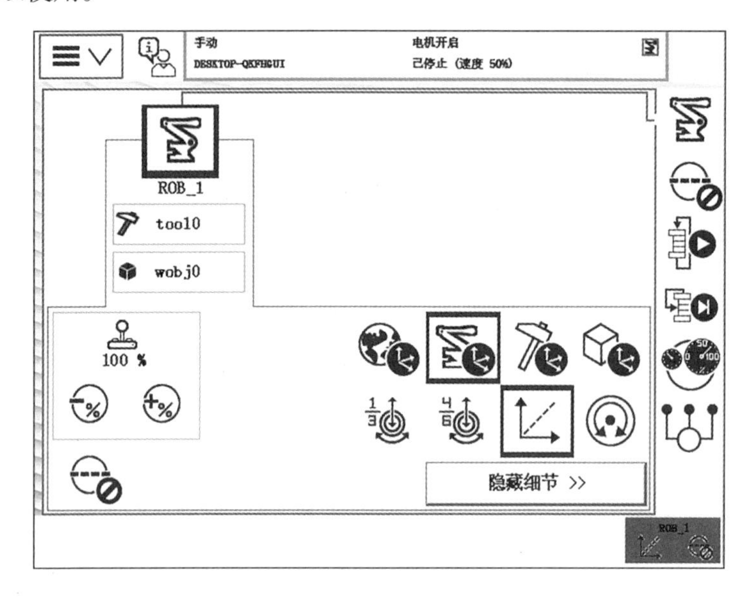

图 2-8 机械单元选项

在快速设置菜单中点击第二个按钮可进入增量选项（图 2-9）。该选项可用于切换增量模式与默认模式，更改增量大小，且该选项仅在手动模式下才可以使用。

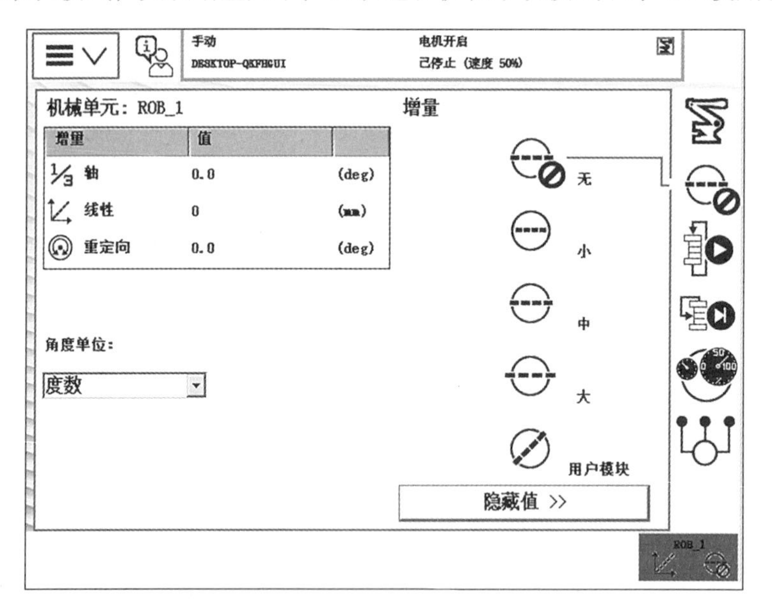

图 2-9 增量选项

在快速设置菜单中点击第三个按钮可进入运行模式选项（图 2-10）。该选项可用于定义程序执行一次就停止或者定义程序持续运行。

在快速设置菜单中点击第四个按钮可进入单步选项（图 2-11），该选项可用于设置例行程序的执行方式，包括步进入、步进出、跳过和下一步行动指令。其中，步进入选项用于单步进入已调用的例行程序并逐步执行它们；步进出选项用于执行当前例行程序的剩余部分并在例行程序的下一条指令处（即调用当前例行程序的位置）停止，其无法在主程序 Main 中使用；跳过模式用于单独执行当前光标所在的例行程序，执行完成后在当前调用例行程序之后的第一条语句处停止；下一步行动指令用于步进到下一条运动指令，并在运动指令的之前与之后停止，以方便修改位置等操作。

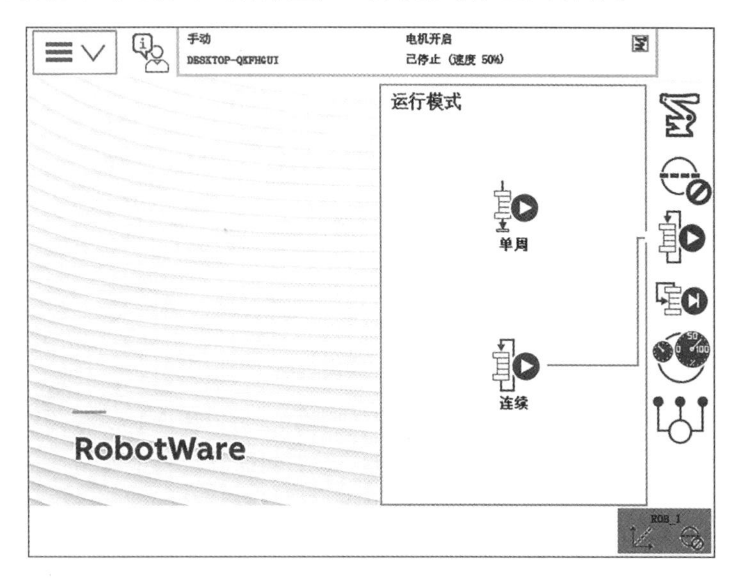

图 2-10 运行模式选项

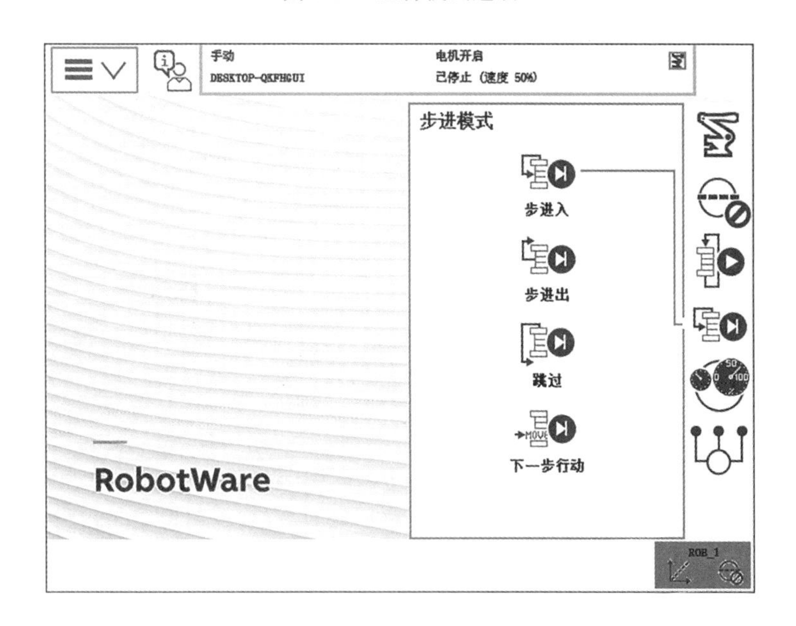

图 2-11 单步选项

在快速设置菜单中点击第五个按钮可进入速度选项（图 2-12）。该选项可用于工业机器人运行速度的设置，使用第一行的两个按钮可以分别以 1% 的幅度减小和增大运行速度，使用第二行的两个按钮可以分别以 5% 的幅度减小和增大运行速度，使用第三行的四个按钮可以将当前速度设置为全速的 0%、25%、50%、100%。该设置在手动与自动操作模式下通用。

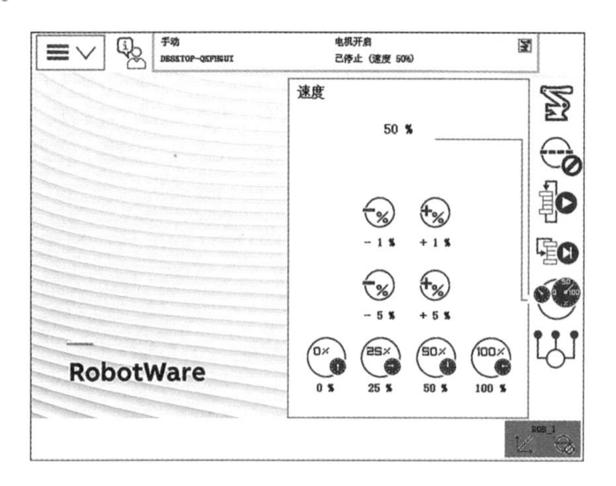

图 2-12　速度选项

在快速设置菜单中点击第六个按钮可进入任务选项（图 2-13）。该选项可用于多工业机器人协作时停止与启动任务。任务设置仅在手动操纵模式下有效。

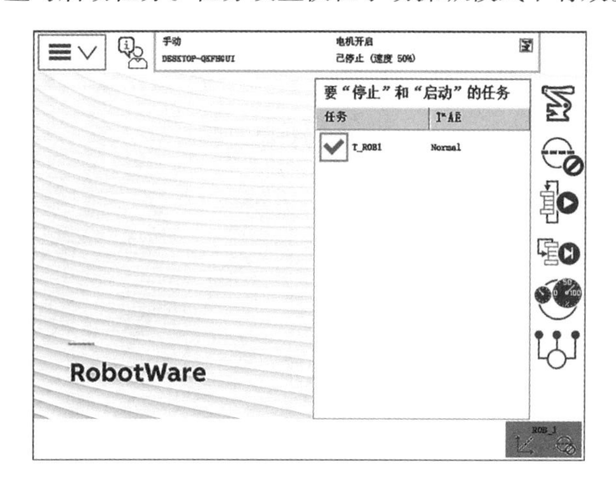

图 2-13　任务选项

【任务实施】

<table>
<tr><td>项目名称</td><td colspan="3">工业机器人的手动操纵</td><td>任务名称</td><td colspan="3">操作模式、运动模式和运行速度的设置</td></tr>
<tr><td>班级</td><td></td><td>姓名</td><td></td><td>学号</td><td></td><td>组别</td><td></td></tr>
<tr><td>任务内容</td><td colspan="7">本任务详细讲解了操作模式的切换方法，介绍了运动模式的切换与设置，以及运行速度设置的步骤等</td></tr>
<tr><td rowspan="3">任务目标</td><td colspan="7">1. 掌握工业机器人操作模式切换的技能</td></tr>
<tr><td colspan="7">2. 掌握工业机器人运动模式切换的技能</td></tr>
<tr><td colspan="7">3. 掌握工业机器人运行速度设置的技能</td></tr>
</table>

1. 操作模式切换

工业机器人手动自动运行模式的切换

本书所述工业机器人的操作模式有自动模式和手动模式两种，需使用控制器的模式切换开关以及示教器实现操作模式的切换。将工业机器人从自动模式切换到手动模式、从手动模式切换到自动模式的方法见表 2-4。

表 2-4 操作模式切换方法

序号	步骤	图示
将工业机器人操作模式切换为自动模式		
1	初始状态下工业机器人处于手动模式，示教器状态栏如右图所示	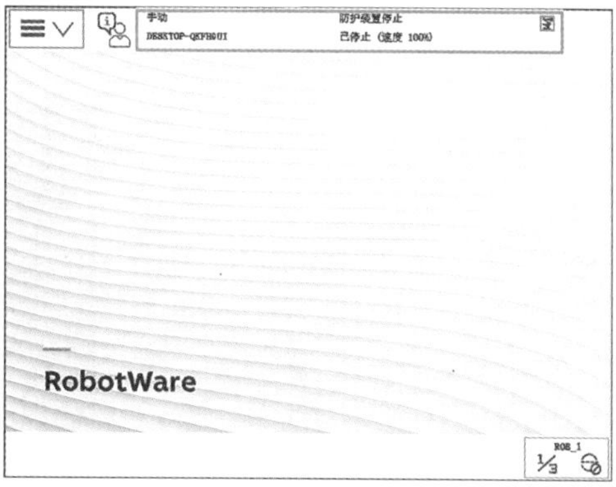
2	初始状态下控制器的模式切换开关状态如右图所示	
3	如右图所示，逆时针旋转工业机器人状态钥匙至自动模式	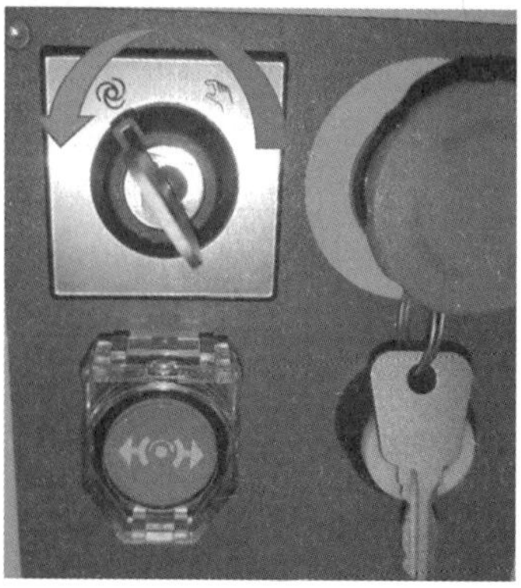

表 2-4（续 1）

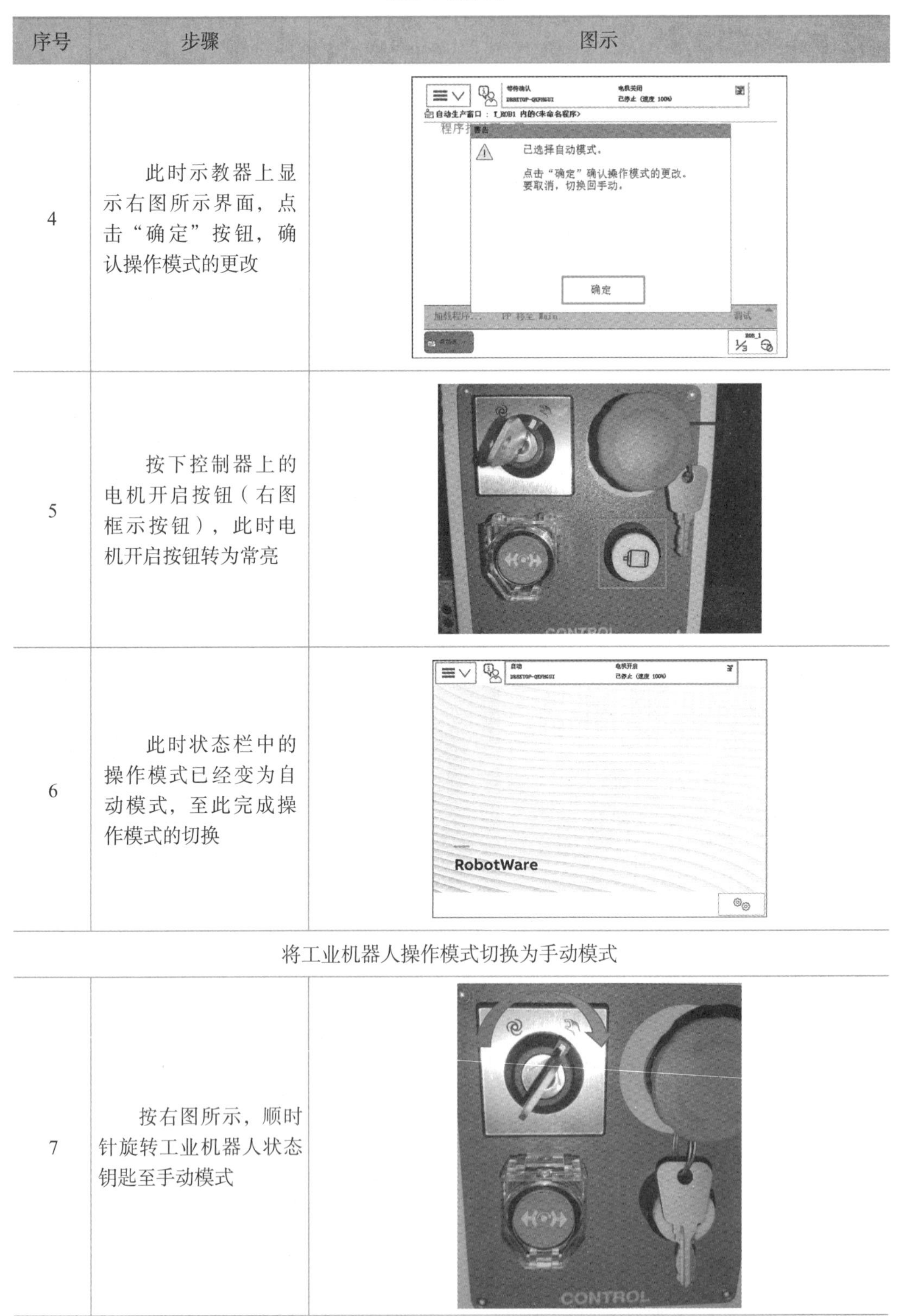

序号	步骤	图示
4	此时示教器上显示右图所示界面，点击“确定”按钮，确认操作模式的更改	
5	按下控制器上的电机开启按钮（右图框示按钮），此时电机开启按钮转为常亮	
6	此时状态栏中的操作模式已经变为自动模式，至此完成操作模式的切换	
将工业机器人操作模式切换为手动模式		
7	按右图所示，顺时针旋转工业机器人状态钥匙至手动模式	

表 2-4（续 2）

序号	步骤	图示
8	切换操作模式为手动模式后，示教器状态栏如右图所示	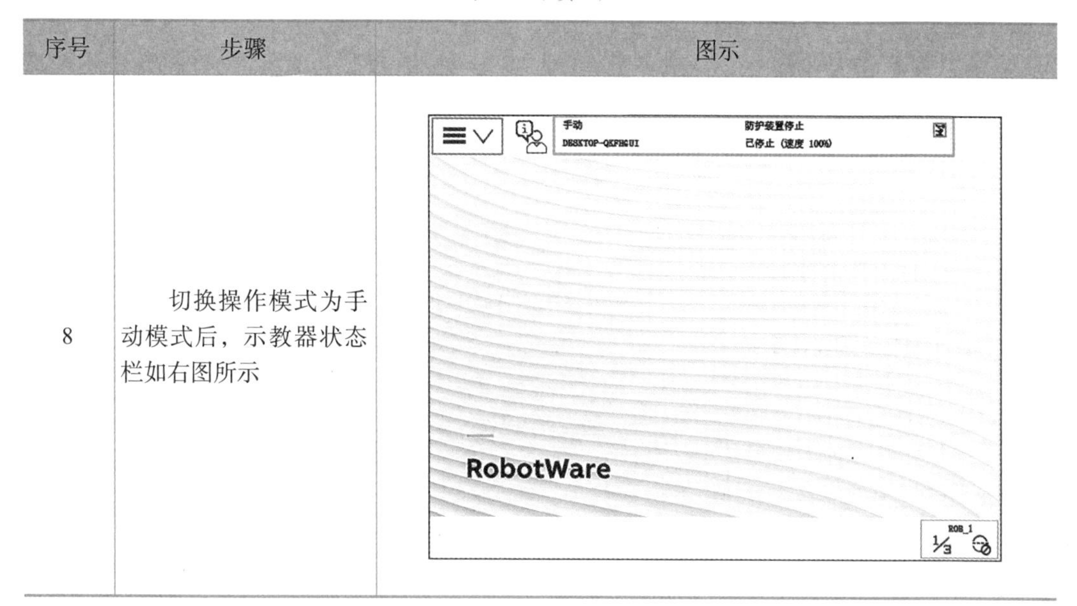

2. 运动模式设置

增量模式的开关快捷切换

运动模式设置包括切换默认模式与增量模式，以及自定义增量大小。

（1）切换默认模式与增量模式

为了更加精细地手动操纵工业机器人运动，需要将工业机器人的运动模式切换为增量模式，其具体操作方法见表 2-5。

表 2-5　运动模式切换方法

序号	步骤	图示
1	点击右图所示示教器触摸屏右下角的快速设置菜单按钮，将快速设置菜单展开于屏幕右侧	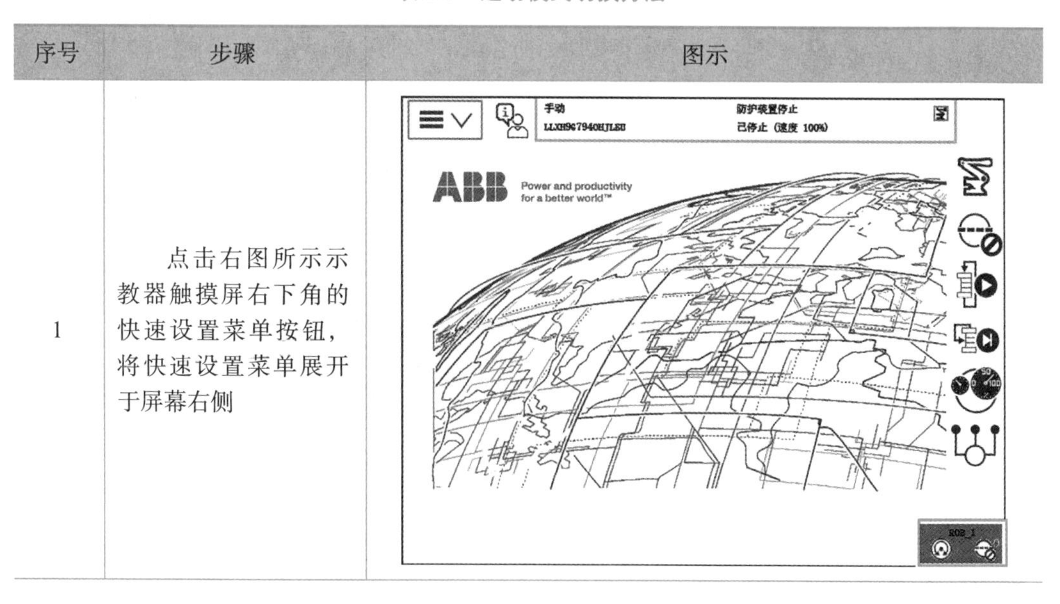

表 2-5（续）

序号	步骤	图示
2	点击快速设置菜单的第二个“增量”选项。 在弹出的框中可以选择不同的增量，横线指向当前设置的增量。右图中目前为“无增量”，即默认模式。 点击右图所示界面下方的“显示值”按钮，可进入增量选项详细界面查看增量具体的数值	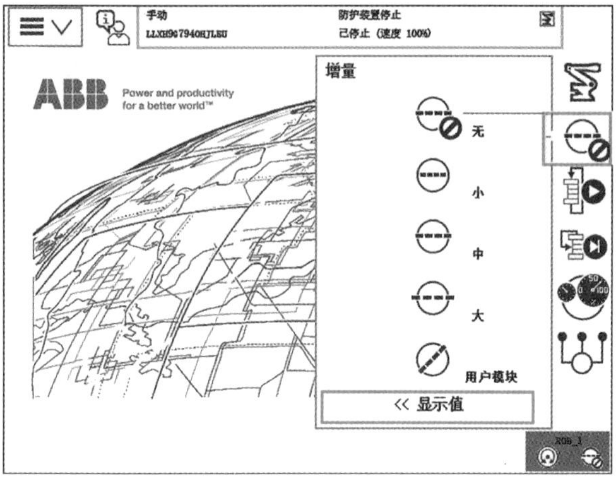
3	如右图所示，在增量选项详细界面，左上角的表格中为不同运动模式下所选择增量的参数值； 在左下角的下拉栏可以设定角度单位是弧度还是角度； 点击下方的“隐藏值”按钮即可回到之前的缩略界面	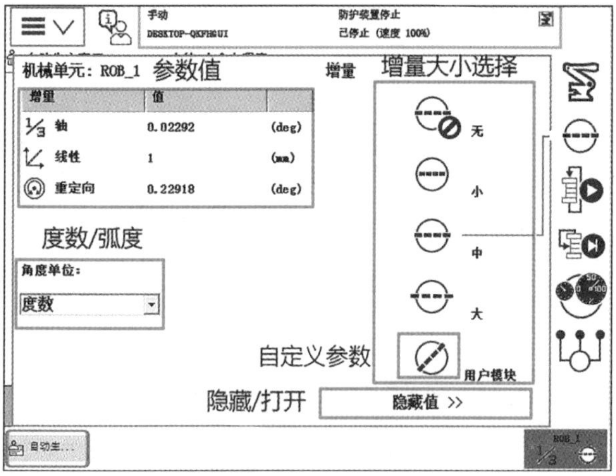
4	还可以直接使用示教器上的实体按键快速切换默认模式与增量模式。 若当前为默认模式，按下后切换成增量模式，增量大小将与上次的设置一致。 若当前为增量模式，则按下后切换到默认模式	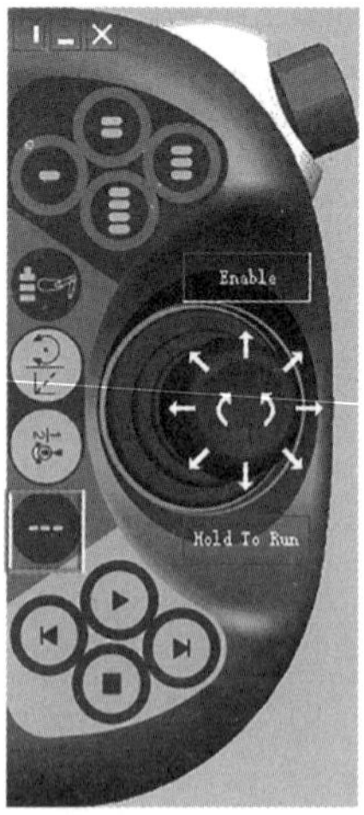

（2）自定义增量大小

除了默认的大、中、小增量，用户可根据需要自定义增量大小。首先根据默认模式与增量模式切换中的方法，进入快速设置菜单的增量选项详细界面，自定义增量大小的方法见表2-6。

表 2-6 自定义增量大小的方法

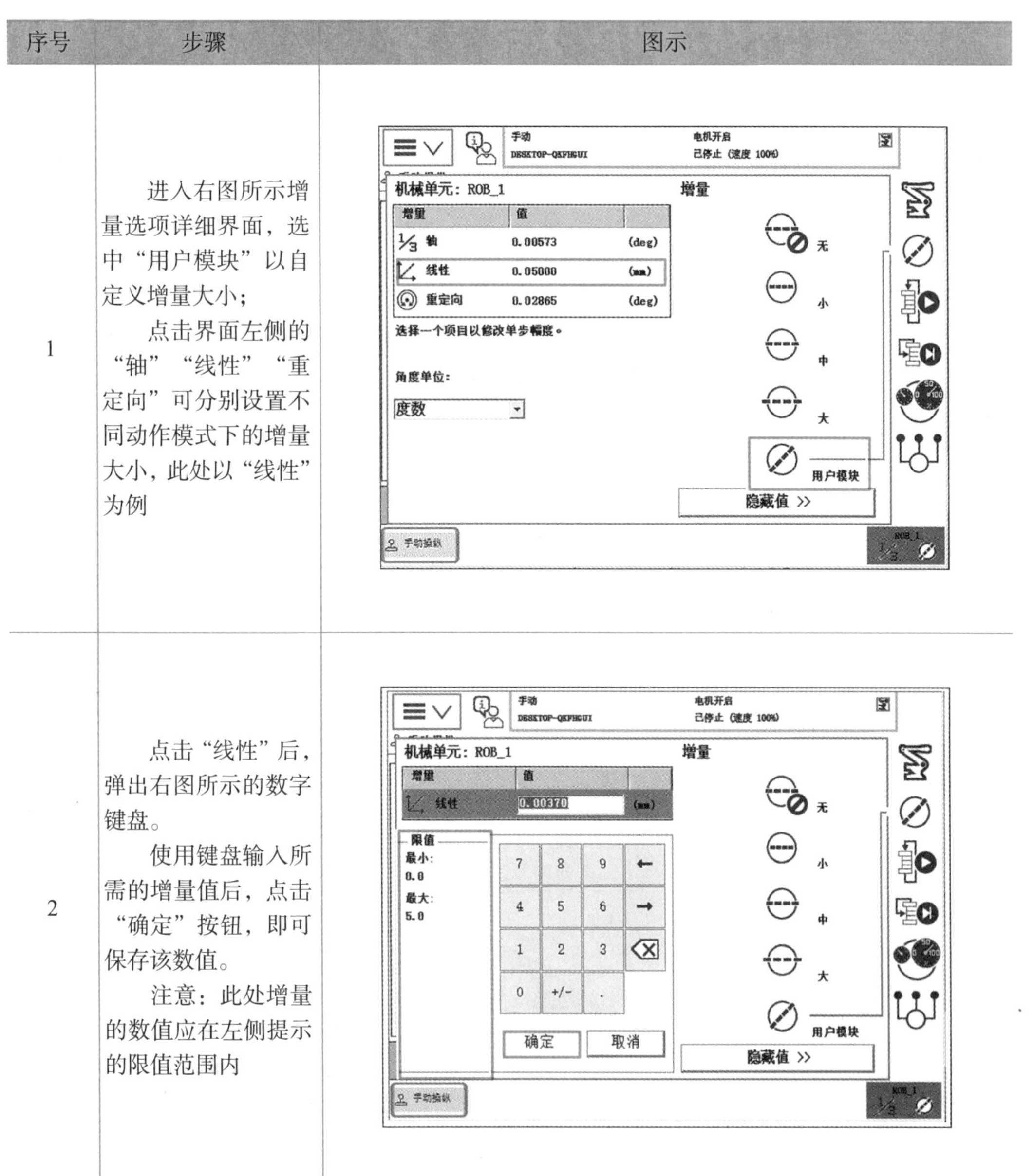

序号	步骤	图示
1	进入右图所示增量选项详细界面，选中“用户模块”以自定义增量大小； 点击界面左侧的“轴”“线性”“重定向”可分别设置不同动作模式下的增量大小，此处以“线性”为例	
2	点击“线性”后，弹出右图所示的数字键盘。 使用键盘输入所需的增量值后，点击“确定”按钮，即可保存该数值。 注意：此处增量的数值应在左侧提示的限值范围内	

3. 运行速度设置

手动操纵工业机器人时的控制杆速度与程序手动、自动运行下的速度应分开设置。

（1）设置手动操纵速度

手动操纵速度的调节就是调节示教器控制杆的速度，当控制杆偏转幅度一定时，速度越大，工业机器人 TCP 运动速度越快。降低手动速度，初学者可减少工业机器人碰撞的情况发生。设置手动操纵速度的方法见表 2-7。

表 2-7　设置手动操纵速度的方法

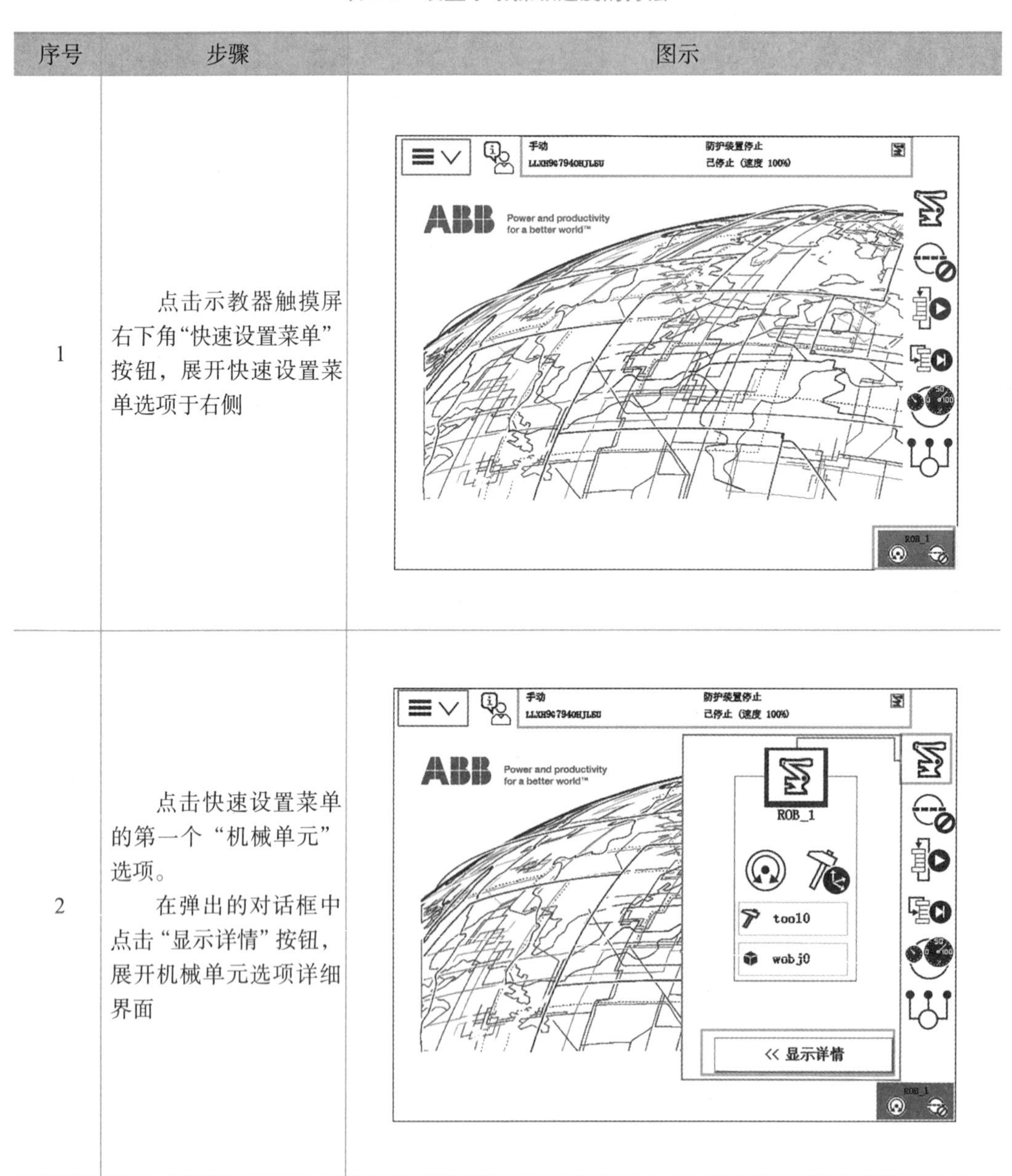

序号	步骤	图示
1	点击示教器触摸屏右下角“快速设置菜单”按钮，展开快速设置菜单选项于右侧	
2	点击快速设置菜单的第一个“机械单元”选项。 在弹出的对话框中点击“显示详情”按钮，展开机械单元选项详细界面	

表 2-7（续）

序号	步骤	图示
3	点击屏幕左侧“操纵杆幅度”的增减键，可以按每按一下增减10%的幅度进行示教器控制杆速度的调节	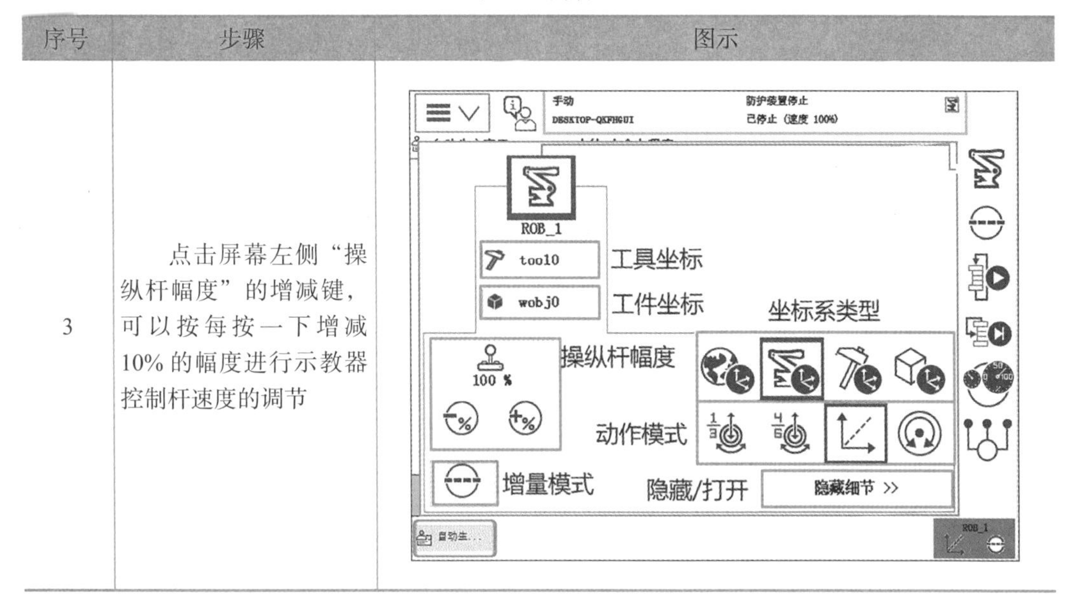

（2）程序运行速度设置

设置程序运行速度，可在手动调试程序时减速运行，使机器人运行更加稳妥，也可在自动模式下改变运行速度。设置程序运行速度的方法见表 2-8。

注意：手动操纵速度的设置应在快速设置菜单的“机械单元”选项中进行。

表 2-8 设置程序运行速度的方法

序号	步骤	图示
1	点击示教器触摸屏右下角“快速设置菜单”按钮，展开快速设置菜单选项于右侧	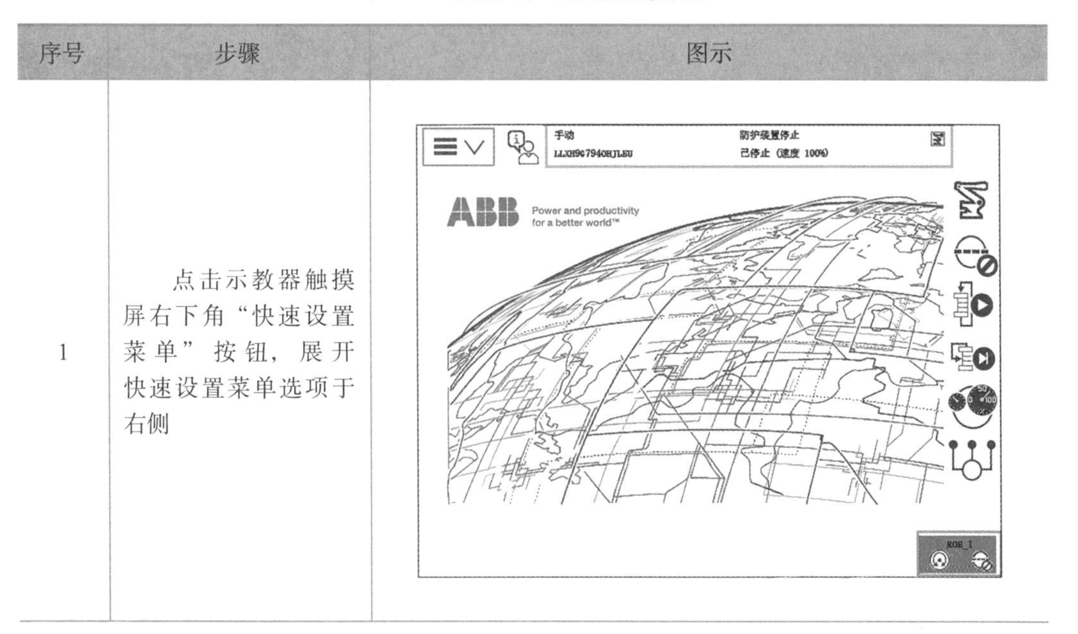

表 2-8（续）

序号	步骤	图示
2	点击快速设置菜单的第五个速度选项，展开速度选项详细界面，如右图所示。 点击上方四个按键可将速度增加或者减少相应的百分比，点击下面四个按键可以相应百分比的速度运行	

任务 2.3　手动基本操作

【任务描述】

工业机器人支持直接手动操纵工业机器人运动，手动操纵工业机器人的动作模式有单轴运动、线性运动、重定位运动三种。本任务介绍了工业机器人的动作模式和手动操纵界面等内容，并重点讲解了三种动作模式的实操方法。

【知识准备】

1. 工业机器人的动作模式

工业机器人的动作模式包括单轴运动、线性运动以及重定位运动。

（1）单轴运动

单轴运动即控制工业机器人单个关节轴的运动。每个关节轴的机械零点位置与正负方向都是固定的，各轴的运动以各关节轴关节坐标系为参考坐标系进行运动。

ABB IRB 120 型工业机器人各关节轴运动方向如图 2-14 所示。

（2）线性运动

工业机器人的线性运动是指其工具中心点（tool center point，TCP）沿参考坐标系的坐标轴 X、Y、Z 方向的线性运动。（关于工具中心点，请参见任务 2.4）

工业机器人的线性运动如图 2-15 所示。在不同坐标系下，线性运动的方向也有所不同。在手动操纵工业机器人运动过程中，当需要工具中心点在直线上移动时，选择线性运动是最为快捷、方便的。

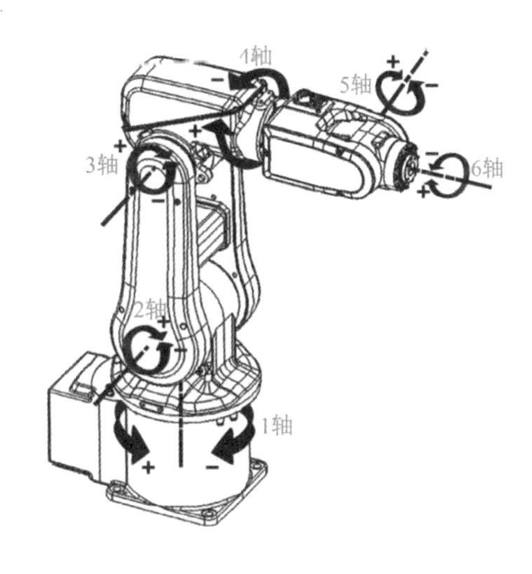

图 2-14 ABB IRB 120 型工业机器人关节轴运动方向

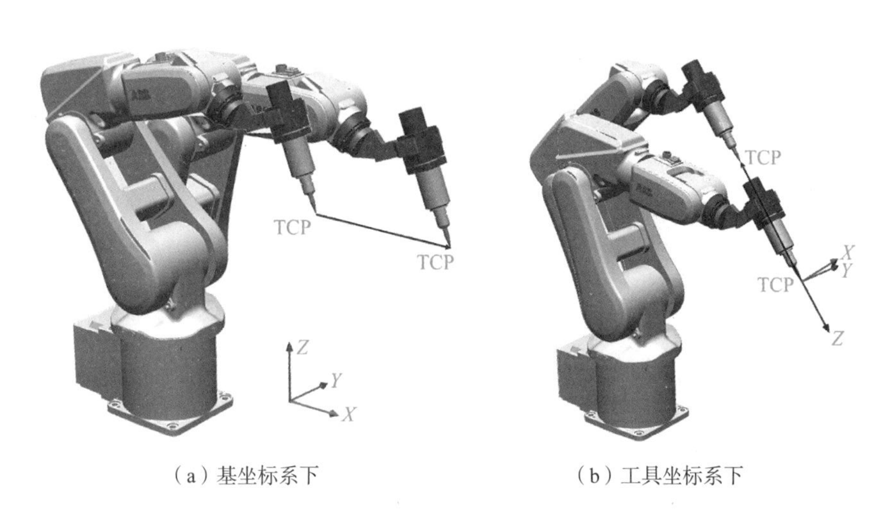

（a）基坐标系下 （b）工具坐标系下

图 2-15 工业机器人的线性运动

（3）重定位运动

工业机器人的重定位运动是指其工具中心点围绕参考坐标系坐标轴的旋转运动，一般通过重定位运动调整工具的姿态。图 2-16 所示为工业机器人在基坐标系下的重定位运动。

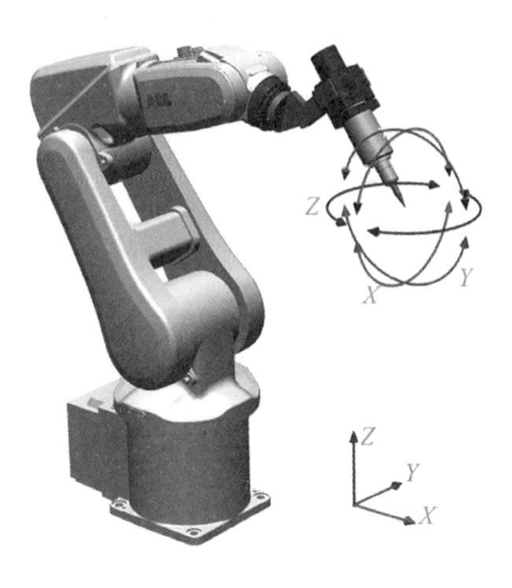

图 2-16 重定位运动

2. 工业机器人系统中的坐标系

工业机器人坐标系用于工业机器人目标与位置的确定，不同的坐标系适用于不同情况下的编程。常用的工业机器人坐标系有大地坐标系、基坐标系、工具坐标系和工件坐标系，这些坐标系都是笛卡儿坐标系。

（1）大地坐标系

大地坐标系又称为世界坐标系、全局坐标系等，用于确定工业机器人基坐标系在空间内的坐标。当工业机器人本体需要移动，或者有多个工业机器人合作以及工业机器人倒置安装时，不便于使用基坐标系进行编程，而大地坐标系的作用就在此时得以凸显。在一般情况下，即工作站中只有一台工业机器人且采用地面安装方式安装时，大地坐标系与基坐标系一致。

图 2-17 显示了大地坐标系在倒置安装的工业机器人中的作用。

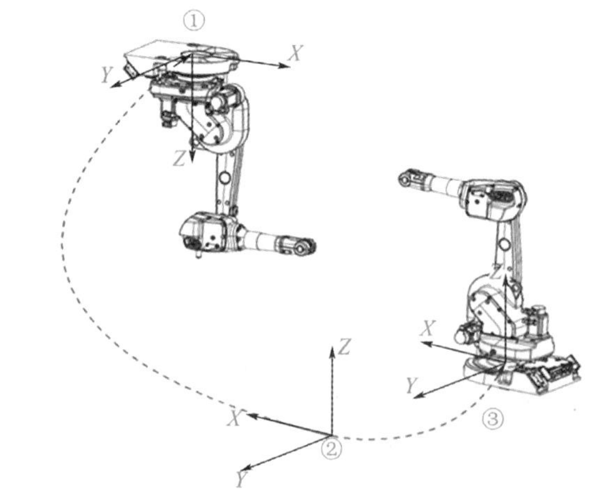

①机器人 1 的基坐标系；②大地坐标系；③机器人 2 的基坐标系。

图 2-17　大地坐标系

（2）基坐标系

工业机器人出厂时设置有一个坐标原点位于工业机器人基座的坐标系，因此称之为基坐标系。基坐标系是最便于工业机器人从一个位置移动到另一个位置的坐标系，线性动作模式默认使用的就是基坐标系。

基坐标系的 Z 轴垂直于基座，其具体方向如图 2-18 所示。

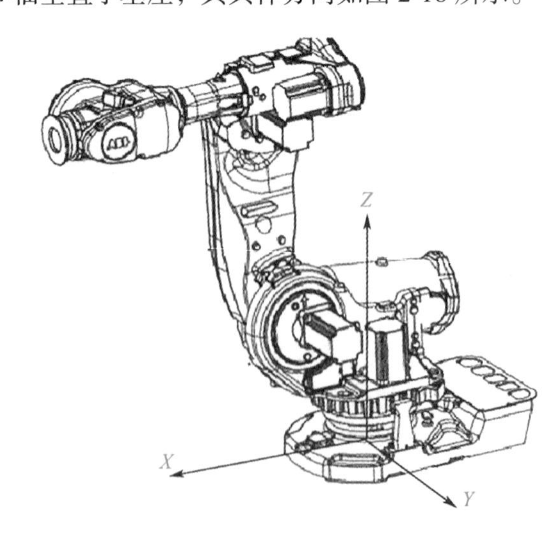

图 2-18　基坐标系

（3）工具坐标系

工具坐标系（tool center point frame，TCPF）为确定工具位置与姿态而设置。当工业机器人出厂时，由于尚未安装工具，以工业机器人第6轴法兰盘中心点为原点建立坐标系，即默认工具坐标系。工具坐标系的原点称为工具中心点。默认工具坐标系如图2-19所示。

通过工具坐标系，工业机器人可沿着工具作业方向线性移动，也可围绕工具中心点调整所需工具姿态。

对于安装不同工具的工业机器人来说，工具坐标系也有所不同。一般将工具坐标系 Z 轴设为工具轴线方向。图2-20展示了常见工具的工具坐标系。

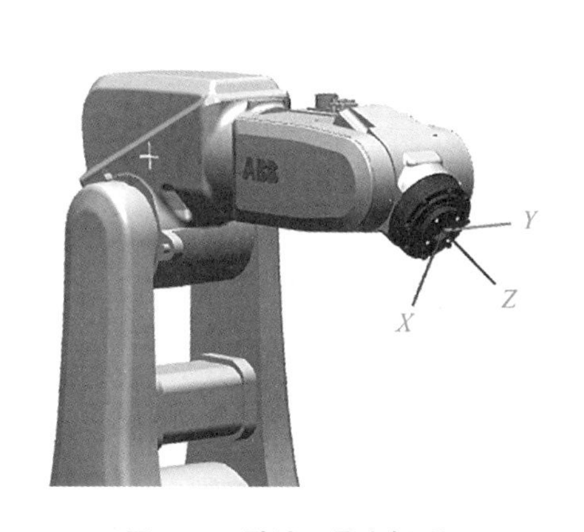

图2-19 默认工具坐标系

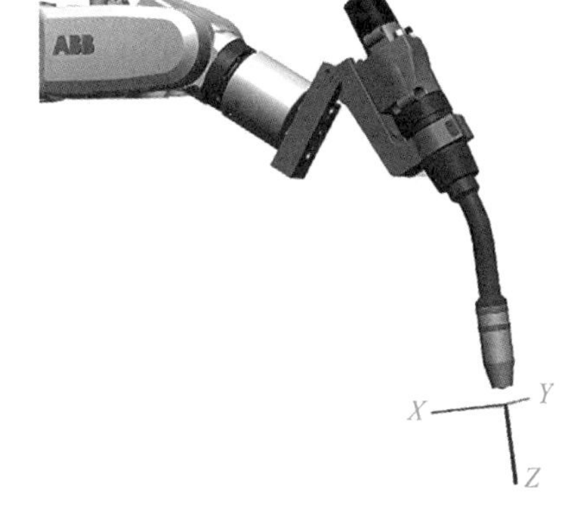

图2-20 常见工具的工具坐标系

（4）工件坐标系

工件坐标系用于确定工件的位置。在工业机器人系统中，工件坐标系可以有多个，从而代表不同工件的位置，也可以代表一个工件在不同位置的副本。出厂时，工业机器人有一默认工件坐标系 wobj0，被设置与基坐标系一致。

工件坐标系使得重新定位同一工件时仅需修改工件坐标系，而无须修改点位数据，同时也使工业机器人可以对外部轴或传送导轨上移动的工件进行操作。

图2-21所示的 A 为工业机器人大地坐标系，B 为第一个工件对应的工件坐标系，此时根据工件坐标系 B 进行编程。之后在另一位置建立工件坐标系 C，再将工件坐标系从 B 更新为 C，就可实现不重复编程而在 C 坐标系下实现与 B 坐标系下相同的轨迹。

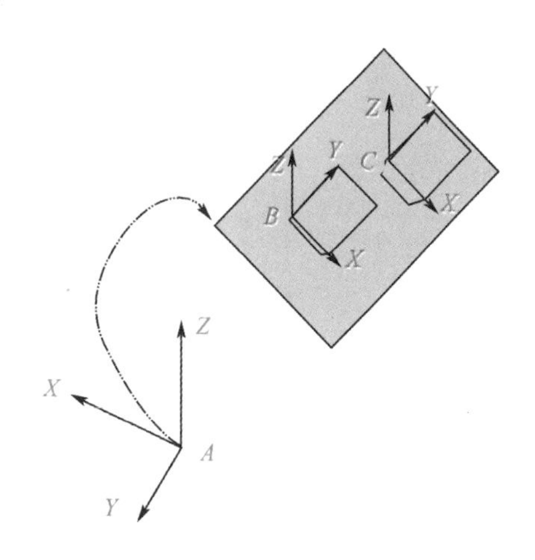

图2-21 工件坐标系示意图

图2-22展示了上述大地坐标系、基坐标系、关节坐标系、工件坐标系之间的关系。由图中所示关系可以看出，基坐标系与工件坐标系均基于大地坐标系，而工具坐标系又基于基坐标系。

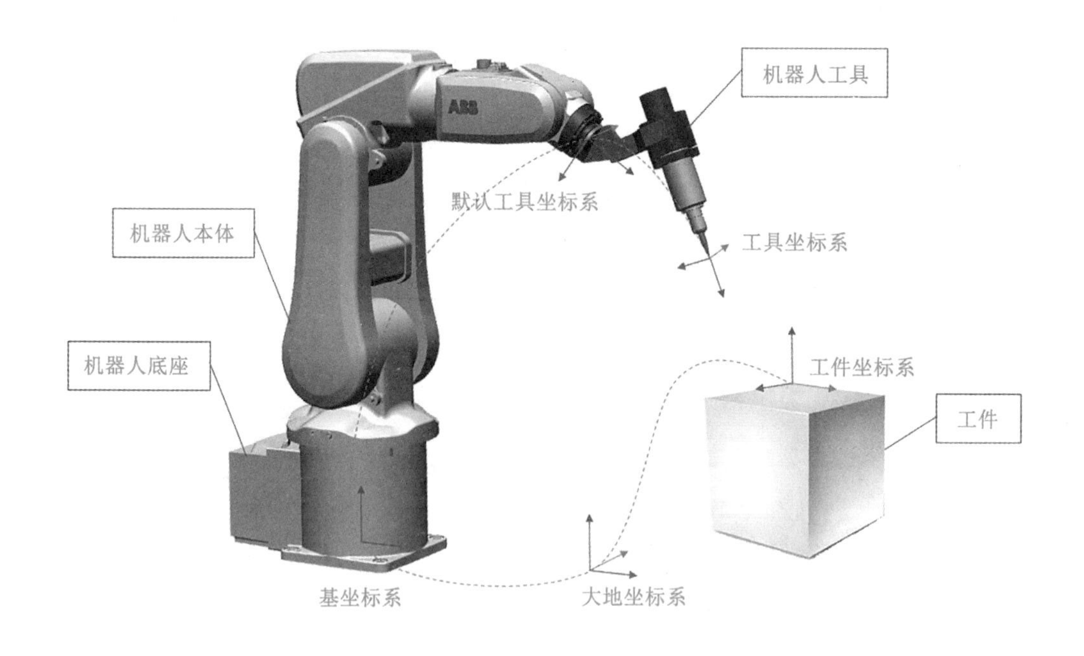

图 2-22　坐标系

3. 手动操纵界面

在示教器主菜单操作界面中点击“手动操纵”可以进入手动操纵界面（图 2-23）。在手动操纵界面中可对当前的机械单元、动作模式、工具坐标系、工件坐标系、增量等进行设置，还可查看工业机器人工具中心点在当前坐标系下的位置坐标值。

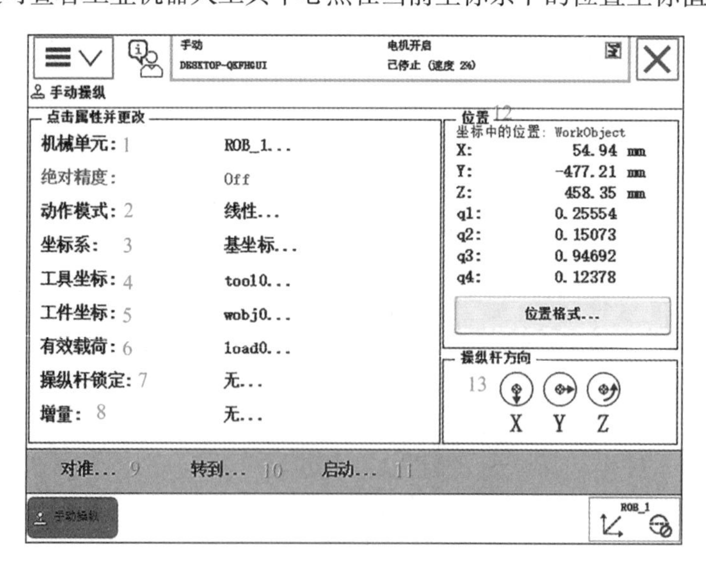

图 2-23　手动操纵界面

①机械单元：切换工业机器人与外部轴，也可使用实体按键快速切换。

②动作模式：在轴 1-3、轴 4-6、线性、重定位之间切换。

③坐标系：切换线性与重定位模式下的参考坐标系。

④工具坐标：设置当前使用的工具坐标系，关于工具坐标系详见任务 2.4。

⑤工件坐标：设置当前使用的工件坐标系，关于工件坐标系详见任务 4.3。

⑥有效载荷：用于设置载荷数据，载荷数据将作为工具数据的一部分。注意：如果没有设置工具和有效载荷数据，则手动控制时可能会出现过载错误；如果指定不正确的负载数据，常会引起“机械臂将不会用于其最大容量”“路径准确性受损，包括过度风险”“机械结构过载风险”等后果。

⑦操纵杆锁定：暂时锁定某个轴，防止误操作造成该轴移动。

⑧增量：进行增量模式的设置。

⑨对准 ...：将工具与选定坐标系对准。

⑩转到 ...：将工业机器人移动到已设置的编程位置。

⑪ 启动 ...：启动机械单元。

⑫ 位置：按指定格式显示当前工业机器人的位置。

⑬ 操纵杆方向：指出当前动作模式下，控制杆方向与工业机器人运动方向的对应关系。

【任务实施】

项目名称	工业机器人的手动操纵			任务名称	手动基本操作		
班级		姓名		学号		组别	
任务内容	本任务详细讲解了几种工业机器人的基本运动的手动操纵方法，包括单轴运动、线性运动以及重定位运动						
任务目标	1. 掌握手动操纵单轴运动的技能						
	2. 掌握手动操纵线性运动的技能						
	3. 掌握手动操纵重定位运动的技能						

切换工业机器人动作模式可以通过示教器上的实体按键、示教器界面的快速设置菜单以及手动操纵界面三种方式进行。本任务中以在手动操纵界面切换工业机器人动作模式操纵工业机器人为例，讲解操纵工业机器人进行单轴运动、线性运动和重定位运动的方法。

1. 工业机器人单轴运动

手动操纵工业机器人单轴运动

操作前，请首先确认将工业机器人调至手动模式，按任务 2.2 中的方式将运动模式切换为默认或无增量，并调低手动操纵时的控制杆速度以降低手动操纵速度，保证操作安全，建议初学者以不超过 50% 为宜。操纵工业机器人进行单轴运动的方法见表 2-9。

注意：由于 ABB IRB 120 型工业机器人最大工作距离为 580 mm，为防止发生意外，当机器人正常运行时，在这一范围内不要有人员。

表 2-9　操纵工业机器人进行单轴运动的方法

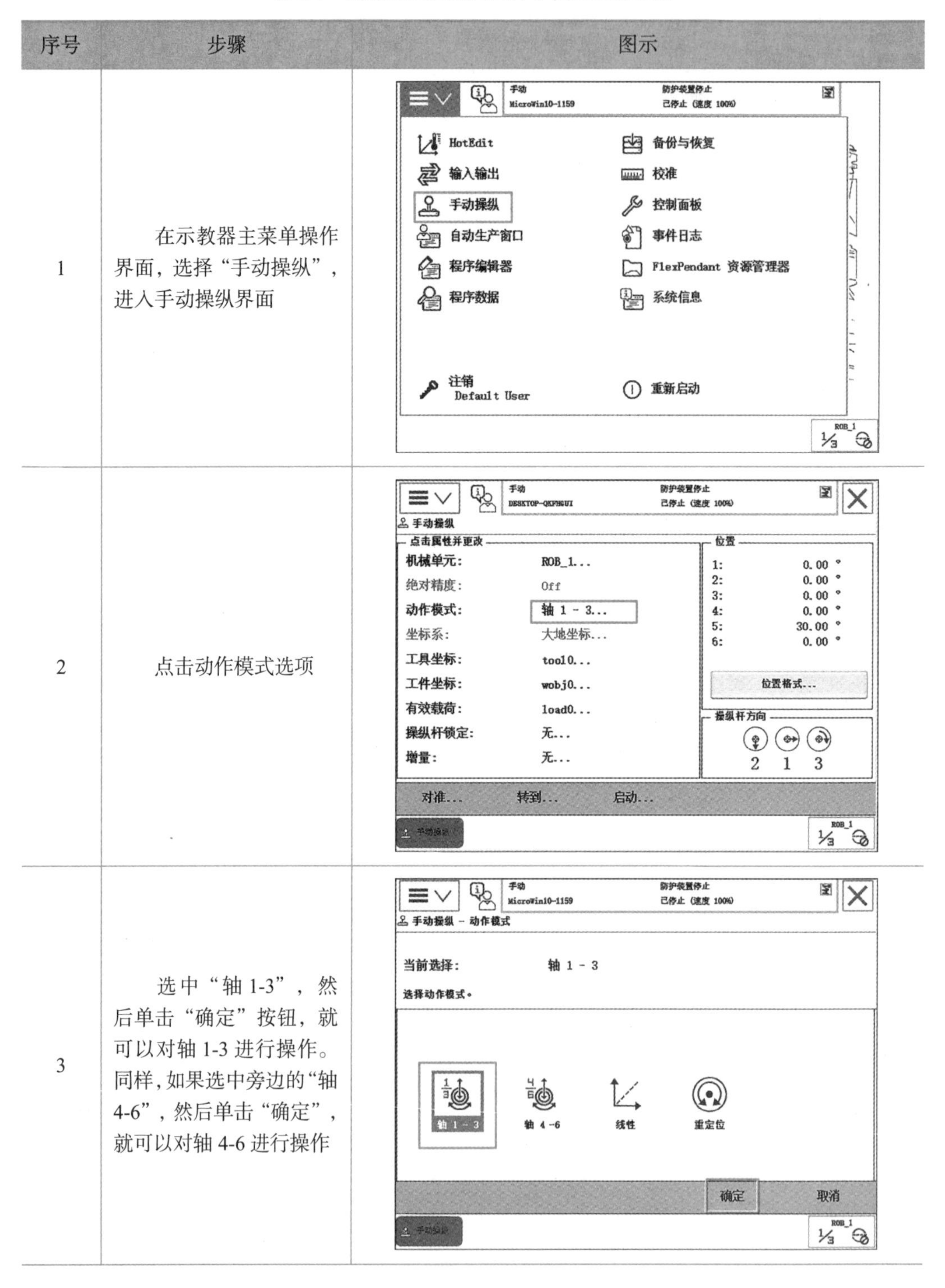

序号	步骤	图示
1	在示教器主菜单操作界面，选择“手动操纵”，进入手动操纵界面	
2	点击动作模式选项	
3	选中“轴 1-3”，然后单击“确定”按钮，就可以对轴 1-3 进行操作。同样，如果选中旁边的“轴 4-6”，然后单击“确定”，就可以对轴 4-6 进行操作	

表 2-9（续）

序号	步骤	图示
4	按下使动装置至中间挡位，确认上方状态栏中显示“电机开启”后，操纵控制杆进行单轴运动。 注意：控制杆的偏转幅度越大，机器人的运动速度越快。 按照操纵杆方向提示，前后方向偏移控制杆可控制工业机器人 2 轴沿负方向与正方向运动，左右方向偏移控制杆可控制工业机器人 1 轴沿负方向与正方向运动，顺时针与逆时针旋转控制杆可控制工业机器人 3 轴沿正方向与负方向运动	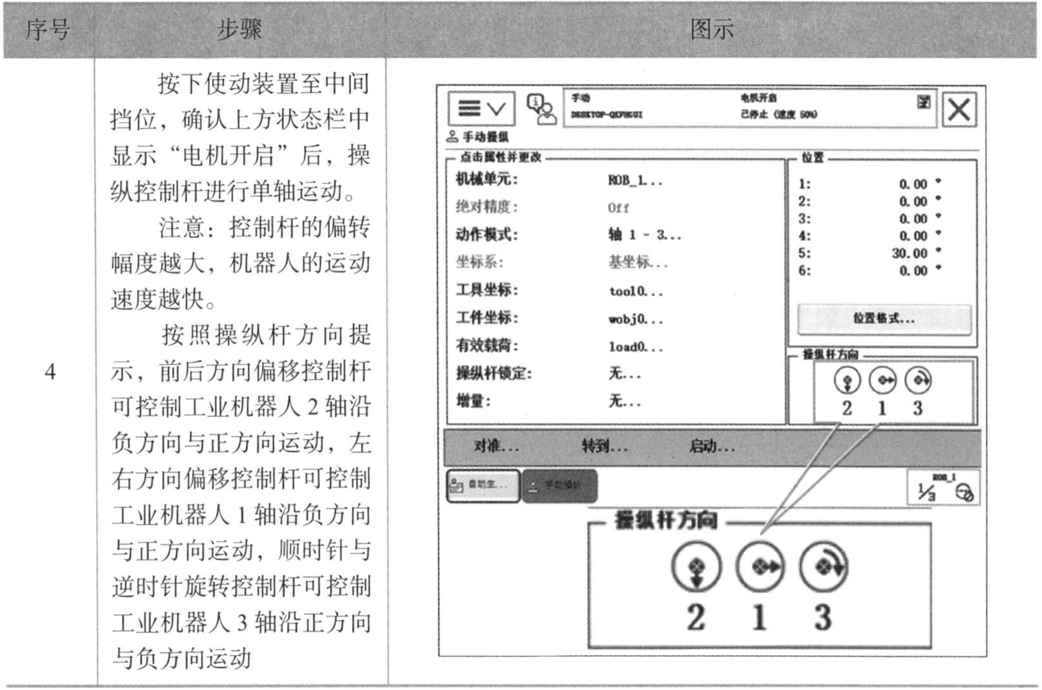

2. 工业机器人线性运动

手动操纵工业机器人线性运动

操作前，请确认将工业机器人调至手动模式，运动模式切换为默认或无增量，并调低手动操纵时的控制杆速度以降低手动操纵速度，建议初学者以不超过 50% 为宜。操纵工业机器人进行线性运动的方法见表 2-10。

注意：由于 ABB IRB 120 型工业机器人最大工作距离为 580 mm，为防止发生意外，当机器人正常运行时，在这一范围内不要有人员。

表 2-10　操纵工业机器人进行线性运动的方法

序号	步骤	图示
1	在示教器主菜单操作界面，选择“手动操纵”，进入手动操纵界面	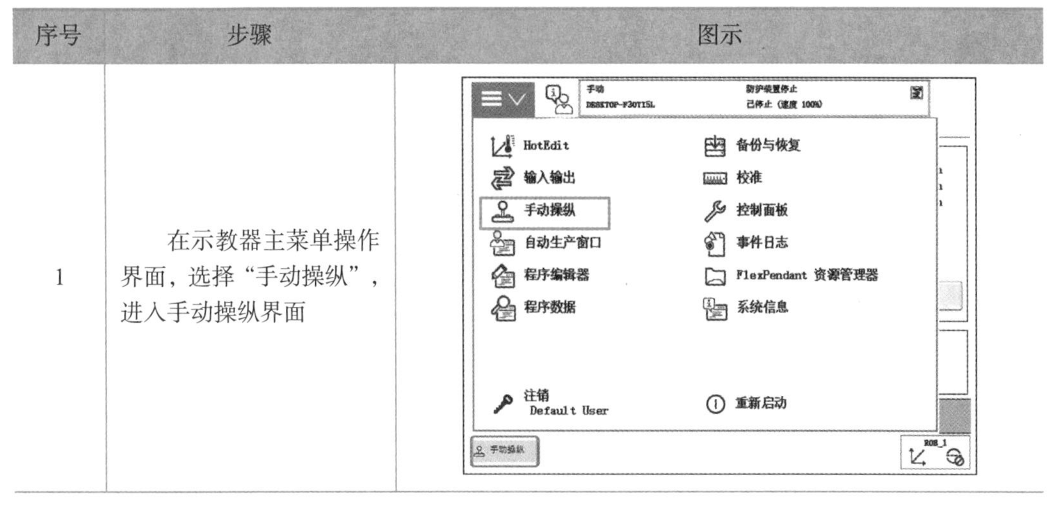

表 2-10（续）

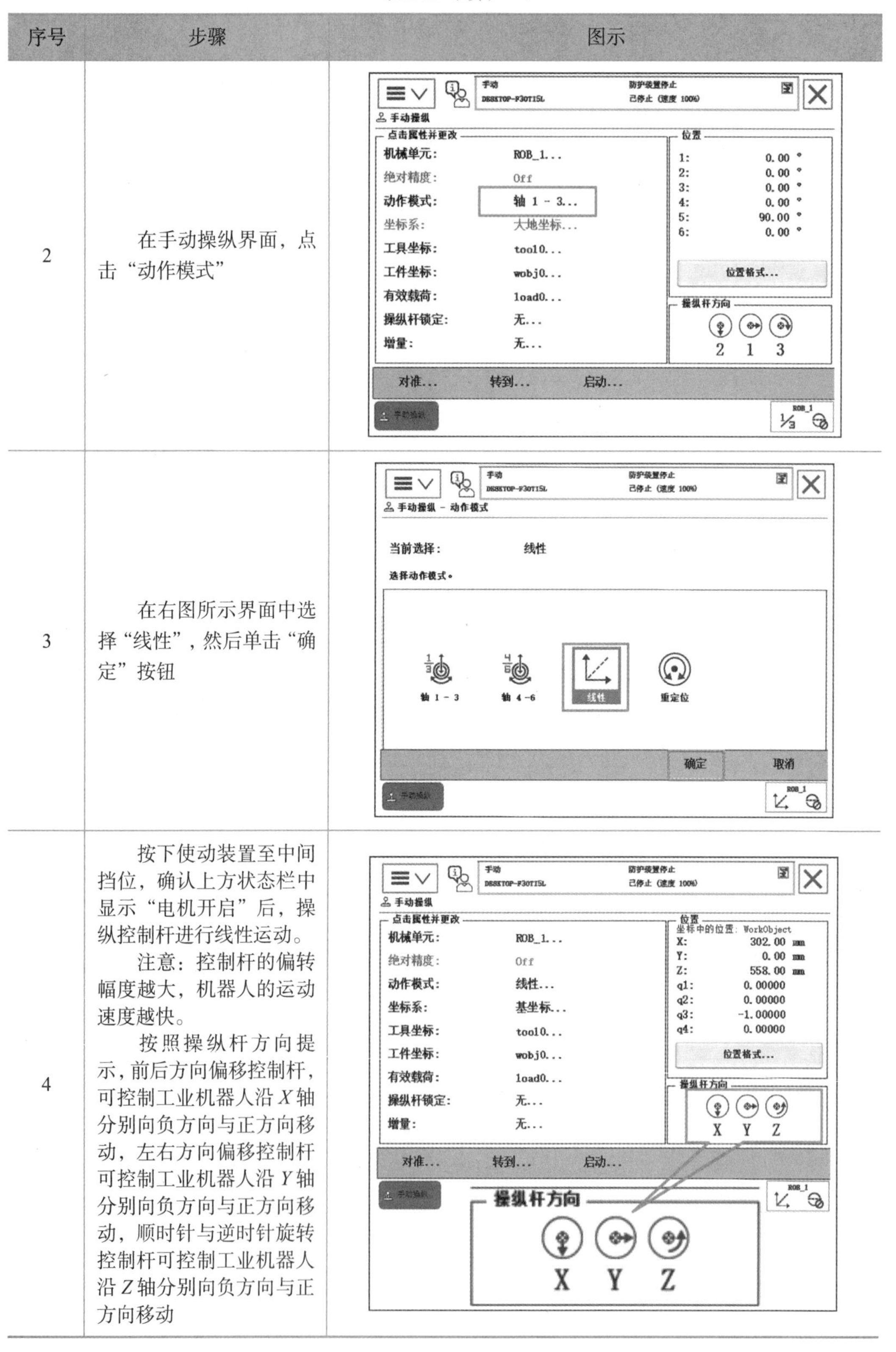

序号	步骤	图示
2	在手动操纵界面，点击“动作模式”	
3	在右图所示界面中选择“线性”，然后单击“确定”按钮	
4	按下使动装置至中间挡位，确认上方状态栏中显示“电机开启”后，操纵控制杆进行线性运动。 注意：控制杆的偏转幅度越大，机器人的运动速度越快。 按照操纵杆方向提示，前后方向偏移控制杆，可控制工业机器人沿 *X* 轴分别向负方向与正方向移动，左右方向偏移控制杆可控制工业机器人沿 *Y* 轴分别向负方向与正方向移动，顺时针与逆时针旋转控制杆可控制工业机器人沿 *Z* 轴分别向负方向与正方向移动	

3. 工业机器人重定位运动

手动操纵工业机器人重定位运动

操作前，请确认将工业机器人调至手动模式，运动模式切换为默认或无增量，并调低手动操纵时的控制杆速度以降低手动操纵速度，建议初学者以不超过 50% 为宜。操纵工业机器人进行重定位运动的方法见表 2-11。

注意：由于 ABB IRB 120 型工业机器人最大工作距离为 580 mm，为防止发生意外，当机器人正常运行时，在这一范围内不要有人员。

表 2-11　操纵工业机器人进行重定位运动的方法

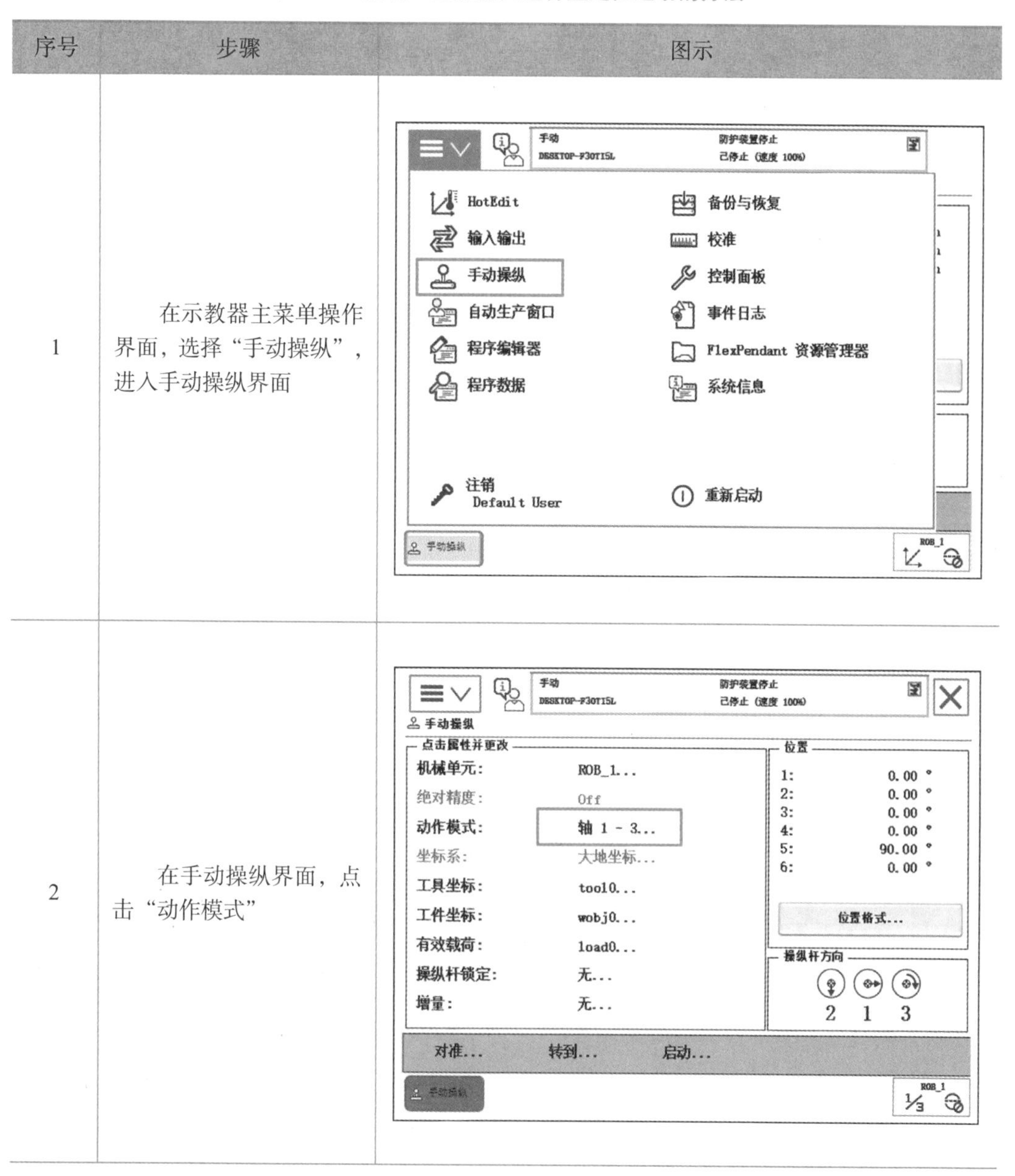

序号	步骤	图示
1	在示教器主菜单操作界面，选择“手动操纵”，进入手动操纵界面	
2	在手动操纵界面，点击“动作模式”	

表 2-11（续）

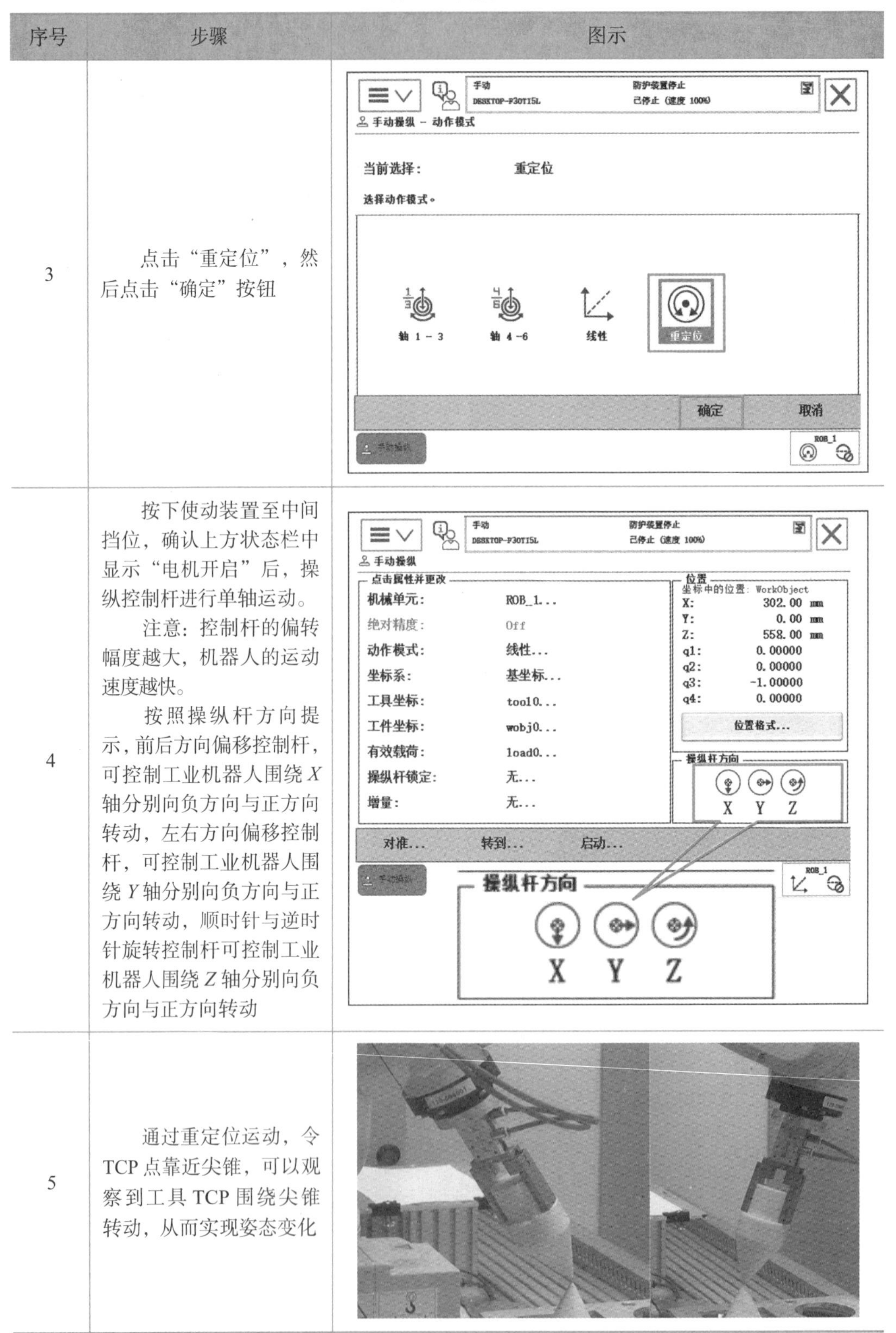

序号	步骤	图示
3	点击“重定位”，然后点击“确定”按钮	
4	按下使动装置至中间挡位，确认上方状态栏中显示“电机开启”后，操纵控制杆进行单轴运动。 注意：控制杆的偏转幅度越大，机器人的运动速度越快。 按照操纵杆方向提示，前后方向偏移控制杆，可控制工业机器人围绕 X 轴分别向负方向与正方向转动，左右方向偏移控制杆，可控制工业机器人围绕 Y 轴分别向负方向与正方向转动，顺时针与逆时针旋转控制杆可控制工业机器人围绕 Z 轴分别向负方向与正方向转动	
5	通过重定位运动，令 TCP 点靠近尖锥，可以观察到工具 TCP 围绕尖锥转动，从而实现姿态变化	

任务 2.4 工业坐标系的定义

【任务描述】

工业机器人中有多种坐标系用于确定工业机器人的目标与位置，工具坐标系是其中的一种。本任务介绍了工具坐标系的定义方法、定义步骤以及工具数据的设置方法。

【知识准备】

1. 工具坐标系的定义方法

工具坐标系的定义即定义工具坐标系的中心点 TCP 及坐标系各轴方向，定义方法有 TCP（默认方向）N 点法（$3 \leqslant N \leqslant 9$），TCP 和 Z 法，TCP 和 Z，X 法。

（1）TCP（默认方向）N 点法（$3 \leqslant N \leqslant 9$）

TCP（默认方向）N 点法（$3 \leqslant N \leqslant 9$）中，令工业机器人工具 TCP 点以 N 种不同的姿态接触参考点，从而计算出当前工具 TCP 与默认 TCP，也就是法兰中心点的相对位置。此方法只改变了坐标系的位置而未改变其方向，通过 N 点法设置的工具坐标系的方向与默认工具坐标系是一致的。

（2）TCP 和 Z 法

TCP 和 Z 法在 TCP（默认方向）N 点法（$3 \leqslant N \leqslant 9$）基础上，需额外示教延伸器点 Z，Z 点与参考点之间的连线方向即为 Z 轴正方向。

（3）TCP 和 Z，X 法

这种方法在 TCP（默认方向）N 点法（$3 \leqslant N \leqslant 9$）基础上，需额外示教延伸器点 Z 与延伸器点 X，Z 点、X 点与参考点之间的连线方向分别为 Z 轴正方向与 X 轴正方向。

2. 工具坐标系的定义步骤

由上述方法可见只有 TCP 和 Z，X 法重新定义了整个工具坐标系。TCP 和 Z，X 法（N=4）简称 6 点法，其具体步骤如下：

①在工业机器人工作范围内找一个精确的固定点，以此点作为参考点。

②在工具上确定一个参考点作为 TCP（最好是工具的中心点）。

③定义工具坐标系 TCP。手动操纵工业机器人，以 4 种不同的姿态使末端工具上的参考点尽可能与固定参考点重合。为了保证所定义的工具坐标系数据的可靠性，这 4 个点应有较大的姿态差异。

④定义工具坐标系方向。然后让工业机器人移动到三个点：工具参考点垂直固定点，从固定点向要设置的坐标系的 X 轴负方向移动后取一点（延伸器点 X），从固定点向要设置的坐标系的 Z 轴负方向移动后取一点（延伸器点 Z）。延伸器点 X 到固定参考点定义了 X 轴正方向，延伸器点 Z 到固定参考点定义了 Z 轴正方向。如使用 TCP 和 Z 法则无须定义延伸器点 X，如使用 TCP（默认方向）N 点法（$3 \leqslant N \leqslant 9$）则延伸器点 X 与延伸器点 Z 均无须定义。

⑤此时计算机将自动计算求得工具坐标系的数据，并保存在 tooldata 程序数据中用于调用。

3. 工具数据的设置方法

当工具坐标新建好以后，系统会自动建立一组用于记录工具参数的数据——工具数据 tooldata。完整的一组工具数据即定义了一个工业机器人工具坐标系。出厂时，默认工具坐标系 tool0 已存储在工具数据中，可通过编辑工具数据来对工具坐标系进行修改。

工具数据参数表见表 2-12。

表 2-12　工具数据参数表

<table>
<tr><th>名称</th><th>参数</th><th>单位</th></tr>
<tr><td rowspan="3">工具中心点的笛卡儿坐标</td><td>tframe.trans.x</td><td rowspan="3">mm</td></tr>
<tr><td>tframe.trans.y</td></tr>
<tr><td>tframe.trans.z</td></tr>
<tr><td rowspan="4">工具的框架定向（必要情况下需要）</td><td>tframe.rot.q1</td><td rowspan="4">无</td></tr>
<tr><td>tframe.rot.q2</td></tr>
<tr><td>tframe.rot.q3</td></tr>
<tr><td>tframe.rot.q4</td></tr>
<tr><td>工具质量（定义坐标系前须修改）</td><td>tload.mass</td><td>kg</td></tr>
<tr><td rowspan="3">工具重心坐标（必要情况下需要）</td><td>tload.cog.x</td><td rowspan="3">mm</td></tr>
<tr><td>tload.cog.y</td></tr>
<tr><td>tload.cog.z</td></tr>
<tr><td rowspan="4">力矩轴的方向（必要情况下需要）</td><td>tload.aom.q1</td><td rowspan="4">无</td></tr>
<tr><td>tload.aom.q2</td></tr>
<tr><td>tload.aom.q3</td></tr>
<tr><td>tload.aom.q4</td></tr>
<tr><td rowspan="3">工具的转动力矩（必要情况下需要）</td><td>tload.ix</td><td rowspan="3">kg · m^2</td></tr>
<tr><td>tload.iy</td></tr>
<tr><td>tload.iz</td></tr>
</table>

【任务实施】

<table>
<tr><td>项目名称</td><td colspan="3">工业机器人的手动操纵</td><td>任务名称</td><td colspan="3">工具坐标系的定义</td></tr>
<tr><td>班级</td><td></td><td>姓名</td><td></td><td>学号</td><td></td><td>组别</td><td></td></tr>
<tr><td>任务内容</td><td colspan="7">本任务讲解了采用 TCP 与 Z 法定义工具坐标系的步骤，还介绍了工具数据的查看与编辑方法</td></tr>
<tr><td rowspan="2">任务目标</td><td colspan="7">1. 掌握工具坐标系设置的技能</td></tr>
<tr><td colspan="7">2. 掌握工具数据的查看与编辑的技能</td></tr>
</table>

1. 工具坐标系的设置方法

此处以笔型工具为例，使用 TCP 和 *Z* 法定义其工具坐标系。该工具坐标系目标方向如图 2-24 所示，工具质量为 1 kg，重心基于默认 TCP 在 *Y* 方向的偏移量为 50 mm，在 *Z* 方向的偏移量为 60 mm。工具坐标系的设置方法见表 2-13。

工具坐标系的设置

图 2-24　需设置的工具坐标系

表 2-13　工具坐标系的设置方法

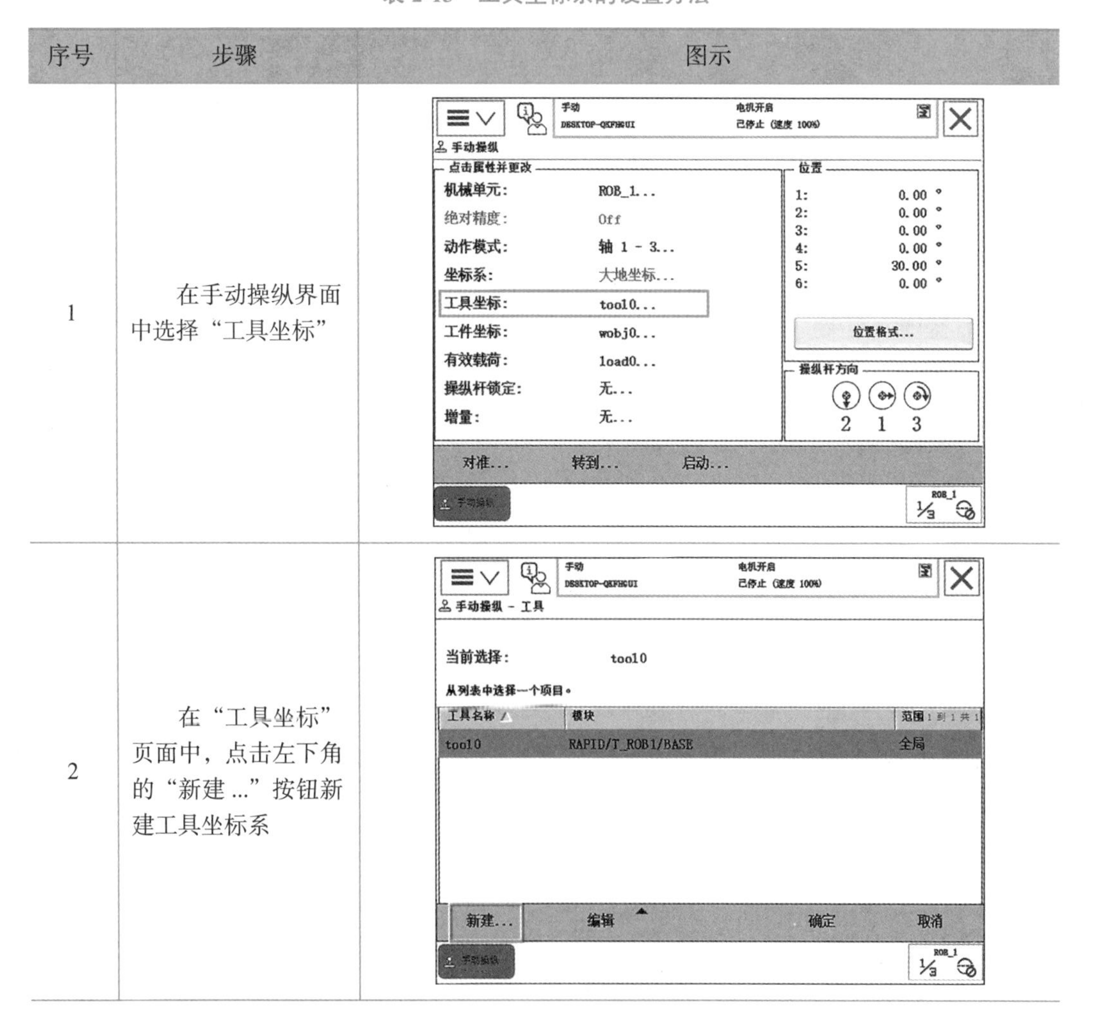

序号	步骤	图示
1	在手动操纵界面中选择“工具坐标”	
2	在“工具坐标”页面中，点击左下角的“新建 ...”按钮新建工具坐标系	

表 2-13（续 1）

序号	步骤	图示
3	点击“名称”一栏后的“...”编辑工具坐标系名称。 注意：其余选项也可根据需要自行定义。 编辑完毕后，点击下方“确定”按钮保存新建的工具坐标系	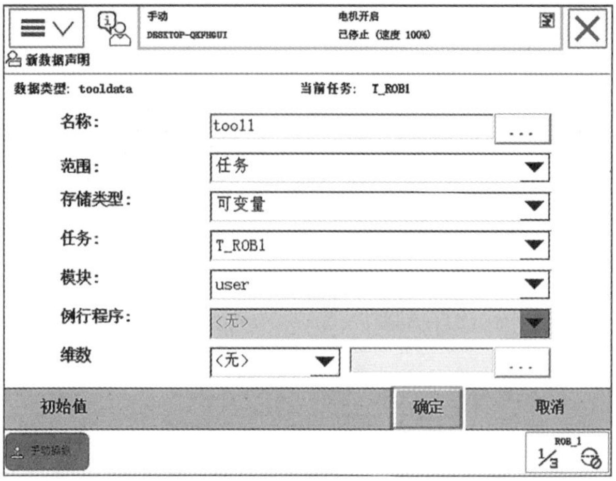 手动 DESKTOP-QKFHGUI 电机开启 已停止（速度 100%） 新数据声明 数据类型：tooldata 当前任务：T_ROB1 名称：tool1 ... 范围：任务 存储类型：可变量 任务：T_ROB1 模块：user 例行程序：<无> 维数 <无> ... 初始值 确定 取消 手动操纵 ROB_1 1/3
4	在右图所示页面中，选择新建的工具坐标系 tool1，进入“编辑”菜单，点击“定义”进入工具坐标系定义界面	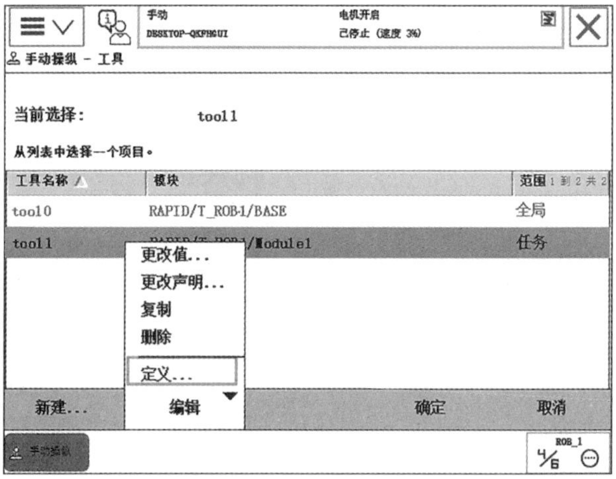 手动 DESKTOP-QKFHGUI 电机开启 已停止（速度 3%） 手动操纵 - 工具 当前选择：tool1 从列表中选择一个项目。 工具名称 模块 范围 1 到 2 共 2 tool0 RAPID/T_ROB1/BASE 全局 tool1 RAPID/T_ROB1/Module1 任务 更改值... 更改声明... 复制 删除 定义... 新建... 编辑 确定 取消 手动操纵 ROB_1 4/6
5	在“方法”下拉栏中选择“TCP 和 Z”方式定义工具坐标系，右侧“点数”保持默认的“4”不修改	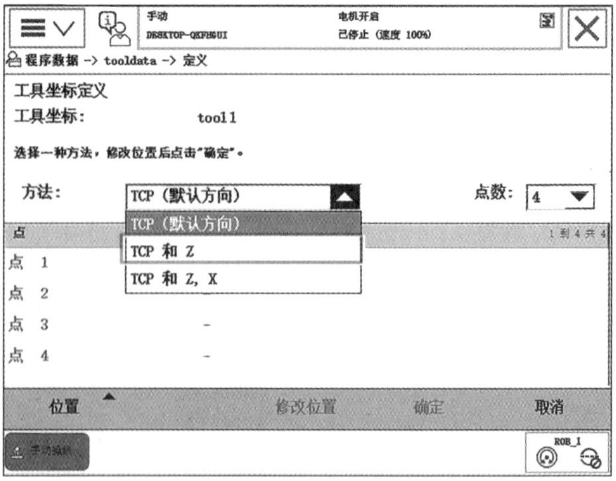 手动 DESKTOP-QKFHGUI 电机开启 已停止（速度 100%） 程序数据 -> tooldata -> 定义 工具坐标定义 工具坐标：tool1 选择一种方法，修改位置后点击“确定”。 方法：TCP（默认方向） 点数：4 TCP（默认方向） TCP 和 Z TCP 和 Z，X 点 1 到 4 共 4 点 1 点 2 点 3 - 点 4 - 位置 修改位置 确定 取消 手动操纵 ROB_1

表 2-13（续 2）

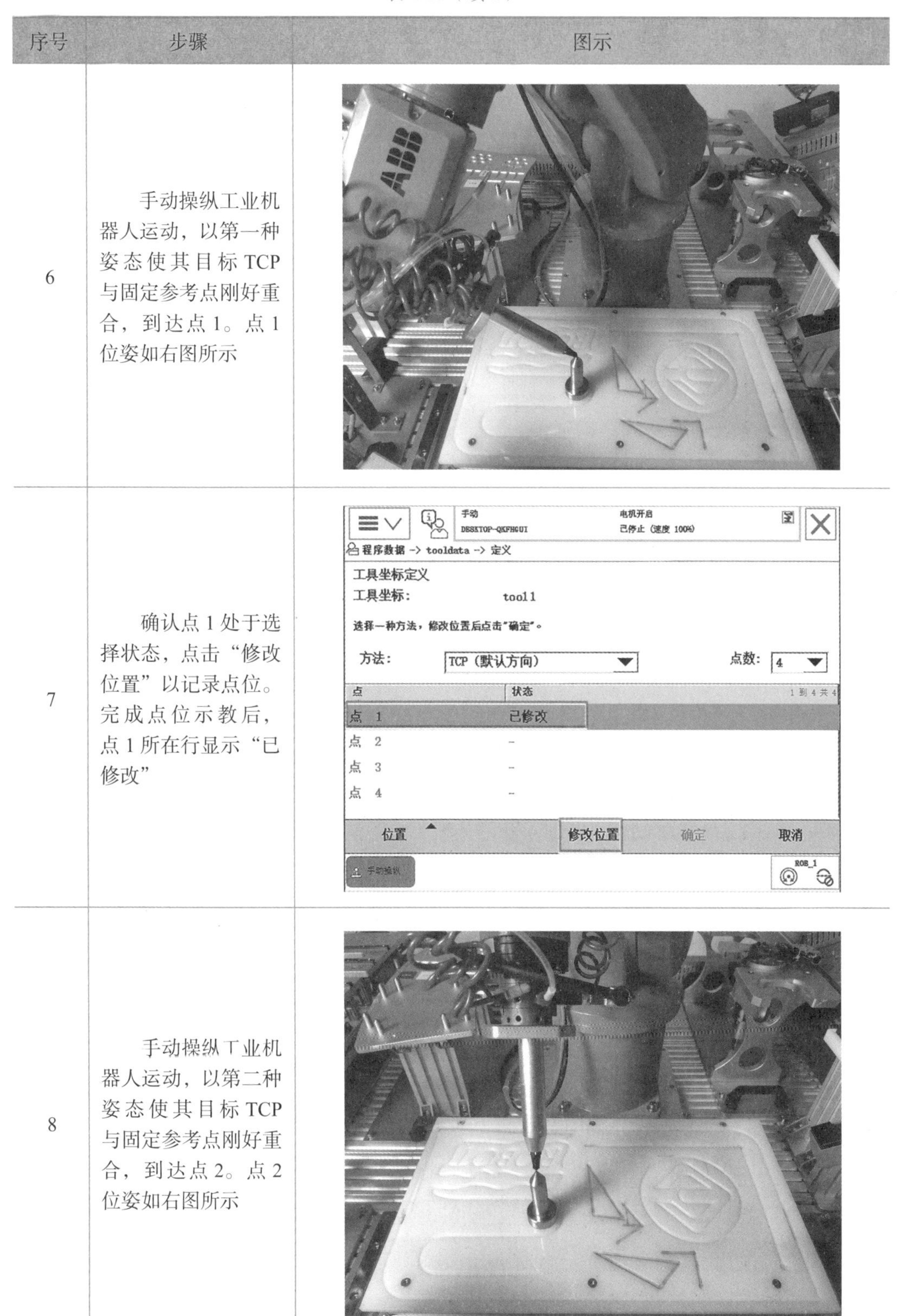

序号	步骤	图示
6	手动操纵工业机器人运动，以第一种姿态使其目标 TCP 与固定参考点刚好重合，到达点 1。点 1 位姿如右图所示	
7	确认点 1 处于选择状态，点击“修改位置”以记录点位。完成点位示教后，点 1 所在行显示“已修改”	
8	手动操纵工业机器人运动，以第二种姿态使其目标 TCP 与固定参考点刚好重合，到达点 2。点 2 位姿如右图所示	

表 2-13（续 3）

序号	步骤	图示
9	确认点 2 处于选择状态，点击“修改位置”以记录点位。完成点位示教后，点 2 所在行显示“已修改”	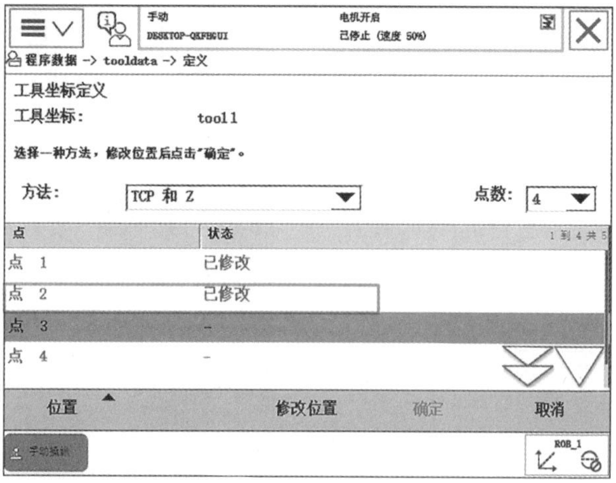 手动 DESKTOP-QKFHGUI 电机开启 已停止（速度 50%） 程序数据 -> tooldata -> 定义 工具坐标定义 工具坐标： tool1 选择一种方法，修改位置后点击“确定”。 方法： TCP 和 Z 点数： 4 点 状态 1 到 4 共 5 点 1 已修改 点 2 已修改 点 3 - 点 4 - 位置 修改位置 确定 取消 ROB_1
10	手动操纵工业机器人运动，以第三种姿态使其目标 TCP 与固定参考点刚好重合，到达点 3。点 3 位姿如右图所示	
11	确认点 3 处于选择状态，点击“修改位置”以记录点位。完成点位示教后，点 3 所在行显示“已修改”	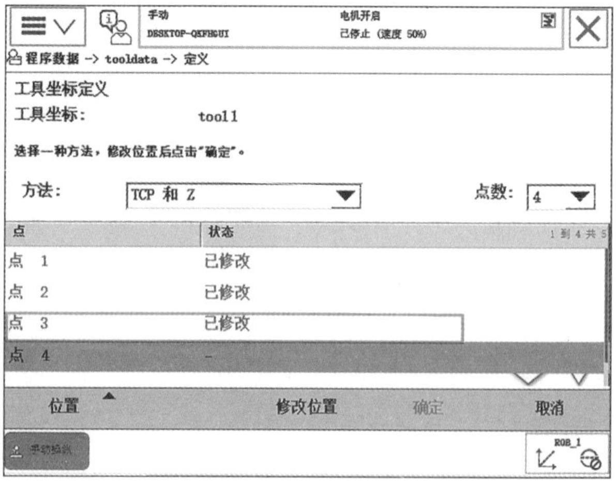 手动 DESKTOP-QKFHGUI 电机开启 已停止（速度 50%） 程序数据 -> tooldata -> 定义 工具坐标定义 工具坐标： tool1 选择一种方法，修改位置后点击“确定”。 方法： TCP 和 Z 点数： 4 点 状态 1 到 4 共 5 点 1 已修改 点 2 已修改 点 3 已修改 点 4 - 位置 修改位置 确定 取消 ROB_1

表 2-13（续 4）

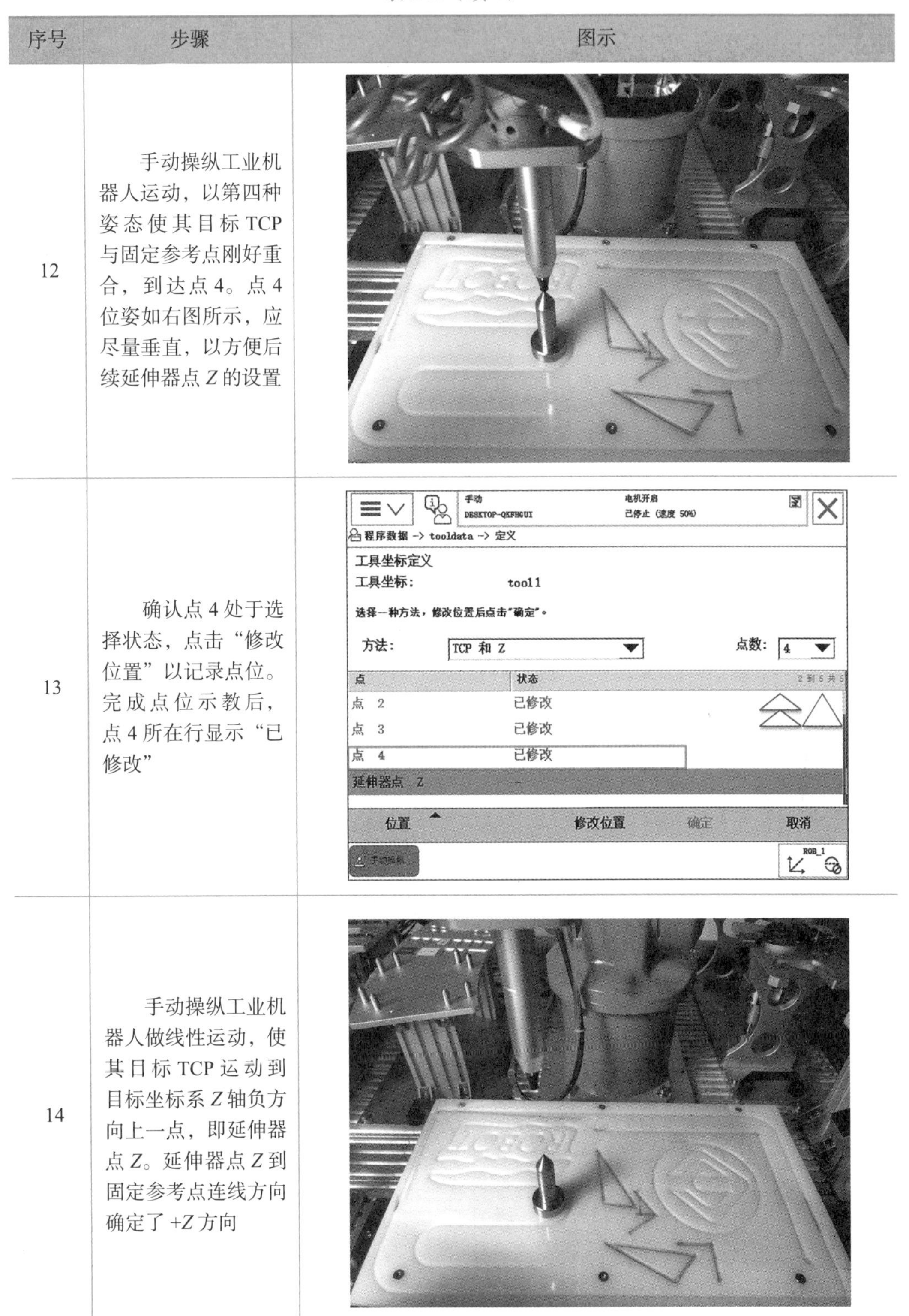

序号	步骤	图示
12	手动操纵工业机器人运动，以第四种姿态使其目标 TCP 与固定参考点刚好重合，到达点 4。点 4 位姿如右图所示，应尽量垂直，以方便后续延伸器点 Z 的设置	
13	确认点 4 处于选择状态，点击“修改位置”以记录点位。完成点位示教后，点 4 所在行显示“已修改”	
14	手动操纵工业机器人做线性运动，使其目标 TCP 运动到目标坐标系 Z 轴负方向上一点，即延伸器点 Z。延伸器点 Z 到固定参考点连线方向确定了 +Z 方向	

表 2-13（续 5）

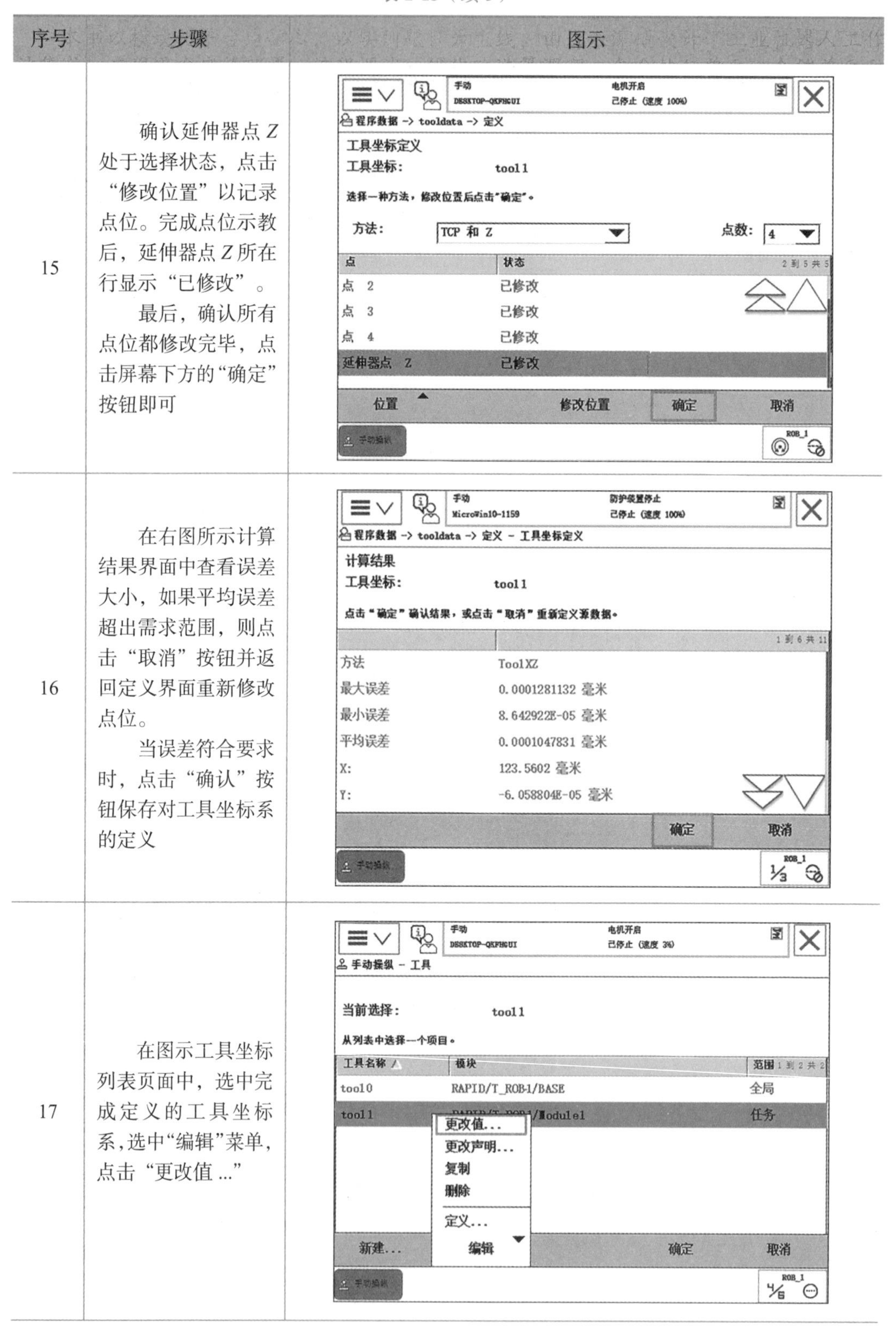

序号	步骤	图示
15	确认延伸器点 Z 处于选择状态，点击“修改位置”以记录点位。完成点位示教后，延伸器点 Z 所在行显示“已修改”。 最后，确认所有点位都修改完毕，点击屏幕下方的“确定”按钮即可	
16	在右图所示计算结果界面中查看误差大小，如果平均误差超出需求范围，则点击“取消”按钮并返回定义界面重新修改点位。 当误差符合要求时，点击“确认”按钮保存对工具坐标系的定义	
17	在图示工具坐标列表页面中，选中完成定义的工具坐标系，选中“编辑”菜单，点击“更改值 ...”	

表 2-13（续 6）

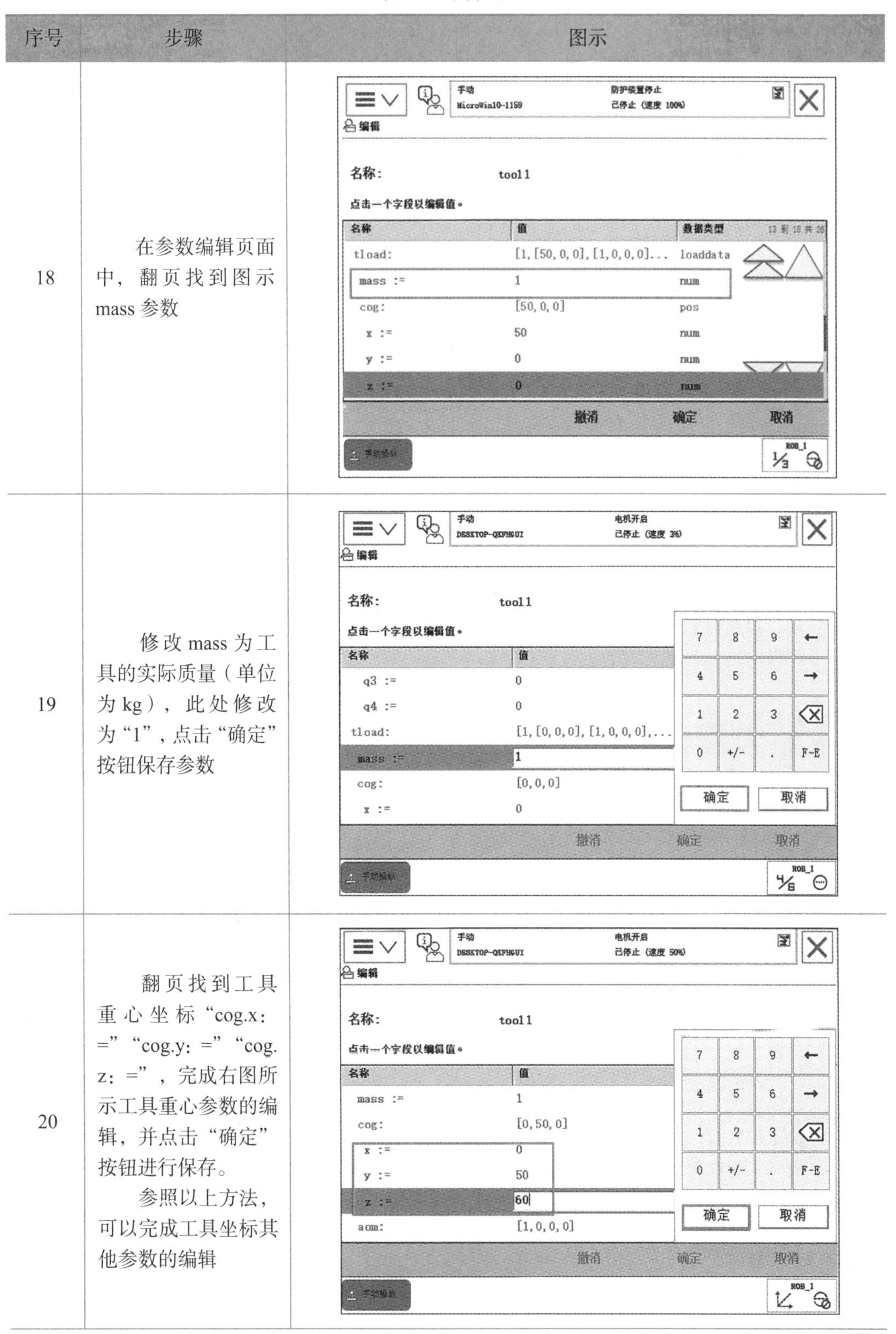

序号	步骤	图示
18	在参数编辑页面中，翻页找到图示 mass 参数	
19	修改 mass 为工具的实际质量（单位为 kg），此处修改为“1”，点击“确定”按钮保存参数	
20	翻页找到工具重心坐标“cog.x: =”“cog.y: =”“cog.z: =”，完成右图所示工具重心参数的编辑，并点击“确定”按钮进行保存。 参照以上方法，可以完成工具坐标其他参数的编辑	

表 2-13（续 7）

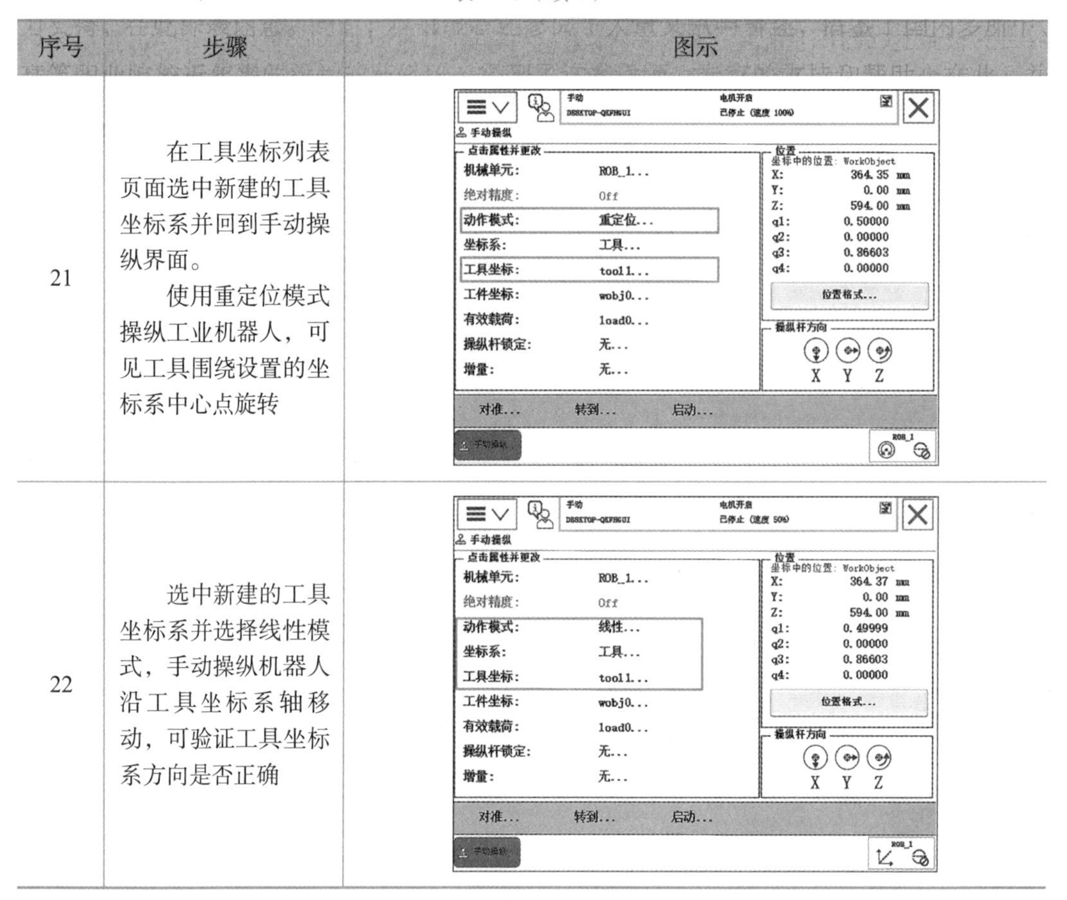

序号	步骤	图示
21	在工具坐标列表页面选中新建的工具坐标系并回到手动操纵界面。 使用重定位模式操纵工业机器人，可见工具围绕设置的坐标系中心点旋转	
22	选中新建的工具坐标系并选择线性模式，手动操纵机器人沿工具坐标系轴移动，可验证工具坐标系方向是否正确	

2. 工具数据的查看与编辑

当已知工具的完整工具数据时，可以直接对工具数据进行编辑从而定义工具坐标系。工具数据的查看与编辑有表 2-14 所示两种方法。

表 2-14　工具数据的查看与编辑

序号	步骤	图示
1	方法一： 首先，在新建工具坐标系时，在工具坐标系名称等属性设置的页面左下角点击“初始值”，进入初始值设置页面	

表 2-14（续）

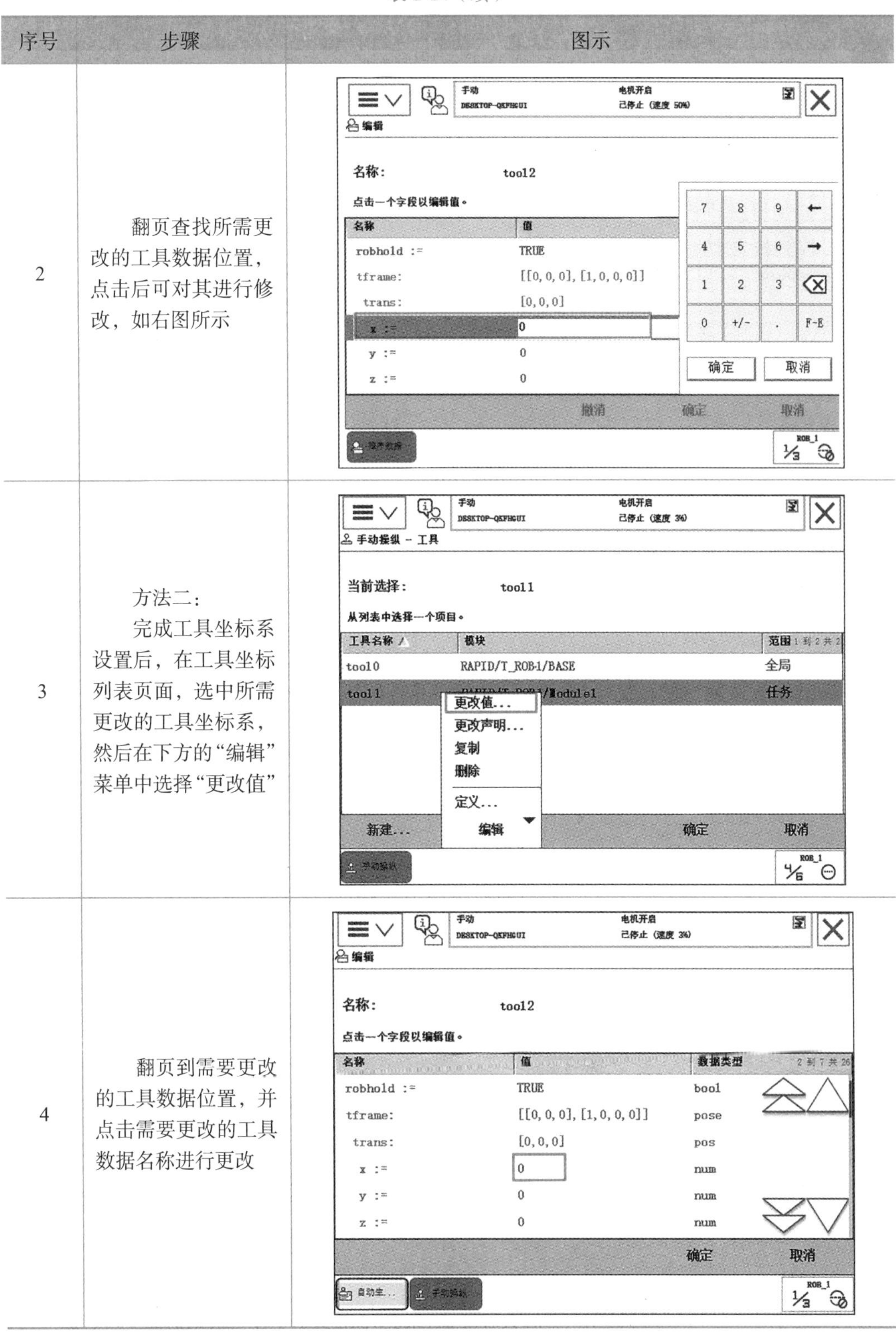

序号	步骤	图示
2	翻页查找所需更改的工具数据位置，点击后可对其进行修改，如右图所示	
3	方法二： 完成工具坐标系设置后，在工具坐标列表页面，选中所需更改的工具坐标系，然后在下方的“编辑”菜单中选择“更改值”	
4	翻页到需要更改的工具数据位置，并点击需要更改的工具数据名称进行更改	

【项目评测】

1. 选择题

（1）以下选项中不属于工业机器人动作模式的是（　　）。

A. 线性模式　　B. 单轴模式

C. 圆弧运动　　D. 重定位运动

（2）手动操纵工业机器人运动时的速度与（　　）有关。

A. 控制杆拨动次数　　B. 控制杆方向

C. 控制杆拨动幅度　　D. 控制杆拨动频率

2. 填空题

（1）工业机器人系统中的笛卡儿坐标系分为________、________、________、________。

（2）工业机器人工具坐标系的设置方法有________、________和________。

（3）紧急停止后，为了恢复正常状态，除了恢复急停按钮外，还需要__________。

（4）工业机器人的默认工具坐标系位于________。

项目 3　工业机器人的 I/O 通信设置

在工业机器人编程时，工业机器人需要与周边设备进行通信。为了让控制器能够正确处理各种信号，需对 I/O 通信进行设置。本项目主要讲解了标准 I/O 板的配置方法以及数字量输入输出信号、模拟量输入输出信号和系统输入输出信号的定义方法，最后介绍了 I/O 信号的监控与可编程按键的设置方法。

任务 3.1　标准 I/O 板的配置

【任务描述】

IRC5 紧凑型控制器可以配备 DSQC 651 或 DSQC 652 型标准 I/O 板，以实现与外部设备的 I/O 通信。本任务在了解 IRC5 系列控制器支持的通信方式与 DSQC 651、DSQC 652 型标准 I/O 板的基础上，讲解了 DSQC 652 型标准 I/O 板的配置方法。

【知识准备】

工业机器人常需与外部设备通信从而实现协同工作。ABB 工业机器人支持多种通信方式，包括 RS232、OPC Server、Socket Message、DeviceNet、Profibus、Profibus-DP、Profinet、EtherNet/IP 等。其中，DeviceNet 是控制器中标准 I/O 板（DSQC 651、DSQC 652）与主计算机之间使用的通信方式。

ABB 工业机器人的通信形式与通信装置见表 3-1。工业机器人系统若配备了对应的硬件选项及系统配置，就可满足所需的通信要求。

表 3-1 ABB 工业机器人的通信形式及通信装置

ABB 工业机器人			
通信形式			通信装置
基于 PC 通信	工业网络	I/O 通信	
RS232	DeviceNet	数字量输入输出	标准 I/O 板
OPC Server	Profibus	模拟量输入输出	PLC
Socket Message	Profibus-DP	组信号输入输出	……
	Profinet	……	
	EtherNet/IP		

1.IRC5 紧凑型控制器配备的标准 I/O 板

ABB 工业机器人常用标准 I/O 板有 DSQC 651、DSQC 652、DSQC 653、DSQC 355A、DSQC 377A 等。这些标准 I/O 板除分配地址不同外，配置方法基本相同。下面以 IRC5 紧凑型控制器上配备的 DSQC 651 与 DSQC 652 标准 I/O 板为例进行讲解。

2. 标准 I/O 板安装位置

IRC5 紧凑型控制器中，标准 I/O 板安装在控制器右侧上方的导轨上，如图 3-1 所示。

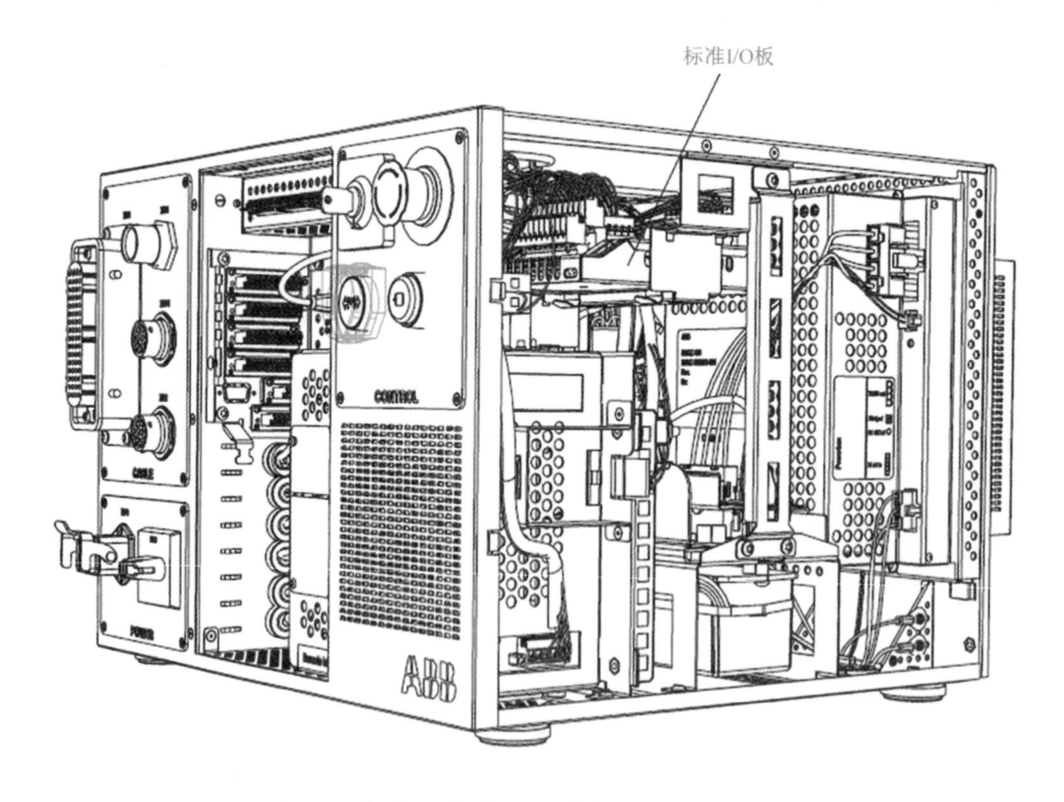

图 3-1 标准 I/O 板在 IRC5 紧凑型控制器中的位置

3. DSQC 651 型标准 I/O 板

DSQC 651 型标准 I/O 板（图 3-2）拥有数字输入、输出信号端口各 8 个，另有模拟量输出信号端口 2 个，以及 DeviceNet 总线接口。

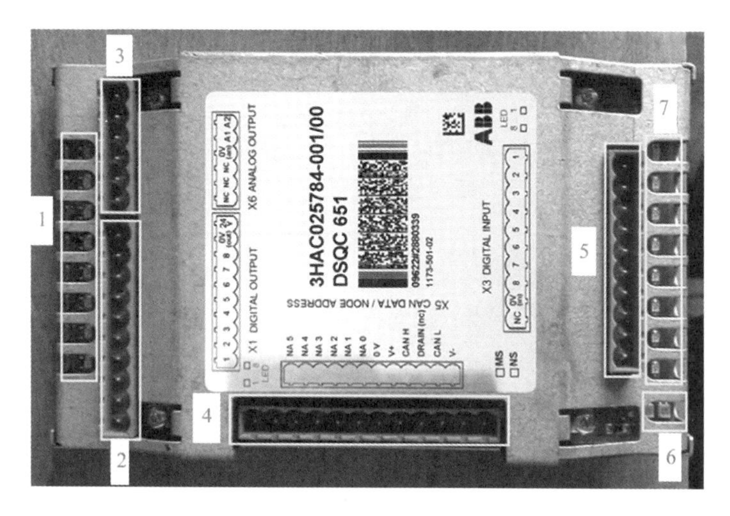

1—X1，信号指示灯；2—X1，数字量输出接口；3—X6，模拟量输出接口；4—X5，DeviceNet 总线接口；5—X3，数字量输入接口；6—总线状态指示灯；7—X3 信号指示灯。

图 3-2　DSQC 651 型标准 I/O 板

DSQC 651 的 X1、X3 端子地址分配见表 3-2，X5、X6 端子地址分配见表 3-3。

表 3-2　DSQC 651 的 X1、X3 端子地址分配

X1 编号端子	使用定义	地址分配	X3 编号端子	使用定义	地址分配
1	DO 端口地址	32	1	DI 端口地址	0
2		33	2		1
3		34	3		2
4		35	4		3
5		36	5		4
6		37	6		5
7		38	7		6
8		39	8		7
9	供电 0 V		9	供电 0 V	
10	供电 24 V		10	未使用	

表 3-3　DSQC 651 的 X5、X6 端子地址分配

X5 端子编号	使用定义	X6 编号端子	使用定义	地址分配
1	0 V BLACK	1	未使用	
2	CAN 信号线 low BLUE	2	未使用	
3	屏蔽线	3	未使用	
4	CAN 信号线 high WHITE	4	供电 0 V	
5	24 V RED	5	模拟量输出 ao1	0 ~ 15
6	GND 地址选择公共端	6	模拟量输出 ao2	16 ~ 31
7	模块 ID bit0（LSB）			
8	模块 ID bit1（LSB）			
9	模块 ID bit2（LSB）			
10	模块 ID bit3（LSB）			
11	模块 ID bit4（LSB）			
12	模块 ID bit5（LSB）			

4. DSQC 652 型标准 I/O 板

DSQC 652 型标准 I/O 板拥有数字量输入、输出端口各 16 个，同时还有 DeviceNet 总线接口以及信号指示灯。其具体接口如图 3-3 所示。

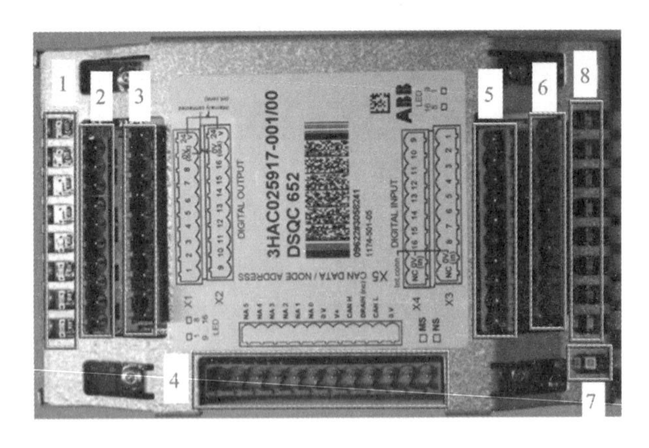

1—X1、X2，信号指示灯（两排）；2—X1，数字量输出接口；3—X2，数字量输出接口；
4—X5，DeviceNet 总线接口；5—X4，数字量输入接口；6—X3，数字量输入接口；
7—总线状态指示灯；8—X3、X4，信号指示灯。

图 3-3　DSQC 652 型标准 I/O 板

DSQC 652 型标准 I/O 板中，X1、X2 端子地址分配见表 3-4，X3、X4 端子地址分配见表 3-5。

表 3-4 DSQC 652 X1、X2 端子地址分配

<table>
<tr><th>X1 编号端子</th><th>使用定义</th><th>地址分配</th><th>X2 编号端子</th><th>使用定义</th><th>地址分配</th></tr>
<tr><td>1</td><td rowspan="8">DO 端口地址</td><td>0</td><td>1</td><td rowspan="8">DO 端口地址</td><td>8</td></tr>
<tr><td>2</td><td>1</td><td>2</td><td>9</td></tr>
<tr><td>3</td><td>2</td><td>3</td><td>10</td></tr>
<tr><td>4</td><td>3</td><td>4</td><td>11</td></tr>
<tr><td>5</td><td>4</td><td>5</td><td>12</td></tr>
<tr><td>6</td><td>5</td><td>6</td><td>13</td></tr>
<tr><td>7</td><td>6</td><td>7</td><td>14</td></tr>
<tr><td>8</td><td>7</td><td>8</td><td>15</td></tr>
<tr><td>9</td><td>供电 0 V</td><td></td><td>9</td><td>供电 0 V</td><td></td></tr>
<tr><td>10</td><td>供电 24 V</td><td></td><td>10</td><td>供电 24 V</td><td></td></tr>
</table>

表 3-5 DSQC 652 X3、X4 端子地址分配

<table>
<tr><th>X3 编号端子</th><th>使用定义</th><th>地址分配</th><th>X4 编号端子</th><th>使用定义</th><th>地址分配</th></tr>
<tr><td>1</td><td rowspan="8">DI 端口地址</td><td>0</td><td>1</td><td rowspan="8">DI 端口地址</td><td>8</td></tr>
<tr><td>2</td><td>1</td><td>2</td><td>9</td></tr>
<tr><td>3</td><td>2</td><td>3</td><td>10</td></tr>
<tr><td>4</td><td>3</td><td>4</td><td>11</td></tr>
<tr><td>5</td><td>4</td><td>5</td><td>12</td></tr>
<tr><td>6</td><td>5</td><td>6</td><td>13</td></tr>
<tr><td>7</td><td>6</td><td>7</td><td>14</td></tr>
<tr><td>8</td><td>7</td><td>8</td><td>15</td></tr>
<tr><td>9</td><td>供电 0 V</td><td></td><td>9</td><td>供电 0 V</td><td></td></tr>
<tr><td>10</td><td>未使用</td><td></td><td>10</td><td>未使用</td><td></td></tr>
</table>

DSQC 652 型标准 I/O 板的 X5 端子为 DeviceNet 总线接口，具备编号为 1~12 的 12 个接线端子，其端子定义及说明如图 3-4 所示。

其中，1~5 号用于总线通信，6~12 号则用于设定该标准 I/O 板在 DeviceNet 总线上的地址。DSQC 652 X5 的端口 6 为 GND 地址选择公共端，故其在 DeviceNet 总线上的地址由 7~12 号端口的地址针脚编码决定。ABB 出厂默认设置剪断了 8 号和 10 号地址

针脚，根据图 3-4（右）所示的 7~12 号端口地址针脚编码可知，DSQC 652 型标准 I/O 板的总线地址应为 2+8=10。

X5 端子编号	使用定义
1	0 V BLACK
2	CAN 信号线 low BLUE
3	屏蔽线
4	CAN 信号线 high WHITE
5	24 V RED
6	GND 地址选择公共端
7	模块 ID bit0（LSB）
8	模块 ID bit1（LSB）
9	模块 ID bit2（LSB）
10	模块 ID bit3（LSB）
11	模块 ID bit4（LSB）
12	模块 ID bit5（LSB）

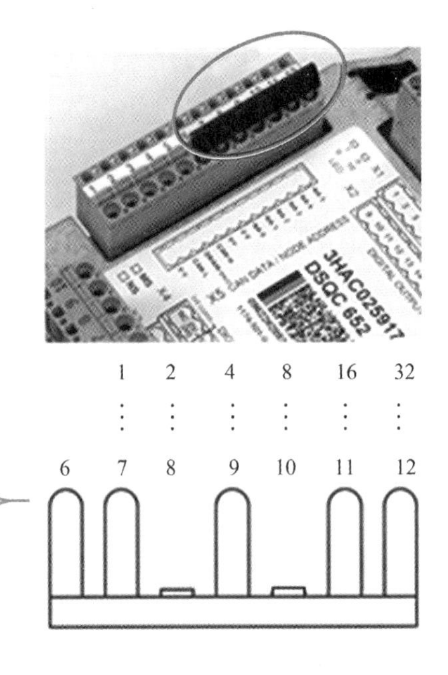

图 3-4　DSQC 652 X5 端子定义及说明

【任务实施】

项目名称	工业机器人的 I/O 通信设置		任务名称	标准 I/O 板的配置	
班级		姓名		学号		组别	
任务内容	本任务详细讲解了 DSQC 652 型标准 I/O 板的配置步骤				
任务目标	掌握标准 I/O 板的配置方法				

下面以配置 DSQC 652 型标准 I/O 板为例，讲解 ABB 工业机器人标准 I/O 板的配置方法，完成配置后需重启才能使配置生效。操作前应首先确认 DSQC 652 型标准 I/O 板已正确安装到控制器上。DSQC 652 型标准 I/O 板的配置参数见表 3-6，配置方法见表 3-7。

配置标准 I/O 板 DSQC 652

表 3-6　DSQC 652 标准 I/O 板的配置参数

参数	值	说明
Name	d652	I/O 板在系统中的名字
DeviceNet Address	10	I/O 板在 DeviceNet 总线中的地址

表 3-7　DSQC 652 型标准 I/O 板的配置方法

序号	步骤	图示
1	在主菜单操作界面中，选择“控制面板”	
2	在控制面板界面，选择下方的“配置”选项进入配置系统参数界面	
3	在配置系统参数界面，选择“DeviceNet Device”进入 DeviceNet Device 设备配置界面	

表 3-7（续 1）

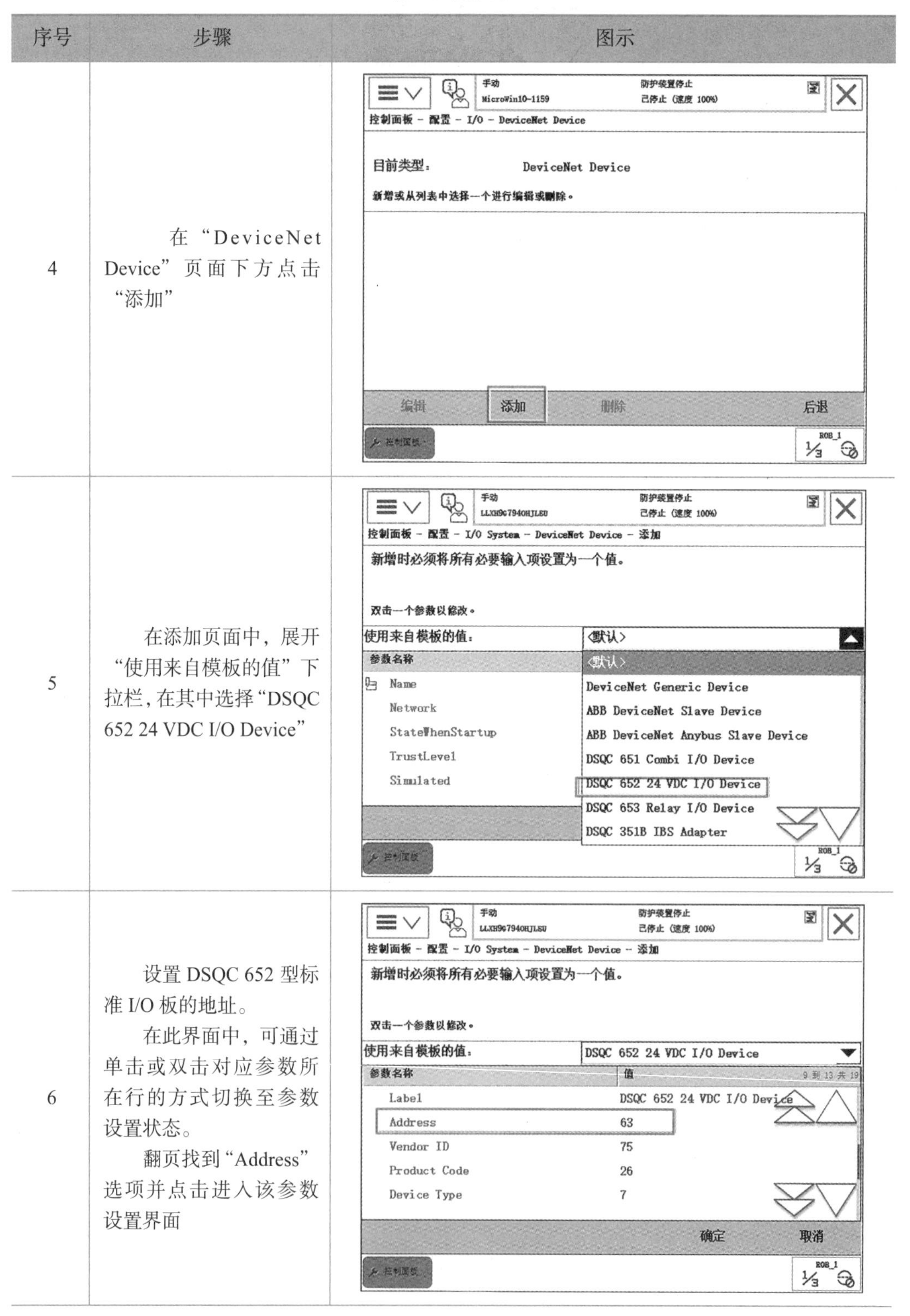

序号	步骤	图示
4	在“DeviceNet Device”页面下方点击“添加”	
5	在添加页面中，展开“使用来自模板的值”下拉栏，在其中选择“DSQC 652 24 VDC I/O Device”	
6	设置 DSQC 652 型标准 I/O 板的地址。 在此界面中，可通过单击或双击对应参数所在行的方式切换至参数设置状态。 翻页找到“Address”选项并点击进入该参数设置界面	

表 3-7（续 2）

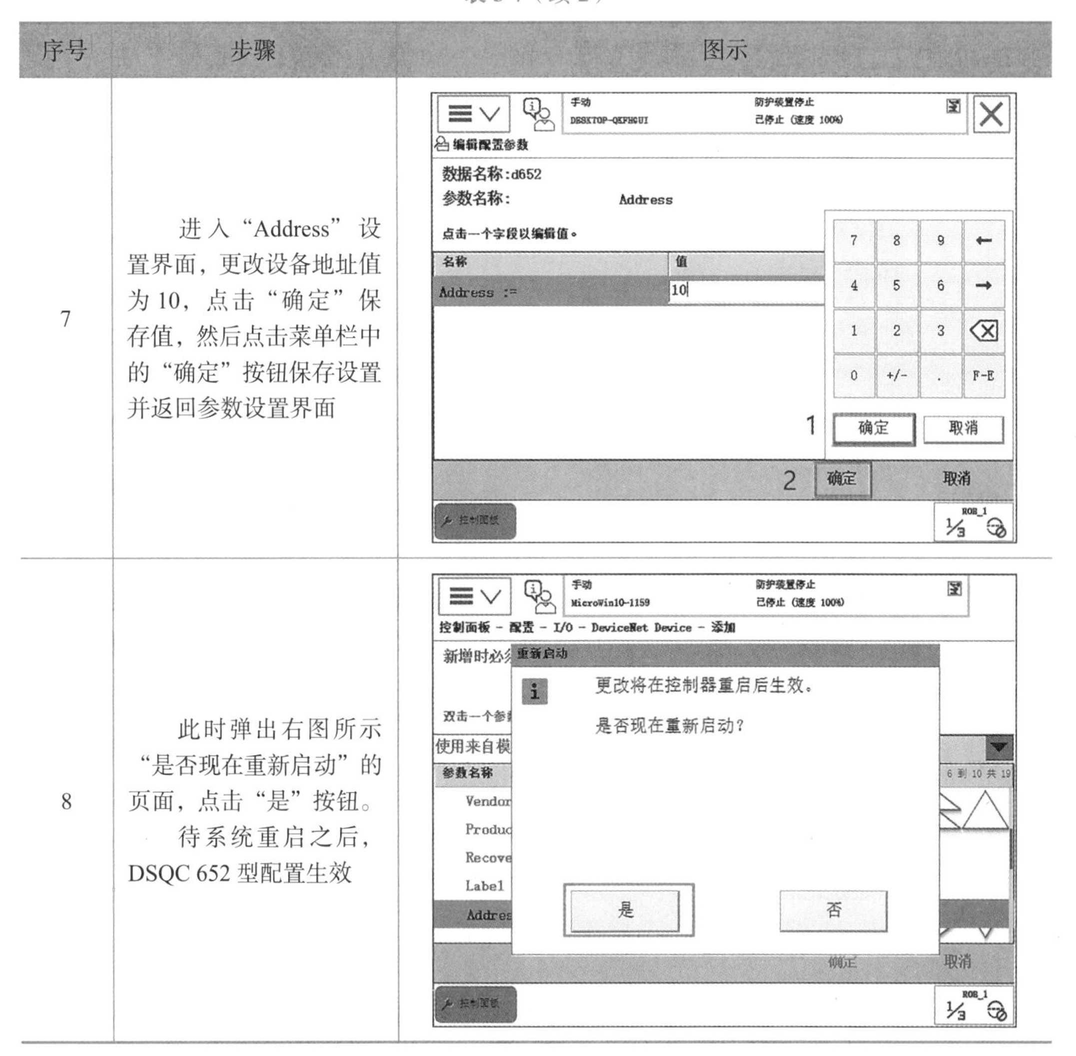

序号	步骤	图示
7	进入“Address”设置界面，更改设备地址值为10，点击“确定”保存值，然后点击菜单栏中的“确定”按钮保存设置并返回参数设置界面	
8	此时弹出右图所示“是否现在重新启动”的页面，点击“是”按钮。待系统重启之后，DSQC 652 型配置生效	

任务 3.2　I/O 系统的信号定义

【任务描述】

I/O 系统的信号定义需要在标准 I/O 板配置完成的条件下进行，通过 I/O 系统的信号定义可以实现标准 I/O 板上的硬件端口与系统中的信号变量相对应。本任务重点讲解数字量、模拟量、组信号以及系统信号的定义方法。

【知识准备】

1. ABB IRB 120 型工业机器人的 I/O 系统主题

ABB IRB 120 型工业机器人的配置分为五大主题：人机通信（Man-Machine

Communication）、控制器（Controller）、通信（Communication）、运动（Motion）和 I/O 系统（I/O System）。在每个主题中都可对相关的系统参数进行配置，其中 I/O 系统的主题界面如图 3-5 所示。

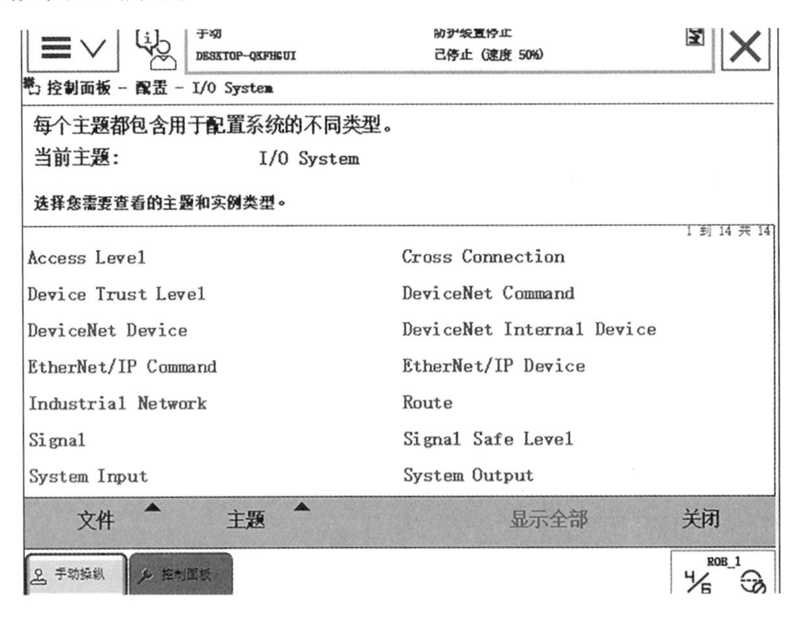

图 3-5　I/O 系统的主题界面

I/O 系统主题中前 11 种类型的功能如下：

① Access Level 权限等级：定义了与工业机器人控制器相连的一类 I/O 控制客户端的 I/O 信号写入权限。

② Cross Connection 交叉连接：为数字（DO、DI）或编组（GO、GI）的 I/O 信号间的一种逻辑连接，这种连接能让一个或若干个 I/O 信号自动影响其他 I/O 信号的状态。

③ Device Trust Level 装置信任等级：定义了 I/O 装置在不同执行情况下的行为。

④ I/O 装置命令：通过一个工业网络选项来定义具体工业网络所用 I/O 装置的装置命令，每套工业网络都要使用自身专用的配置类型，因此图 3-5 中该类型分为 DeviceNet Command 与 EtherNet/IP Command 两部分，装置命令也仅支持这两种工业网络。

⑤ DeviceNet Device 装置：是一真实 I/O 装置的逻辑软件表现形式，定义了控制该装置的具体参数，支持添加 DeviceNet、以太网 IP、PROFINET 网与 PROFIBUS 总线上的装置，从而控制该工业网络上的各种 I/O 信号，定义 Device 前需首先配置好工业网络并有可用的装置信任等级。

⑥ DeviceNet Internal Device 内部从动装置：对内部从动装置和 anybus 工业网络选项而言，系统会在系统启动时创建一个预定义的 Internal Device，可以用于 DeviceNet、EthernetIP、Profinet 网与 Profibus 总线。

⑦ Industrial Network 工业网络：是控制器内一套真实工业网络的逻辑软件表现形式，配置了工业网络的专用参数，从而决定通信速度等网络行为。

⑧ Signal I/O 信号：可以是与工业机器人网络相连的 I/O 装置上的真实 I/O 信号，也可以是不存在任何实际装置的仿真 I/O 信号。

⑨ Signal Safe Level 信号安全等级：定义逻辑输出信号在不同执行情况下的行为。

⑩ System Input 系统输入：指定具体的输入信号触发一项交由系统处理的系统行动。

⑪ System Output 系统输出：指定在出现相应的系统动作时发出指定的 I/O 信号。

2. 信号类型

工业机器人的 I/O 信号一般分为数字量信号、组信号、模拟量信号三类。下面详细介绍各类信号。

（1）数字量信号

数字量信号即使用 0 和 1 表示一个量，其在时间上的变化是不连续的。单一数字量只能表示两种状态，例如“开”和“关”等，无法表示带有中间值的量，例如电压、电流等。

一个数字量的参数主要有名称、类型、设备和地址等。在后续的数字量信号定义中，也主要是针对这些参数进行配置。

（2）组信号

ABB 工业机器人系统的组信号分为组输入信号和组输出信号，信号类型均为数字量。组信号就是将若干数字量输入信号或若干数字量输出信号组合起来使用，用于输入或者输出 BCD 编码的十进制数。如组信号占用的地址为 0~7 即 8 位，可以代表十进制数 0~255。

组信号的主要参数与数字量相同。与数字量的不同之处在于，其设备地址是一个范围。

（3）模拟量信号

模拟量信号是在一定范围内随时间连续变化的量，如电流、电压等物理常量均为模拟量。

模拟量的主要参数除了名称、类型、设备、地址以外，还有模拟量编码类型、最大逻辑值、最小逻辑值、最大物理值、最小物理值、最大位值、最小位值等模拟量信号特有的参数。在输入输出界面中设置的模拟量的值是其逻辑值，应在最大逻辑值与最小逻辑值范围内。

3. 系统信号接口

工业机器人系统中可通过将信号与系统输入项或系统输出项进行关联，实现系统特定动作的控制或反馈。系统输入项用于接收外部设备发出的信号并根据信号执行相应的系统行动，而系统输出项用于在工业机器人实现特定的系统动作时发出指定信号。这里的系统动作包括启动与停止电机、急停工业机器人、在圆弧终点处停止、重启系统、移动指针到主程序等；系统状态包括启动与停止电机、急停工业机器人、使速度达到要求、仿真 I/O 信号、移动指针等。

（1）System Input

系统输入项与输入信号进行关联时，需注意以下事项：

①在进行关联前，必须先在系统中完成对应数字量输入信号的定义；

②每个数字量输入信号只能与一个系统输入项关联，但同一个系统输入项可以与多个数字量输入信号相关联；

③当不需要已经设定好的系统输入时，需要依次删除系统输入项的关联和对应的输入信号；

④系统输入项仅在自动模式下有效。

工业机器人常用系统输入项及其对应关联动作说明见表 3-8，这些系统输入项均识别数字量输入信号的上升沿。

表 3-8 工业机器人常用系统输入项及其对应关联动作说明

系统动作参数名称	对应系统执行的动作
Motors On	电机开启
Motors Off	电机关闭
Start	启动，可以用来实现 RAPID 程序的启动
Start at Main	从主程序处启动
Stop	停止，移动中的机器人将停在当前位置上
Quick Stop	快速停止，机器人将迅速停止相关 RAPID 程序的执行过程
Soft Stop	软停止
PP to Main	程序指针移动至主程序
Stop at End of Instruction	结束当前指令后停止程序的执行过程
Stop at End of Cycle	在执行完整段的 RAPID 程序时（即主例程中的最后一条指令结束之时）停止该程序

（2）System Output

系统输出项与输出信号的关联方法与系统输入项与输入信号的关联方法异曲同工。系统输出项与输出信号进行关联时，需注意以下事项：

①在进行关联前，必须先在系统中完成对应输出信号的定义（支持数字量信号 / 模拟量信号）；

②每个输出信号只能与一个系统输出项关联，但同一个系统输出项可以与多个输出信号相关联；

③当不需要已经设定好的系统输出项时，需要依次删除系统输出项的关联和对应关联的输出信号；

④系统输出项仅在自动模式下有效。

工业机器人常用系统输出项及其对应反馈系统动作（状态）说明见表 3-9。

表 3-9 工业机器人常用系统输出项及其反馈系统动作（状态）说明

系统动作（状态）参数名称	反馈的对应系统动作
Motors On	电机开启时，对应关联输出信号输出指定值
Motors Off	电机关闭时，对应关联输出信号输出指定值
Cycle On	执行机器人程序时，对应关联输出信号输出指定值
Emergency Stop	控制器处于“紧急停止”状态时，对应关联输出信号输出指定值

表 3-9（续）

系统动作（状态）参数名称	反馈的对应系统动作
Auto On	控制器处于“自动模式”时，对应关联输出信号输出指定值
Run Chain OK	系统在关闭相关安全链时，对应关联输出信号输出指定值
TCP Speed	对应关联输出信号（模拟信号）反映了机器人的 TCP 速度
Execution Error	当指定的机器人任务发生执行错误时，对应关联输出信号输出指定值
Motors On State	控制器处于“电机关闭”状态时，对应关联输出信号输出指定值
Motors Off State	控制器处于“电机开启”状态时，对应关联输出信号输出指定值

【任务实施】

项目名称	工业机器人的 I/O 通信设置			任务名称	I/O 系统的信号定义		
班级		姓名		学号		组别	
任务内容	本任务分别就数字量信号、模拟量信号、组信号的定义方法进行了讲解，同时还介绍了系统输入输出信号的设置方法						
任务目标	1. 掌握定义数字量信号的技能						
	2. 掌握定义模拟量信号的技能						
	3. 掌握定义组信号的技能						
	4. 掌握设置系统输入、输出信号功能的技能						

1. 数字量信号定义

工业机器人的 I/O 信号定义

当工业机器人 IRC5 紧凑型控制器配备了 DSQC 652 型标准 I/O 板或 DSQC 651 型标准 I/O 板时，可以在工业机器人系统中配置数字量信号，配置信号时注意区别不同标准 I/O 板设备上的信号地址。此处以使用示教器在 DSQC 652 型标准 I/O 板上配置数字量输入信号 di1 为例进行讲解，信号相关参数见表 3-10，定义方法见表 3-11。

表 3-10 数字输入信号 di1 相关参数

参数	说明	值
Name	信号名称	di1
Type of Signal	信号类型	Digital Input
Assigned to device	信号所在的 I/O 设备	d652
Device Mapping	信号所占用设备上地址	0

表 3-11　数字量输入信号定义方法

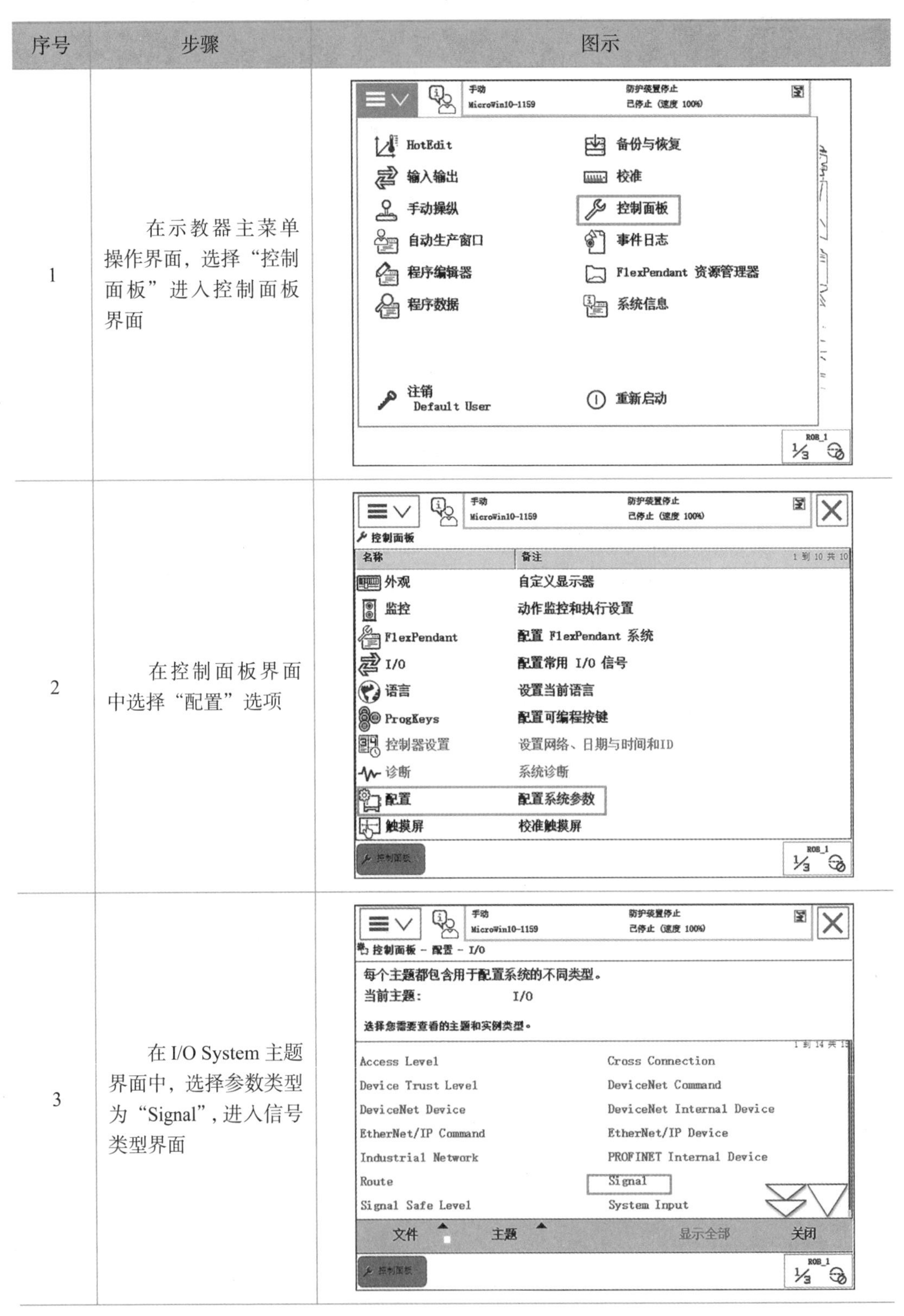

序号	步骤	图示
1	在示教器主菜单操作界面，选择“控制面板”进入控制面板界面	
2	在控制面板界面中选择“配置”选项	
3	在 I/O System 主题界面中，选择参数类型为“Signal”，进入信号类型界面	

表 3-11（续 1）

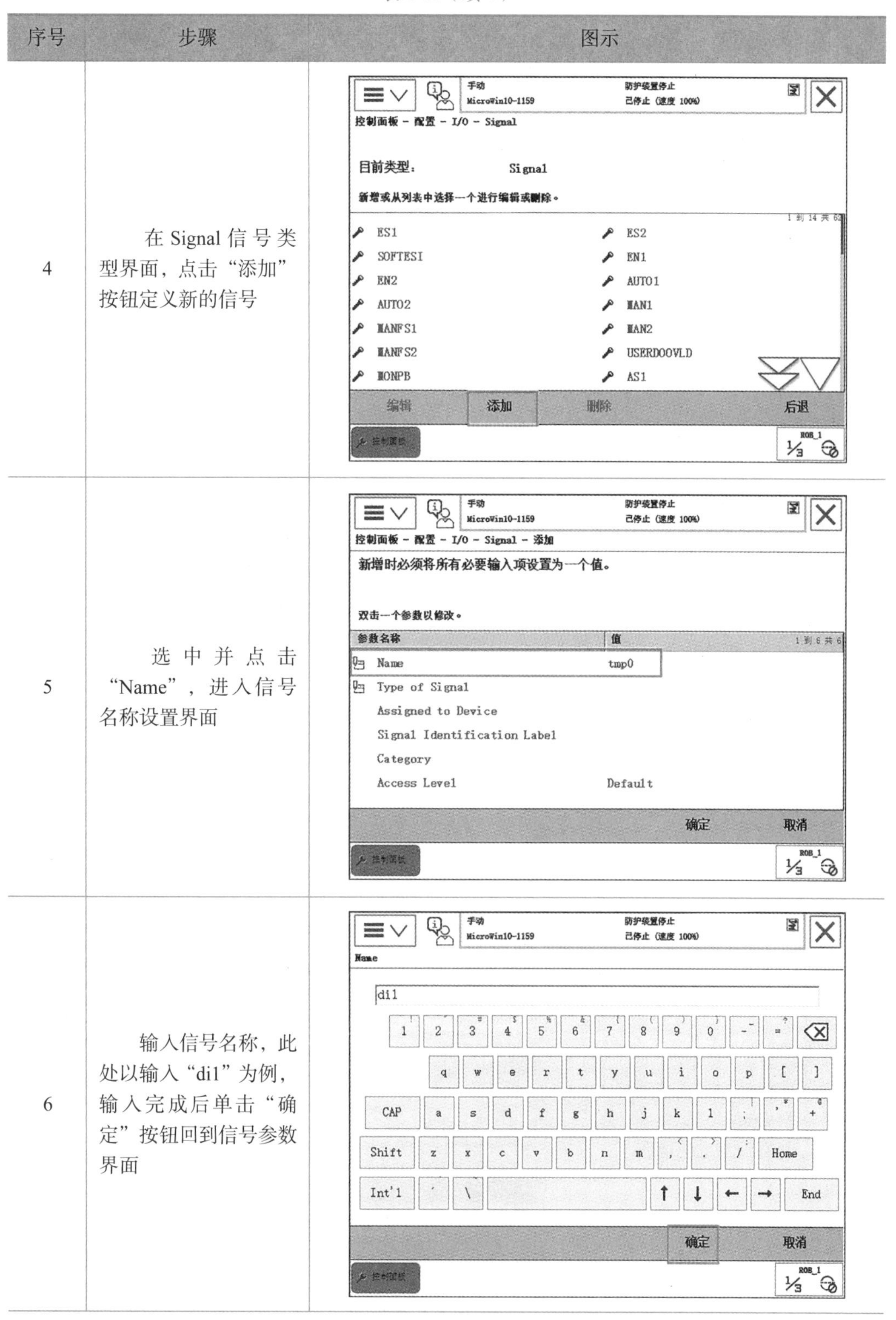

序号	步骤	图示
4	在 Signal 信号类型界面，点击“添加”按钮定义新的信号	
5	选中并点击“Name”，进入信号名称设置界面	
6	输入信号名称，此处以输入“di1”为例，输入完成后单击“确定”按钮回到信号参数界面	

表 3-11（续 2）

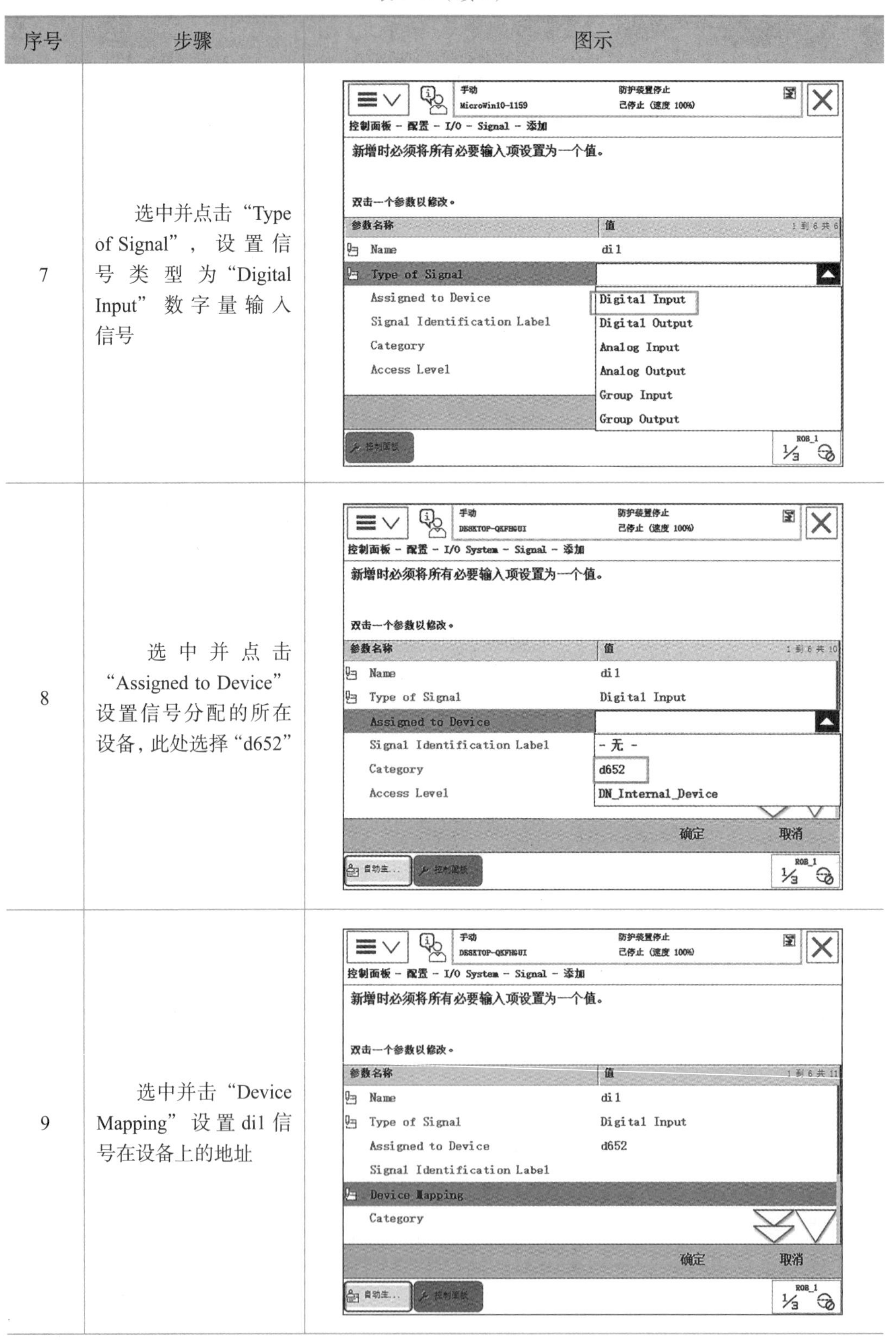

序号	步骤	图示
7	选中并点击“Type of Signal”，设置信号类型为“Digital Input”数字量输入信号	
8	选中并点击“Assigned to Device”设置信号分配的所在设备，此处选择“d652”	
9	选中并击“Device Mapping”设置di1信号在设备上的地址	

表 3-11（续 3）

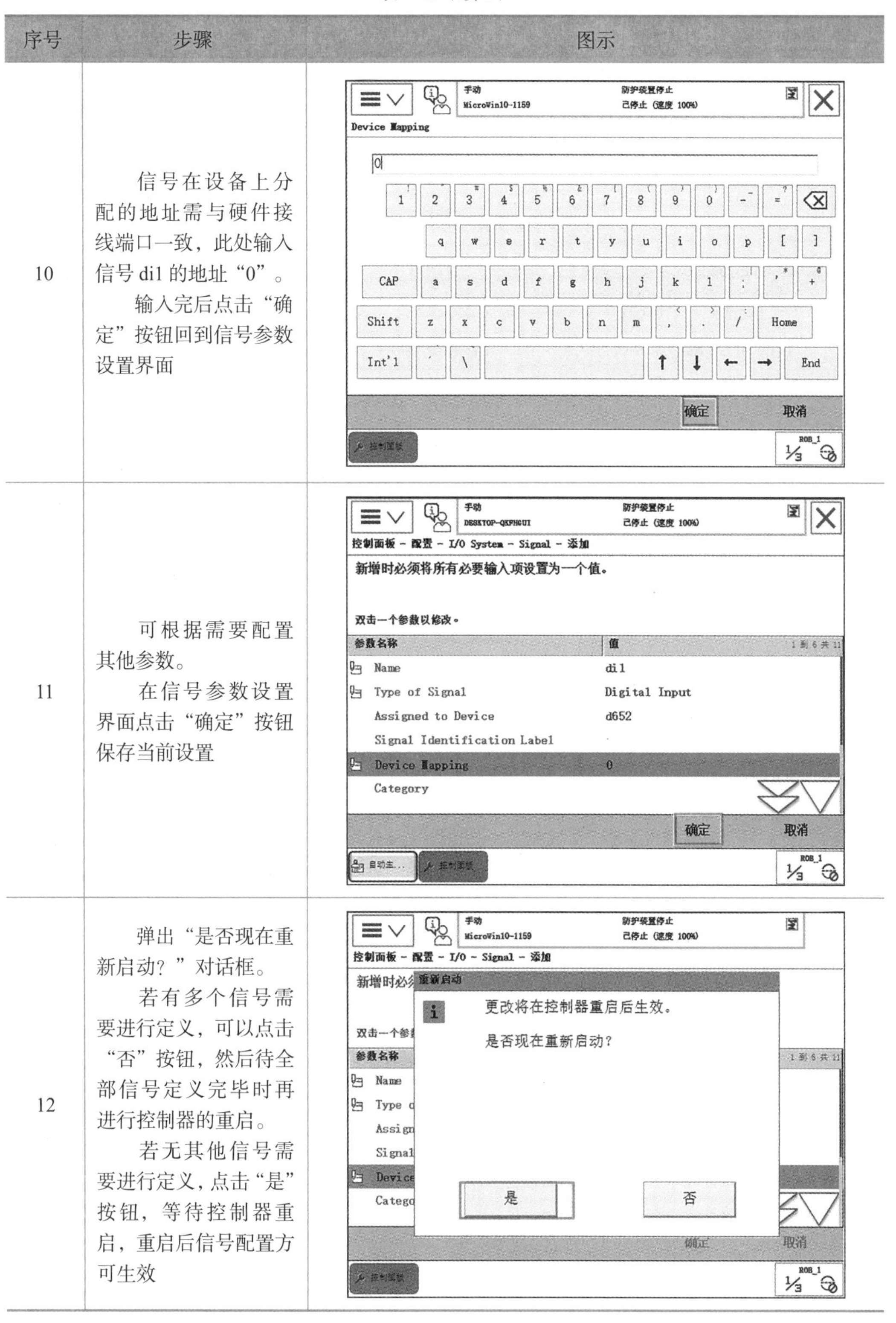

序号	步骤	图示
10	信号在设备上分配的地址需与硬件接线端口一致，此处输入信号 di1 的地址“0”。 输入完后点击“确定”按钮回到信号参数设置界面	
11	可根据需要配置其他参数。 在信号参数设置界面点击“确定”按钮保存当前设置	
12	弹出“是否现在重新启动？”对话框。 若有多个信号需要进行定义，可以点击“否”按钮，然后待全部信号定义完毕时再进行控制器的重启。 若无其他信号需要进行定义，点击“是”按钮，等待控制器重启，重启后信号配置方可生效	

2. 组信号定义

当工业机器人 IRC5 紧凑型控制器配备了 DSQC 652 型标准 I/O 板或 DSQC 651 型标准 I/O 板时，可以在工业机器人系统中配置数字量信号，配置信号时注意区别不同标准 I/O 板设备上的信号地址。

此处以使用示教器在 DSQC 652 型标准 I/O 板上配置组输入信号 gi1 为例进行讲解，信号相关参数见表 3-12，定义方法见表 3-13。

表 3-12　组输入信号 gi1 相关参数

参数	说明	值
Name	信号名称	gi1
Type of Signal	信号类型	Group Input
Assigned to Device	信号所在的 I/O 设备	d652
Device Mapping	信号所占用设备上地址	0-7

表 3-13　数字量组输入信号定义方法

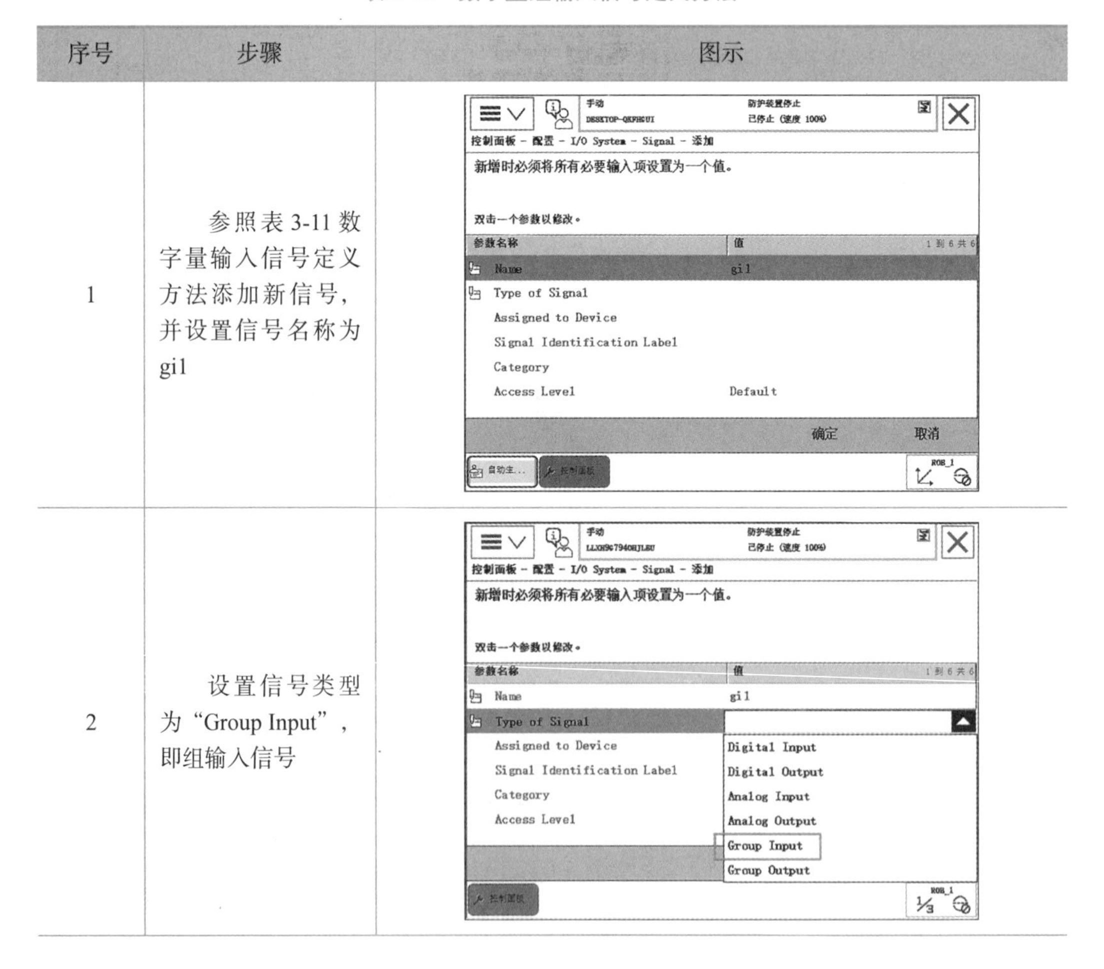

序号	步骤	图示
1	参照表 3-11 数字量输入信号定义方法添加新信号，并设置信号名称为 gi1	
2	设置信号类型为“Group Input”，即组输入信号	

表 3-13（续）

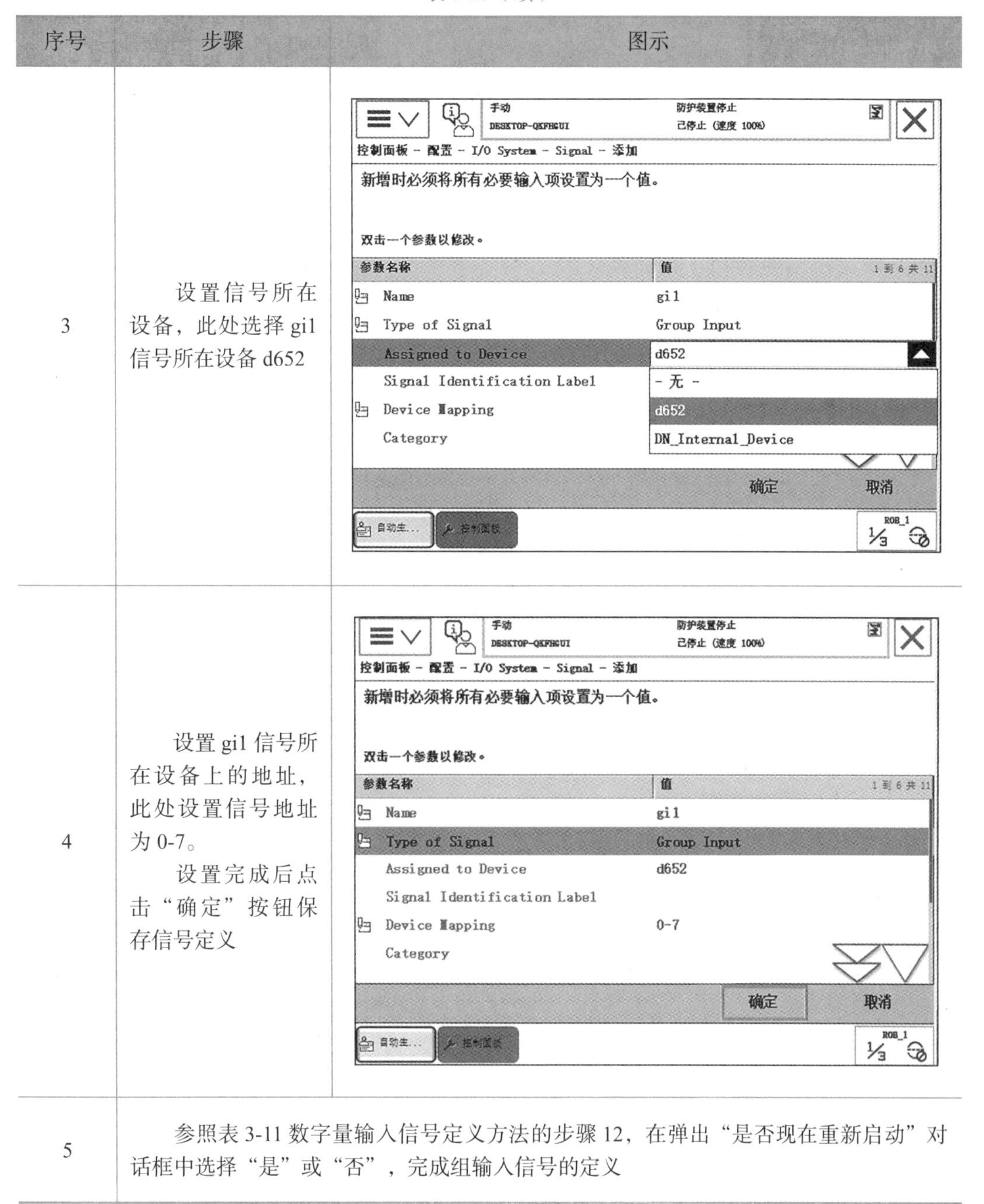

序号	步骤	图示
3	设置信号所在设备，此处选择 gi1 信号所在设备 d652	
4	设置 gi1 信号所在设备上的地址，此处设置信号地址为 0-7。 设置完成后点击“确定”按钮保存信号定义	
5	参照表 3-11 数字量输入信号定义方法的步骤 12，在弹出“是否现在重新启动”对话框中选择“是”或“否”，完成组输入信号的定义	

3. 模拟量信号定义

当工业机器人 IRC5 紧凑型控制器配备了 DSQC 651 型标准 I/O 板或适配模拟量 I/O 模块时，可以在工业机器人系统中配置模拟量信号，配置信号时注意区别不同标准 I/O 设备上的信号地址。

此处以使用示教器在 DSQC 651 型标准 I/O 板上配置模拟量信号 ao1 为例，讲解配置模拟量输出信号的方法，信号相关参数见表 3-14，定义方法见表 3-15。

表 3-14　模拟量输出信号示例

参数	说明	值
Name	信号名称	ao1
Type of Signal	信号类型	Analog Output
Assigned to Device	分配设备	d651
Device Mapping	设备地址	0-15
Maximum Logical Value	最大逻辑值	10
Minimum Logical Value	最小逻辑值	0
Maximum Physical Value	最大物理值	20
Minimum Physical Value	最小物理值	0

表 3-15　模拟量输出信号定义方法

序号	步骤	图示
1	参照表 3-11 数字量输入信号定义方法，添加新信号，并设置信号名称为 ao1	
2	设置信号类型为“Analog Output”，即模拟量输出信号	

表 3-15（续）

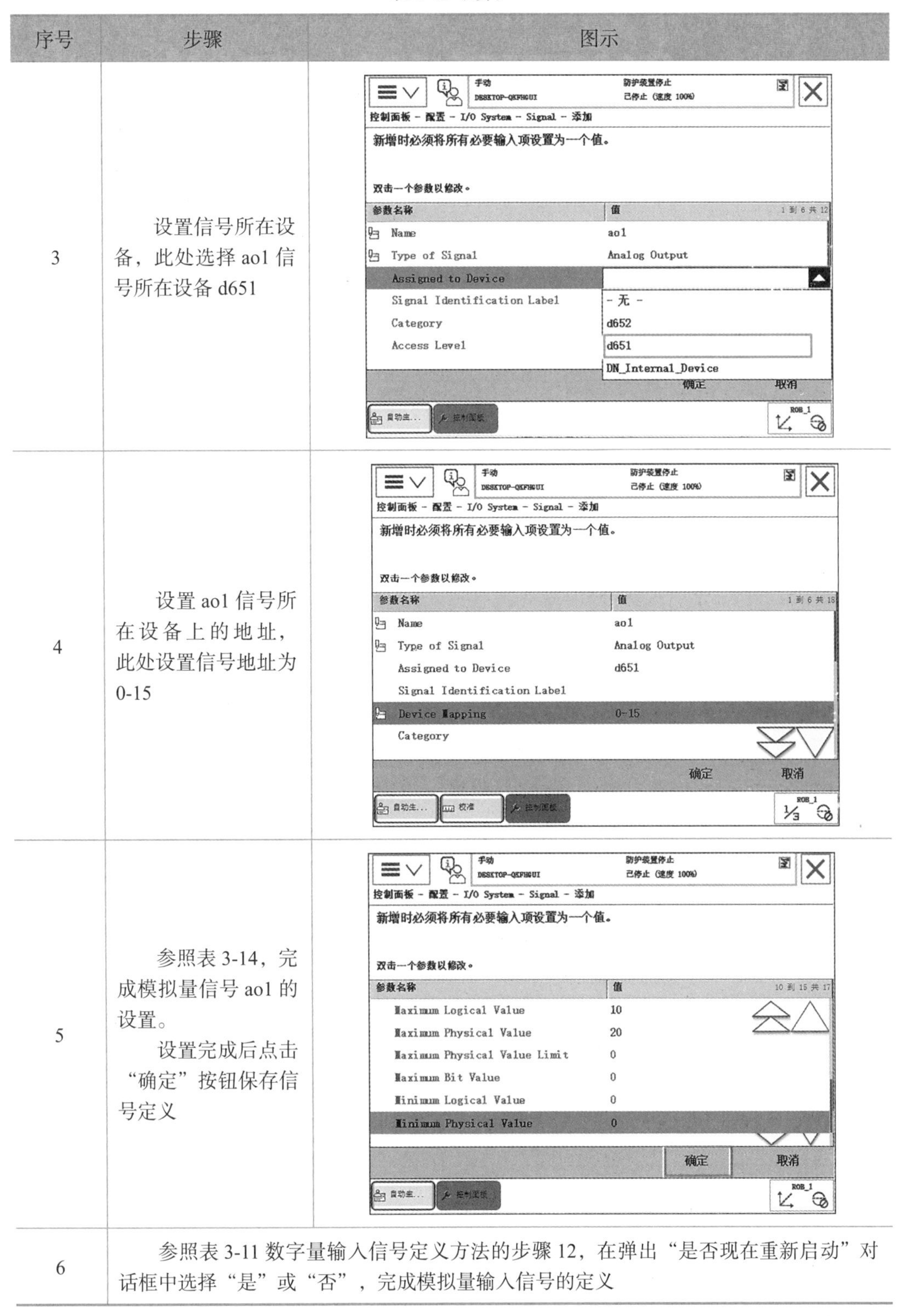

序号	步骤	图示
3	设置信号所在设备，此处选择 ao1 信号所在设备 d651	
4	设置 ao1 信号所在设备上的地址，此处设置信号地址为 0-15	
5	参照表 3-14，完成模拟量信号 ao1 的设置。 设置完成后点击“确定”按钮保存信号定义	
6	参照表 3-11 数字量输入信号定义方法的步骤 12，在弹出“是否现在重新启动”对话框中选择“是”或“否”，完成模拟量输入信号的定义	

任务 3.3　I/O 信号状态监控与修改

【任务描述】

在工业机器人系统与外部设备交互使用过程中，常需要查看信号的状态值或修改信号状态值以便调试。本任务重点讲解完成信号定义后，在输入输出界面查看与修改信号状态值的方法。

【知识准备】

在主菜单操作界面中点击“输入输出”可以进入输入输出界面。输入输出界面显示了用户信号、安全信号、I/O 设备、工业网络等信息，如图 3-6 所示。

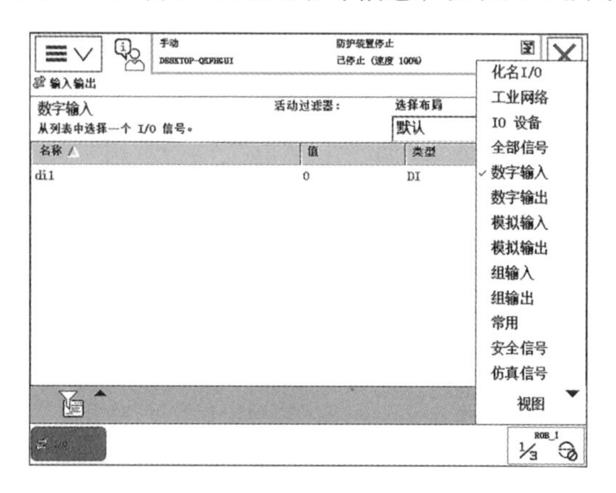

图 3-6　输入输出界面视图

输入输出界面有 13 个视图选项，选择视图选项后可以分别显示不同信号类别的信号。

【任务实施】

项目名称	工业机器人 I/O 通信设置			任务名称	I/O 信号状态监控与修改		
班级		姓名		学号		组别	
任务内容	本任务讲解了 I/O 信号的查看方法，介绍了如何在输入输出界面中对信号进行强制置位复位、仿真等内容						
任务目标	1. 掌握查看输入、输出信号状态的方法						
	2. 掌握修改信号状态及进行信号仿真的技能						

1. I/O 信号状态监控

当工业机器人与外部设备进行通信时，可在输入输出界面查看对应信号的状态，具体操作见表 3-16。

I/O 信号的监控查看

表 3-16　I/O 信号状态监控方法

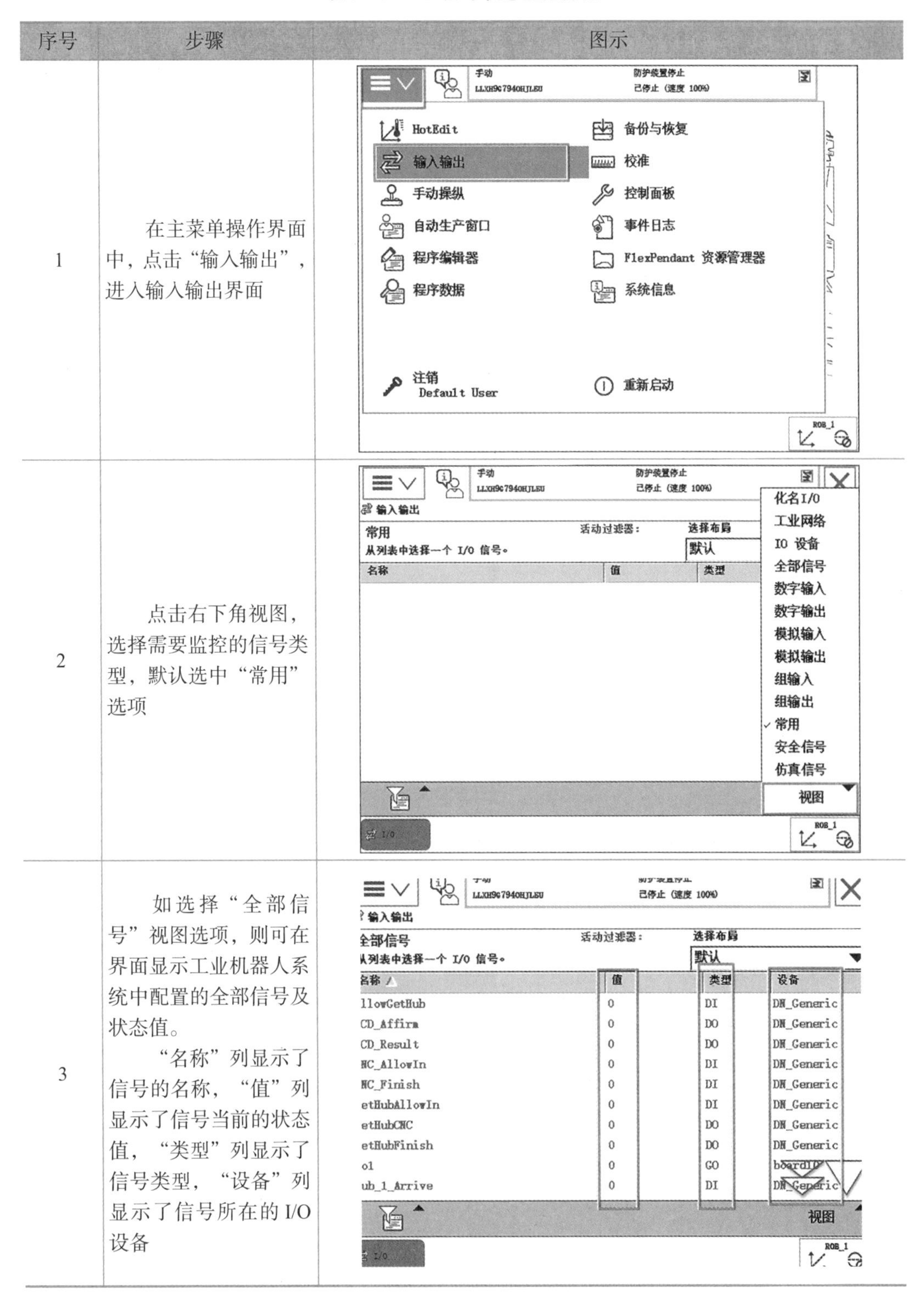

序号	步骤	图示
1	在主菜单操作界面中，点击“输入输出”，进入输入输出界面	
2	点击右下角视图，选择需要监控的信号类型，默认选中“常用”选项	
3	如选择“全部信号”视图选项，则可在界面显示工业机器人系统中配置的全部信号及状态值。 “名称”列显示了信号的名称，“值”列显示了信号当前的状态值，“类型”列显示了信号类型，“设备”列显示了信号所在的 I/O 设备	

2. I/O 信号状态修改

工业机器人系统中的数字量输出信号、组输出信号、模拟量输出信号等由机器人触发对应信号状态的变化，可以通过示教器输入输出界面的信号修改功能强制将对应信号修改为所需的值，从而实现手动修改输出信号的值模拟程序运行时触发信号状态变化，具体步骤见表 3-17。

表 3-17　I/O 信号状态修改

序号	步骤	图示
数字量输出信号修改		
1	选中所需修改的数字量输入信号 do1	
2	此时表格中“do1”显示为“0”。 点击下方的“0”或“1”可将 do1 信号分别强制为 0 或 1。 此处点击“1”，完成数字量输出信号的修改	
3	此时可以发现“do1”的值已经强制为“1”	

表 3-17（续 1）

序号	步骤	图示
组输出信号修改		
4	找到所需的组输出信号 go1 并选中	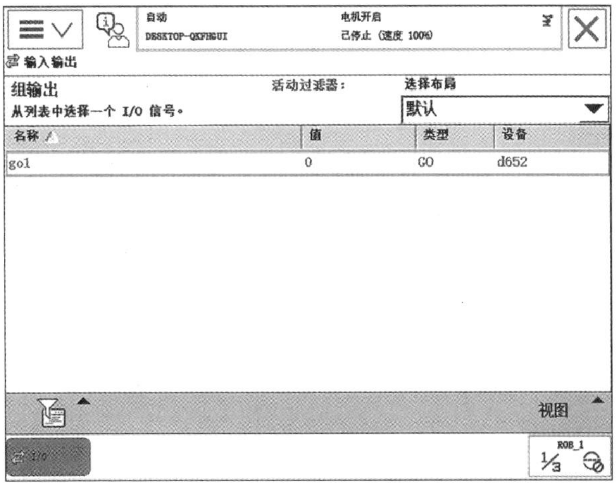
5	点击下方的“123...”调出输入键盘	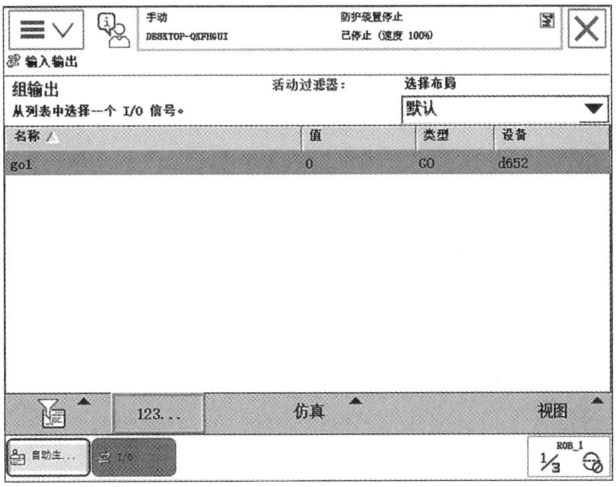
6	输入需要的仿真值，注意应当在右下角显示的限值范围内。输入完毕后点击“确定”按钮保存对组输出信号的修改。 此处输入 5，即表示 00000101，然后点击“确定”按钮	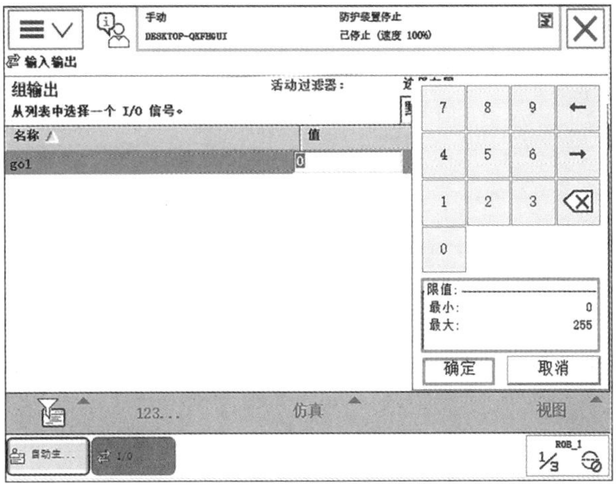

表 3-17（续 2）

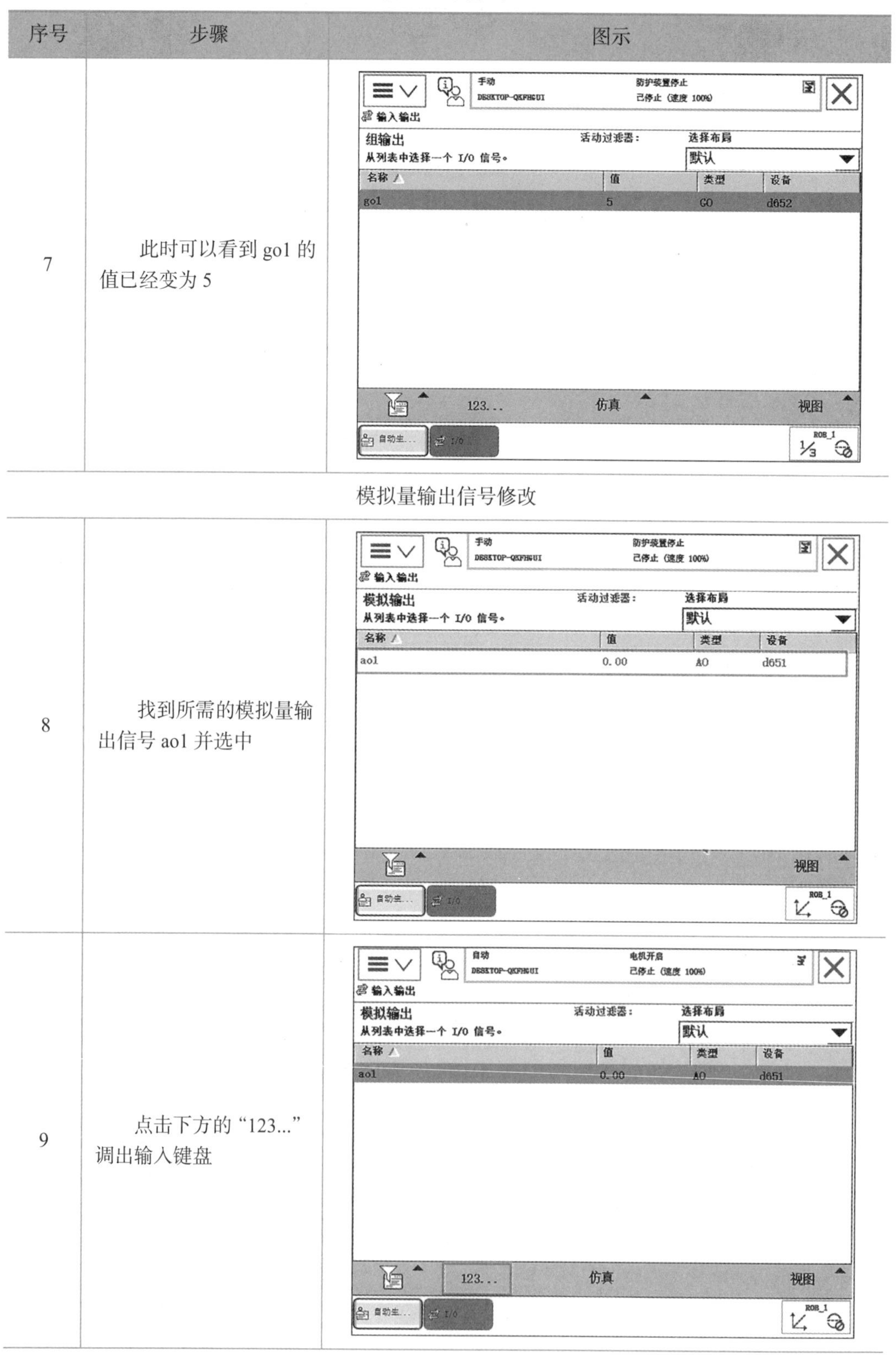

序号	步骤	图示
7	此时可以看到 go1 的值已经变为 5	
	模拟量输出信号修改	
8	找到所需的模拟量输出信号 ao1 并选中	
9	点击下方的“123...”调出输入键盘	

表 3-17（续 3）

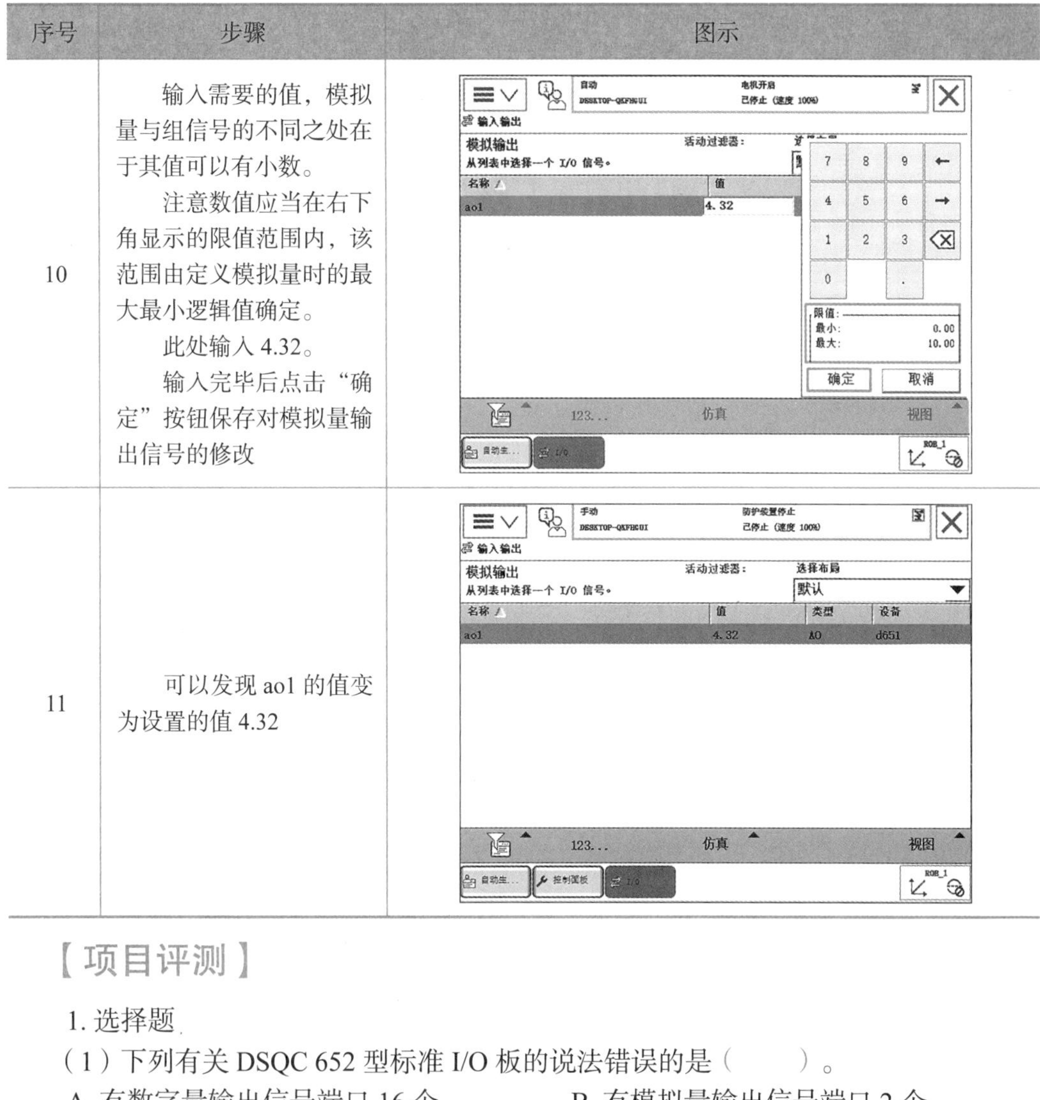

序号	步骤	图示
10	输入需要的值，模拟量与组信号的不同之处在于其值可以有小数。 注意数值应当在右下角显示的限值范围内，该范围由定义模拟量时的最大最小逻辑值确定。 此处输入 4.32。 输入完毕后点击“确定”按钮保存对模拟量输出信号的修改	
11	可以发现 ao1 的值变为设置的值 4.32	

【项目评测】

1. 选择题

（1）下列有关 DSQC 652 型标准 I/O 板的说法错误的是（　　）。

A. 有数字量输出信号端口 16 个　　B. 有模拟量输出信号端口 2 个

C.X5 为 DeviceNet 总线端口　　D. 有数字量输入信号端口 16 个

（2）设置及查看 ABB 工业机器人 I/O 状态可以在示教器哪个选项中进行（　　）。

A. 输入输出　　B. 手动操纵

C. 程序编辑器　　D. 程序数据

2. 填空题

（1）工业机器人 I/O 信号可分为________、________、________三类。

（2）DSQC 652 型标准 I/O 板的基本结构组成有________、________、________、________、________、________。

项目 4　工业机器人基础示教编程

工业机器人有示教编程和离线编程两种编程方法。示教编程是在生产现场用工业机器人编程语言进行编程，点位数据通过手动移动到相应的点位然后记录下来，从而实现程序的编写；离线编程是在专门的软件环境下，用专用或通用程序在离线情况下进行工业机器人轨迹规划编程的一种方法。在线示教编程是工业机器人一项比较成熟的技术，也是当前大多数工业机器人的编程方式，其编程门槛低，简单方便，不需要环境模型。采用示教编程的方式编写程序可以校正工业机器人的轨迹点位，有效保证程序的准确性和精度。

本项目将讲解新建程序模块，建立例行程序，使用基本运动指令、逻辑判断指令、I/O 控制指令进行示教编程的方法，其中包括了定义和应用工件坐标系、定义程序数据并赋值、定义数组等内容。

任务 4.1　程序模块与例行程序的建立

【任务描述】

RAPID 语言中，程序由多个模块构成，而一个模块又包含多个程序。例行程序是示教编程中最常用的一种程序类型。本任务重点讲解程序模块与例行程序的建立方法。

【知识准备】

1. RAPID 语言

RAPID 语言是一门由工业机器人厂家开发的工业机器人专用编程语言，其特征与 VB、C 语言等高级语言类似，接触过此类高级语言的用户可以快速掌握 RAPID 语言的编程方法。通过 RAPID 语言可以实现工业机器人的运动控制、逻辑计算、I/O 通信等功能。

2. RAPID 程序的组成

在 RAPID 语言中，程序的基本组成元素包括数据、指令和函数。

在 RAPID 语言中有数百种数据类型，包括布尔量、数值、工具数据、工件数据等，例如工具数据 tooldata 就是程序数据中的一种。这些数据对工业机器人的运行发挥着重要的作用。虽然数据类型的种类很多，但是可以根据它们的存储类型将其分为三大类：变量（VAR）、可变量（PERS）和常量（CONTS）。

其中，变量与可变量的值均可以使用程序语句进行更改，区别是定义变量时可以赋值或不赋值，在程序中遇到新的赋值语句时，当前值改变，但初始值不变；而可变量必须有一初始值，在程序中每次使用赋值语句对可变量赋值后，将会保持最新被赋予的值。常量是一个静态值，由定义时确定，不能通过程序修改。多种常用的数据类型以及程序数据的定义方法见任务 4.4。

指令与函数本质上均是一段 RAPID 程序。出厂时，常用指令与函数均内置封装于系统中，可供用户使用。RAPID 语言的指令和函数多种多样，可以实现运动控制、逻辑运算、输入输出等不同的功能，而二者的区别在于函数具有返回值，用户也可以自定义函数进行使用，这部分内容将在项目 5 中进行讲解。

3. 程序架构

工业机器人程序架构如图 4-1 所示。纵观整个程序架构，最底层的是程序数据，数据支撑了指令与函数，若干个指令与函数结合起来形成了整个程序。若干程序构成一个程序模块，而包含若干程序的多个程序模块与系统模块一起构成了整个 RAPID 程序。

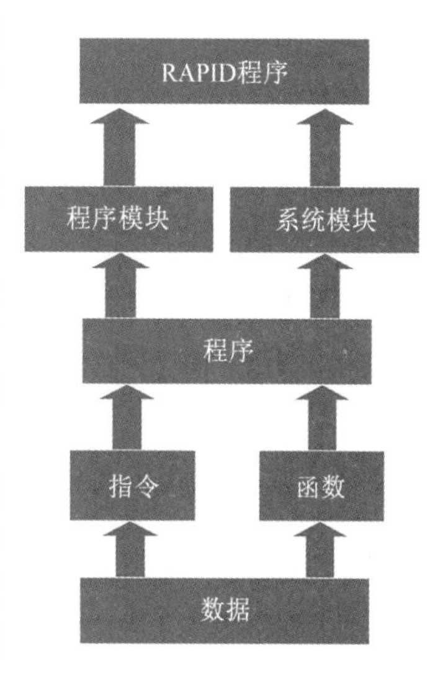

图 4-1 工业机器人程序架构

RAPID 程序中的系统模块用于系统控制，而程序模块则一般用于存储用户程序、点位等数据。工业机器人出厂时自带系统模块 BASE 和 user，为了防止系统故障，不建议对系统模块进行修改。

在 RAPID 语言中，程序类型包括 Procedure 例行程序、Function 函数、Trap 中断三大类。其中 Procedure 与 Function 的区别在于 Procedure 没有返回值，而 Trap 中断例行程序则比较特殊，无法直接调用，只能通过设置中断进行触发。关于中断的详细用法将在项目 5 中进行讲解。

需要注意的是，与一般的计算机语言不同，RAPID 语言只有一个主程序 main，这也就意味，编写的其他程序需要通过主程序进行调用。

【任务实施】

<table>
<tr><td>项目名称</td><td colspan="3">工业机器人基础示教编程</td><td>任务名称</td><td colspan="3">程序模块与例行程序的建立</td></tr>
<tr><td>班级</td><td></td><td>姓名</td><td></td><td>学号</td><td></td><td>组别</td><td></td></tr>
<tr><td>任务内容</td><td colspan="7">本任务讲解了通过示教器的程序编辑器新建程序模块以及在程序模块中新建例行程序的方法</td></tr>
<tr><td rowspan="2">任务目标</td><td colspan="7">1. 掌握程序模块建立的技能</td></tr>
<tr><td colspan="7">2. 掌握例行程序建立的技能</td></tr>
</table>

在工业机器人示教编程中，需将程序存储在例行程序中。本例中将新建程序模块 Module1 和例行程序 Routine1，其方法见表 4-1。

建立程序模块及例行程序

表 4-1 模块与程序新建方法

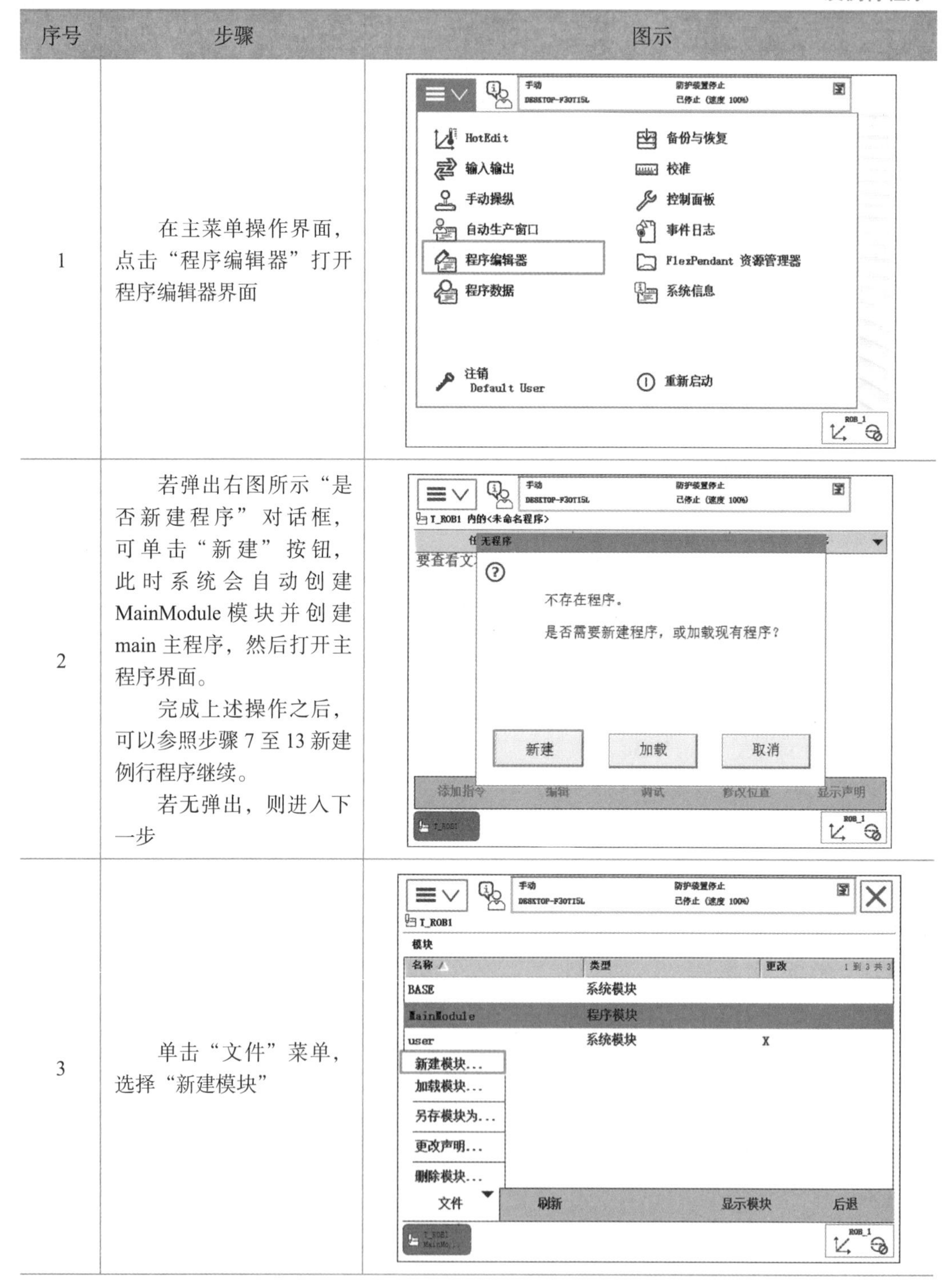

序号	步骤	图示
1	在主菜单操作界面，点击“程序编辑器”打开程序编辑器界面	
2	若弹出右图所示“是否新建程序”对话框，可单击“新建”按钮，此时系统会自动创建 MainModule 模块并创建 main 主程序，然后打开主程序界面。 完成上述操作之后，可以参照步骤 7 至 13 新建例行程序继续。 若无弹出，则进入下一步	
3	单击“文件”菜单，选择“新建模块”	

表 4-1（续 1）

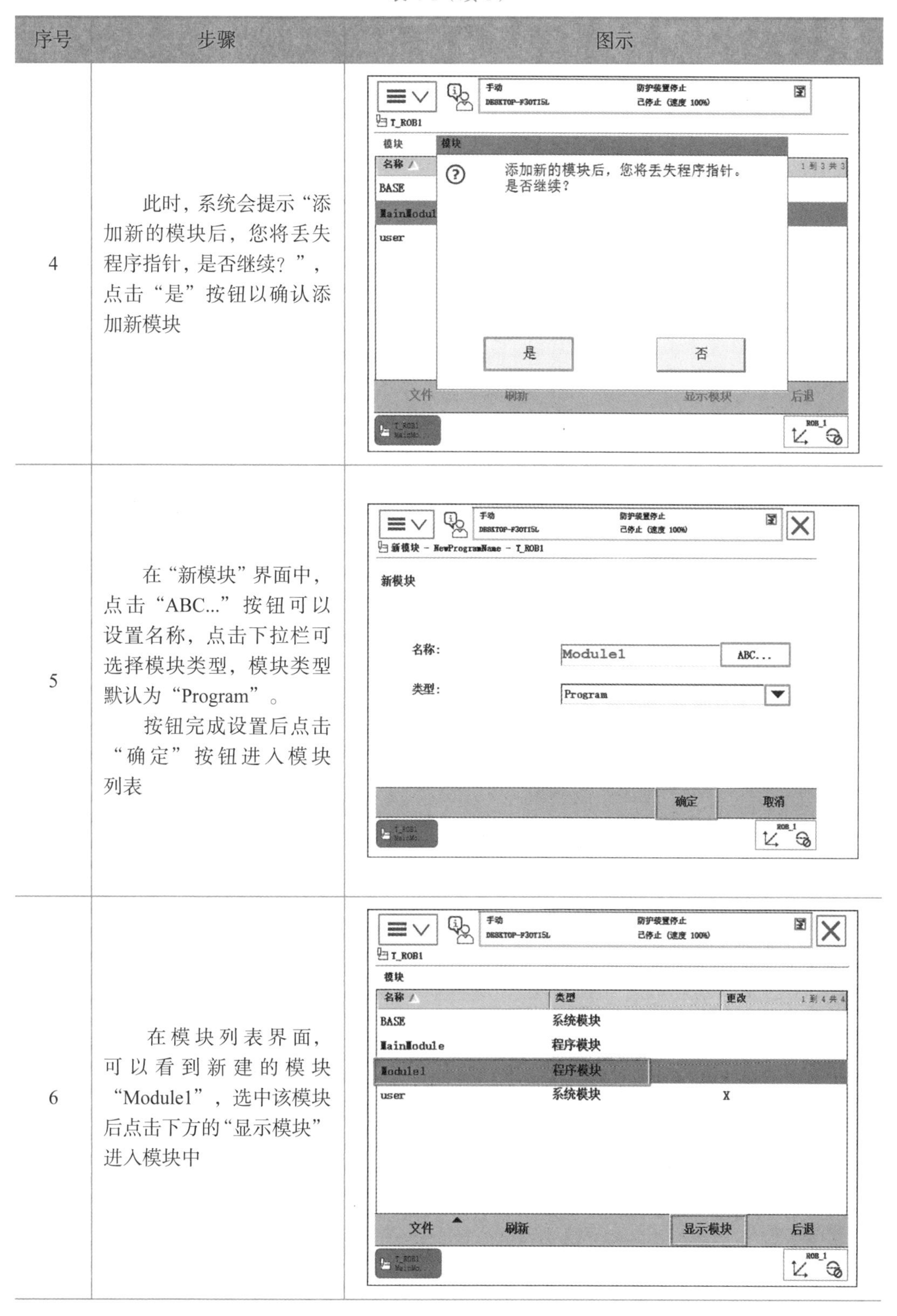

序号	步骤	图示
4	此时，系统会提示“添加新的模块后，您将丢失程序指针，是否继续？”，点击“是”按钮以确认添加新模块	
5	在“新模块”界面中，点击“ABC...”按钮可以设置名称，点击下拉栏可选择模块类型，模块类型默认为“Program”。 按钮完成设置后点击“确定”按钮进入模块列表	
6	在模块列表界面，可以看到新建的模块“Module1”，选中该模块后点击下方的“显示模块”进入模块中	

表 4-1（续 2）

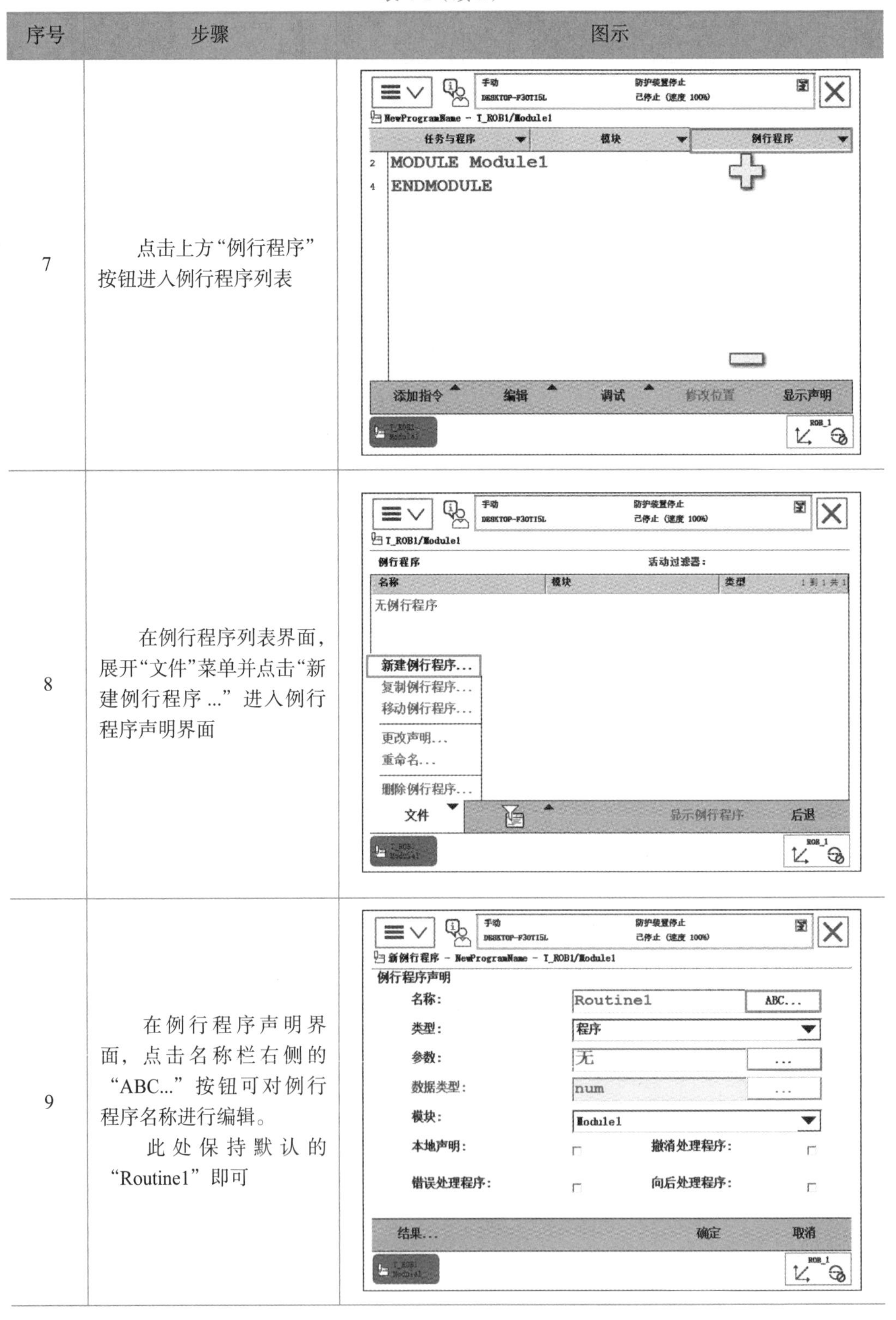

序号	步骤	图示
7	点击上方“例行程序”按钮进入例行程序列表	
8	在例行程序列表界面，展开“文件”菜单并点击“新建例行程序 ...” 进入例行程序声明界面	
9	在例行程序声明界面，点击名称栏右侧的“ABC...”按钮可对例行程序名称进行编辑。 此处保持默认的“Routine1”即可	

表 4-1（续 3）

序号	步骤	图示
10	展开参数“类型”下拉栏，可以选择程序类型，如程序（Procedure）、功能（Function）、中断（Trap）。 此处保持默认的“程序”即可	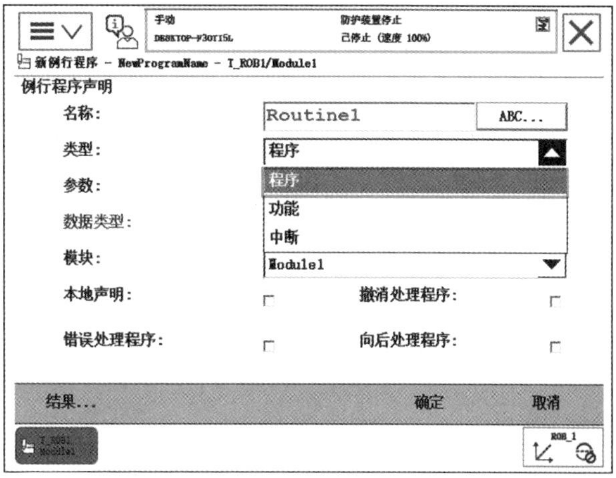 手动 DESKTOP-F30TI5L 防护装置停止 已停止 (速度 100%) 新例行程序 - NewProgramName - T_ROB1/Module1 例行程序声明 名称: Routine1 ABC... 类型: 程序 程序 功能 中断 参数: 数据类型: 模块: Module1 本地声明: 撤消处理程序: 错误处理程序: 向后处理程序: 结果... 确定 取消 T_ROB1 Module1 ROB_1
11	在例行程序声明界面，还可以设定程序所在模块、是否包含参数等。 完成例行程序声明设置后，点击“确定”按钮将新建例行程序“Routine1”	 手动 DESKTOP-F30TI5L 防护装置停止 已停止 (速度 100%) 新例行程序 - NewProgramName - T_ROB1/Module1 例行程序声明 名称: Routine1 ABC... 类型: 程序 参数: 无 ... 数据类型: num ... 模块: Module1 本地声明: 撤消处理程序: 错误处理程序: 向后处理程序: 结果... 确定 取消 T_ROB1 Module1 ROB_1
12	在例行程序界面，选中新建的例行程序“Routine1”，然后点击下方的“显示例行程序”按钮进入程序编辑界面	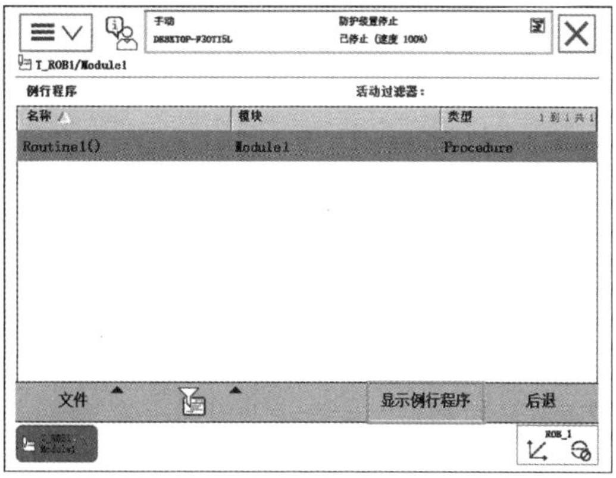 手动 DESKTOP-F30TI5L 防护装置停止 已停止 (速度 100%) T_ROB1/Module1 例行程序 活动过滤器: 名称 模块 类型 1 到 1 共 1 Routine1() Module1 Procedure 文件 显示例行程序 后退 T_ROB1 Module1 ROB_1

表 4-1（续 4）

序号	步骤	图示
13	在例行程序的程序编辑界面，可以进行示教编程	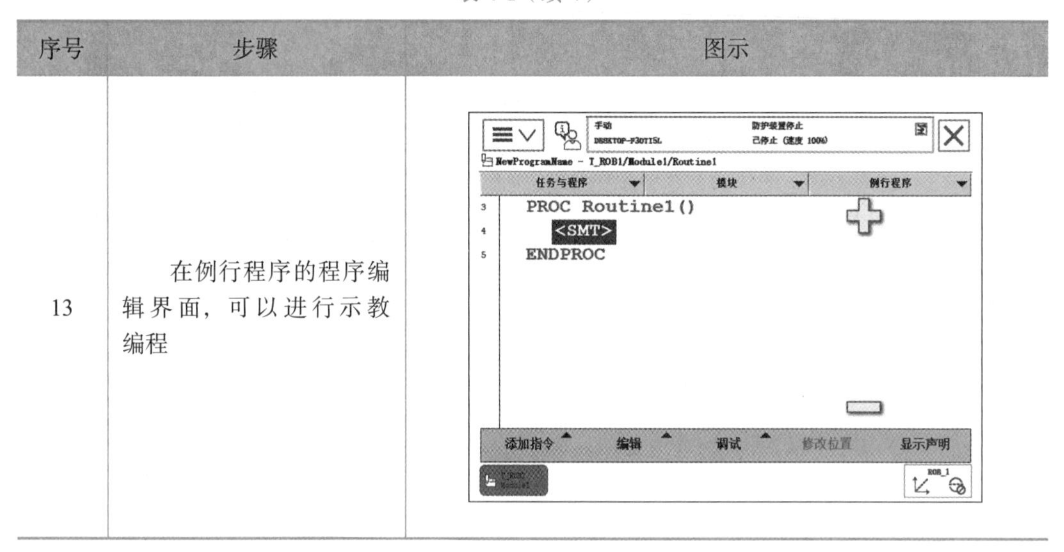

任务 4.2　利用基本运动指令示教编程

【任务描述】

工业机器人在空间上主要有绝对位置运动（MoveAbsJ）、关节运动（MoveJ）、线性运动（MoveL）和圆弧运动（MoveC）四种基本运动方式。本任务讲解使用以上运动方式相关运动指令及位置偏移函数等的使用方法，最终实现案例轨迹示教编程。

【知识准备】

1. 手动运行的方法

在示教编程的过程中需要对完成编写的语句进行调试验证，这就需要我们掌握程序调试的方法。

图 4-2 所示示教器上的四个实体按键可供程序调试运行时使用，在前面章节中已经讲解了按键的功能。下面通过图 4-3 所示示例讲解按键的实际功能。

在该例子中，主程序中有语句 1~3，当前程序指针位于语句 2。

（1）当按下“下一步”

调试运行程序时，确认工业机器人系统处于电机开启状态后，点击示教器上的“下一步”按键，将会执行语句 2，并将指针移动到语句 3 上。

（2）当按下“上一步”

调试运行程序时，确认工业机器人系统处于电机开启状态后，点击示教器上的“上一步”按键，将会执行语句 1，并将指针移动到语句 1 上。

（3）当按下“连续”后

在任务 2.2 中讲解的快速设置菜单单步模式的设置，会影响“连续”按键的效果。

如果单步模式被设置“单周”，则当按下“连续”后，会连续执行语句 2 与语句 3，然后将指针移动到语句 1。如果单步模式被设置“连续”，则从语句 2 开始循环执行语句 1~3，直到按下“暂停”后，会在当前执行的语句处停下。

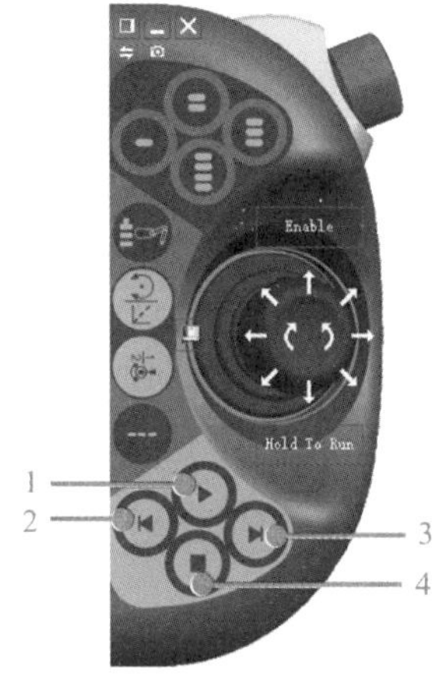

1—连续；2—上一步；3—下一步；4—暂停。

图 4-2　程序调试控制按钮

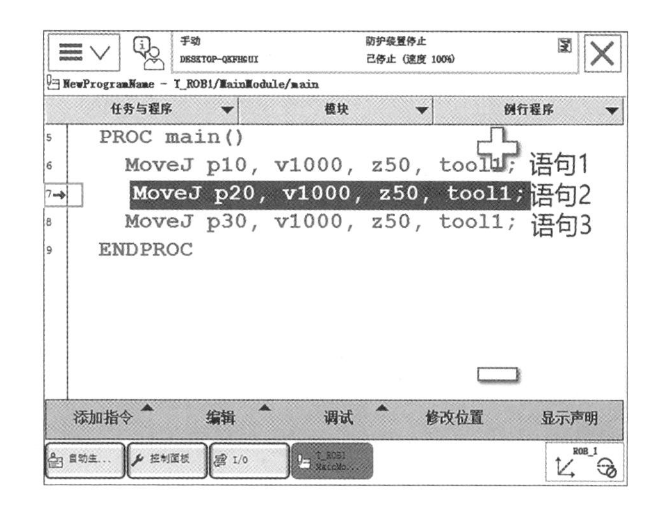

图 4-3　手动运行方法示例

2. 常用运动指令及其用法

（1）绝对位置运动指令 MoveAbsJ

绝对位置运动指令是指工业机器人的运动使用 6 个关节轴和外轴的角度值来定义目标位置数据的指令，常用于控制工业机器人 6 个关节轴回到机械原点或者安全位姿 Home 点的位置。

下面通过 MoveAbsJ 指令的具体示例展示其使用方法和参数功能。指令中的参数说明见表 4-2。

表 4-2　MoveAbsJ 参数

参数	功能
*	目标点位数据
\NoEOffs	可选参数，外轴取消偏移
v1000	自动运行程序时的速度，1 000 mm/s
z50	转弯区半径，50 mm
tool1	工具数据，案例选择的工具坐标系为 tool1
\WObj：=wobj1	工件数据，案例指定工件坐标系为 wobj1

示例：

MoveAbsJ *\NoEOffs，v1000，z50，tool1\WObj：=wobj1；

这里的“*”是目标点位数据，在示教器上编程时点击后可以进入设置界面，新建对应点位数据并修改其名称以区别不同的点位。

“\NoEOffs”指的是外轴不带偏移数据。在 RAPID 语言中，这种前面带有“\”的是可选参数，像这样的参数还有很多，因指令的不同也有所变化，具体可以查询 ABB 的“RAPID 指令函数和数据类型”手册。

“v”“z”和“tool”在这里分别代表速度（velocity）、转弯区（zone）数据和工具。“v”后面的数字代表速度的数值，单位为 mm/s，如“v1000”代表 1 000 mm/s 的线性移动速度。

示教编程时轨迹路径一般由多个工作点位连接而成的轨迹构成，有的时候为了使工业机器人运转路径更加流畅并避免不必要的停顿，可以使用转弯区数据。“z”后的数值就是转弯区的半径，工业机器人执行程序时，在工作点位的转弯区半径范围内的路径成为抛物线的拐角路径，而不是按照原有路径执行。

例如，在到达当前点位“*”的语句后添加前往另一点的语句，如图 4-4 所示，“*”就是编程点位，但是由于转弯区的存在，工业机器人实际上并不经过该点，因此该点也被称为“飞越点”。

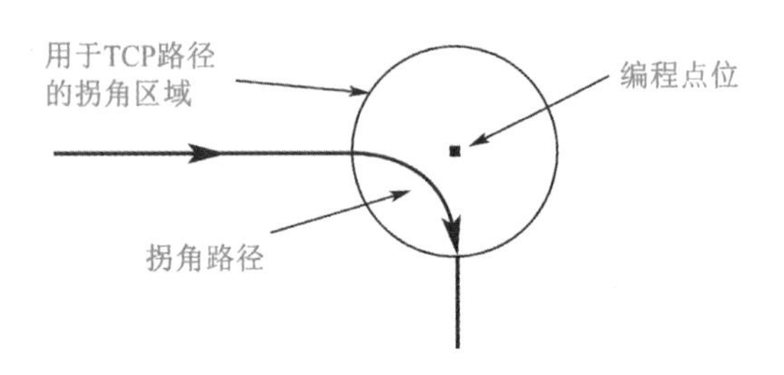

图 4-4　飞越点

但并不是任何时候都需要飞越点的存在，此时可将“z50”修改为“fine”，即“停止点”。使用停止点作为转弯区数据时，工业机器人会在接近编程点位时刻意降低速度，到达停止点后速度降为 0，再从停止点出发执行下一条运动指令。

语句中还有“tool1”与“wobj1”，它们分别用于代表工具坐标数据和工件坐标数据。前文中已讲过工具坐标系的设置，工具坐标数据设置为所需的工具坐标系即可。而工件坐标数据如不使用默认工件坐标，需要进行指定。在任务 4.3 中将会学习到工件坐标系的设置方法以及在编程中的使用方法。

示教编程时，会自动在语句末尾添加“；”（分号），代表该语句的结束。

（2）关节运动指令 MoveJ

关节运动指令是在对路径精度要求不高的情况下，控制工业机器人的工具中心点从一个位置移动到另一个位置的指令，工业机器人执行该指令时，两个位置之间的路径不一定是直线。在关节运动中，其运动的路径虽然是确定的，但是工业机器人的姿态无法确定。因此，在使用该指令时，请确保运动的两点间区域没有人或者障碍物，以防出现碰撞。图 4-5 所示为工业机器人关节运动示意图。在运动过程中，工业机器人的姿态会发生变化。

下面通过 MoveJ 指令的具体使用范例展示其使用方法和参数功能，其基本结构与 MoveAbsJ 指令相同，这里不再赘述。

示例：

```
MoveJ p10，v1000，z50，tool1\WObj：=wobj1；
```

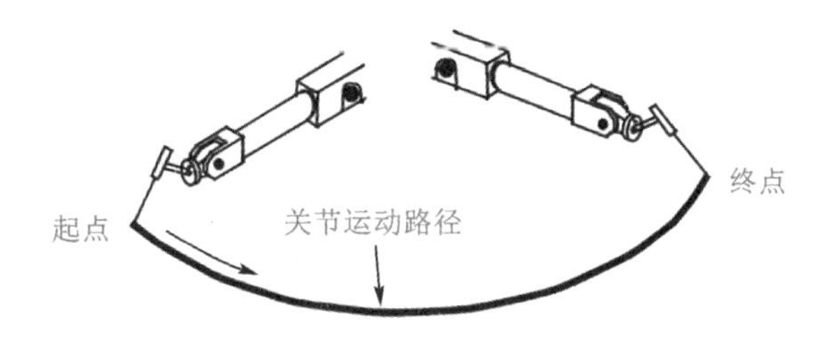

图 4-5　工业机器人关节运动示意图

MoveJ 动指令适合工业机器人大范围运动时使用，不易在运动过程中出现关节轴进入奇异点的问题。所谓奇异点，就是当代入该点位置进行计算时，会得出某些工业机器人无法实现的解，如果工业机器人运行至这样的位置，会导致关节轴在某些方向无法运动或失控。

工业机器人关节运动中飞越点实际上的路径如图 4-6 所示。

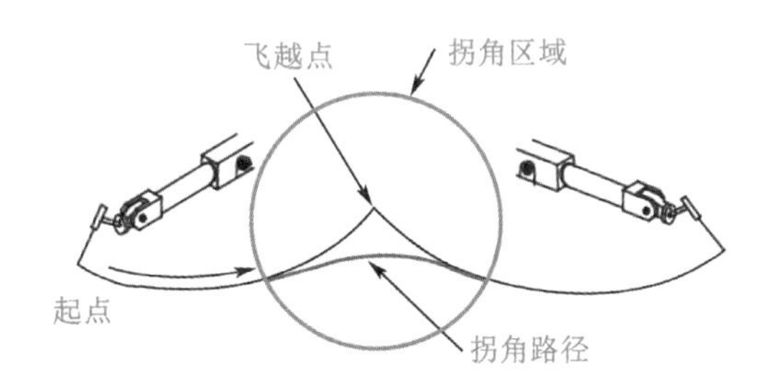

图 4-6　关节插补中的飞越点

（3）线性运动指令 MoveL

线性运动指令是指工业机器人的工具中心点从起点到终点之间的路径始终保持为直线，运动状态可控且运动路径保持唯一的指令。因为工业机器人执行线性运动时可能会出现奇异点，所以不适用于大范围运动。一般如焊接、涂胶等应用对路径要求高的场合会使用此指令。

下面通过 MoveL 指令的具体使用范例展示其使用方法和参数功能，其基本结构与 MoveJ 指令相同，这里不再赘述。

示例：

MoveL p30，v1000，z50，tool1\WObj：=wobj1；

MoveL 指令与 MoveJ 指令类似，指定终点的坐标、运行速度、转弯区数据等即可。图 4-7 所示为线性运动示意图。

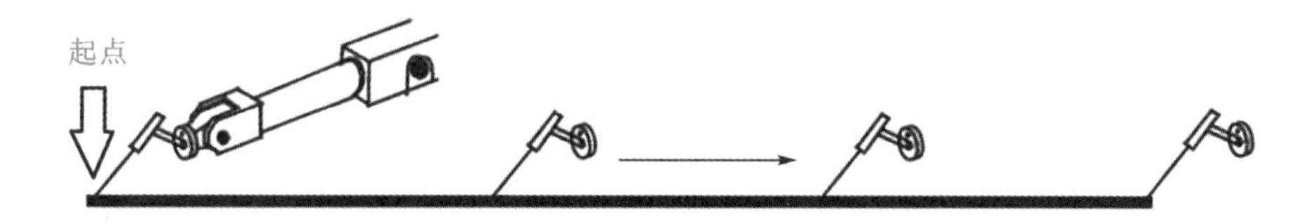

图 4-7　线性运动示意图

与关节运动类似，线性运动中飞越点的运动路径如图 4-8 所示，当飞越点前后运动指令的速度不同时，变速过程会在转弯区中完成。

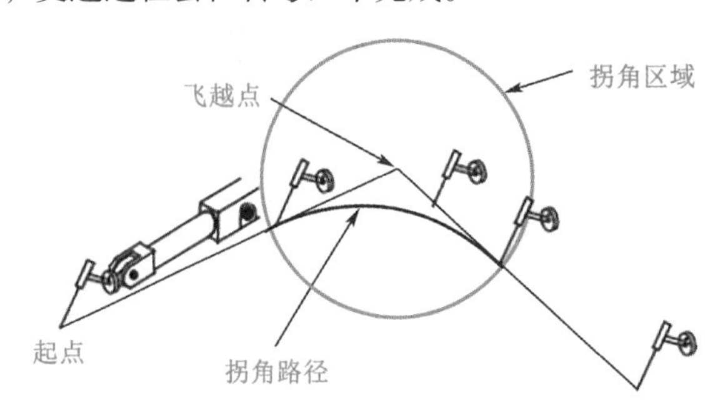

图 4-8 直线插补中的飞越点

前述内容中讲解了过飞越点与停止点对路径的影响，而实际上工业机器人的姿态在这两种状态下也是有所不同的。如图 4-9 所示，其中 A 是工具方位不同的三个位置，B 是位置均使用“停止点”时的姿态变化，而 C 是在中间位置使用飞越点时的姿态变化。通过这样的一个例子可以发现，当使用飞越点时，不再像使用“停止点”那样是到达中间的编程点位后才开始姿态变换。

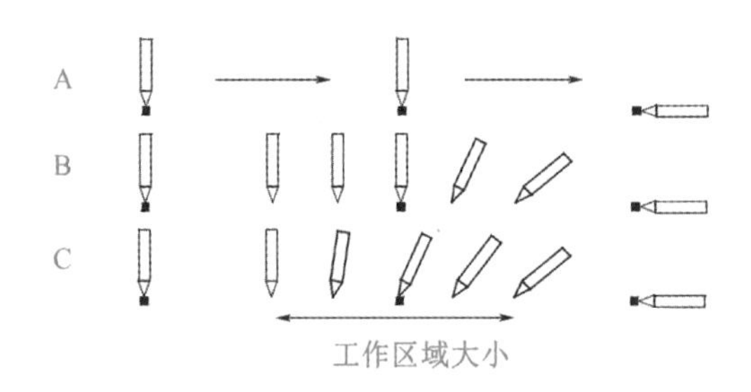

图 4-9 拐角路径上姿态的直线插补

（4）圆弧运动指令 MoveC

圆弧运动指令是通过在工业机器人可到达的空间范围内定义三个位置点实现圆弧运动路径的指令。第一个点用于确定圆弧的起点，第二个点用于确定圆弧的曲率，第三个点用于确定圆弧的终点。工业机器人执行圆弧指令时的运动如图 4-10 所示。

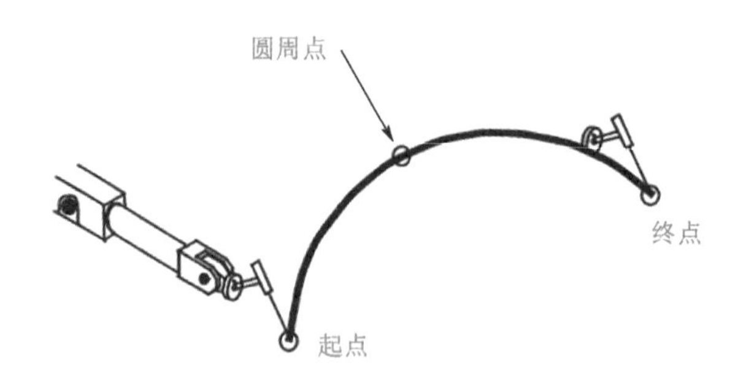

图 4-10 圆弧运动示意图

下面通过 MoveC 指令的具体使用范例展示其使用方法和参数功能。其基本参数除多一个点位参数外，其余参数与 MoveAbsJ 类似。

示例：

```
MoveC p20, p30, v1000, z1, tool1\WObj: =wobj1;
```

这里的第一点由工业机器人执行该指令时的位置确定，因此在圆弧运动指令中只需要指定后两点的位置即可。这里的“p20”为圆周上一点，“p30”为圆弧终点，采用一条圆弧指令能够走出一个优弧（大于半圆的弧）的路径，却无法实现一个整圆路径，如果需要实现工业机器人 TCP 沿完整圆运动，则需要添加两条圆弧指令，分两部分实现。

（5）速度设定指令 VelSet

速度设定指令用于设置程序中该指令后所有运动指令的速度，也可限制最大速度，下面通过 VelSet 指令的具体使用范例展示其使用方法和参数功能。VelSet 指令中使用的参数见表 4-3。

表 4-3 VelSet 参数

参数	功能
50	速度占编程速度的百分比，50%
400	最大 TCP 速度，400 mm/s

示例：

```
MODULE Module1
  PROC Rountine1 ( )
    VelSet 50, 400;
    MoveL p10, v1000, z50, tool1;
    MoveL p10, v1000, z50, tool1;
    MoveL p10, v1000, z50, tool1;
  ENDPROC
ENDMODULE
```

该指令中，第一个参数为所需速度占编程速度的百分比，示例中“50”表示如果后续指令设置的速度都按照原来的 50% 运行。指令中的第二个参数是最大 TCP 速度，单位为 mm/s，示例中的“400”表示 TCP 移动的最大速度是 400 mm/s，如果按照速度占编程速度的百分比计算后的速度超过了设定的最大速度，则按照设定的最大速度执行，即案例程序中指令后的速度都变成 400 mm/s。

3. Offs 位置偏移函数

工业机器人的示教编程中受工作环境的影响，为了避免碰撞引起故障和意外情况的出现，常常会在机器人运动过程中设置一些安全过渡点，在加工位置附近设置出入刀点。使用 Offs 函数可以基于已经示教点位的 *X*、*Y*、*Z* 方向进行偏移，下面通过 Offs 函数使用范例展示其使用方法和参数功能。Offs 指令中使用的参数见表 4-4。

示例 1：

```
MoveL Offs (p2, 0, 0, 10), v1000, z50, tool1;
```

将工业机器人的 TCP 点移动至距离 p2 点沿 *Z* 轴正方向 10 mm 处的点。

示例 2：

p1：=Offs（p1，5，10，15）；

将 p1 的坐标从原有位置沿 X 方向移动 5 mm，沿 Y 方向移动 10 mm，且沿 Z 方向移动 15 mm。

表 4-4 Offs 参数

参数	功能
第一个 p1	函数赋值的变量
第二个 p1	基准点位数据
5	X 方向上的偏移量
10	Y 方向上的偏移量
15	Z 方向上的偏移量

Offs 后的四个参数分别为需要偏移的位置数据沿点位 X、Y、Z 方向上的偏移量。

通过上面的两个例子可以发现：Offs 函数与指令最大的不同点就是有返回值，无法单独使用，但可以作为运动指令中的参数进行调用或者通过将值赋予一个变量的形式进行使用。

【任务实施】

项目名称	工业机器人基础示教编程		任务名称	利用基本运动指令示教编程		
班级		姓名		学号		组别	
任务内容	本任务使用基本运动指令进行示教编程，同时还讲解了运用基本运动指令进行轨迹逼近与复杂轨迹示教的方法					
任务目标	1. 掌握使用基本运动指令进行示教编程的技能					
	2. 掌握使用基本运动指令进行轨迹逼近的方法					
	3. 掌握综合使用基本运动指令示教复杂轨迹的方法					

1. 利用 MoveAbsJ 指令控制工业机器人回机械原点

在进行示教编程前应首先确定工业机器人已处于手动模式。本例中通过使用 MoveAbsJ 指令控制工业机器人回机械原点来展示该指令的使用方法，所使用的点位数据见表 4-5，方法见表 4-6。

利用 MoveAbsJ 指令使机器人各轴回零点位置

表 4-5 机械原点点位 jpos10 点位数据

参数	值	说明
rax_1 ~ rax_6	0	1~6 轴旋转度数
eax_a ~ eax_f	9e+09	外部轴 a~f 的旋转度数或移动距离

表 4-6 利用 MoveAbsJ 指令控制工业机器人回机械原点的方法

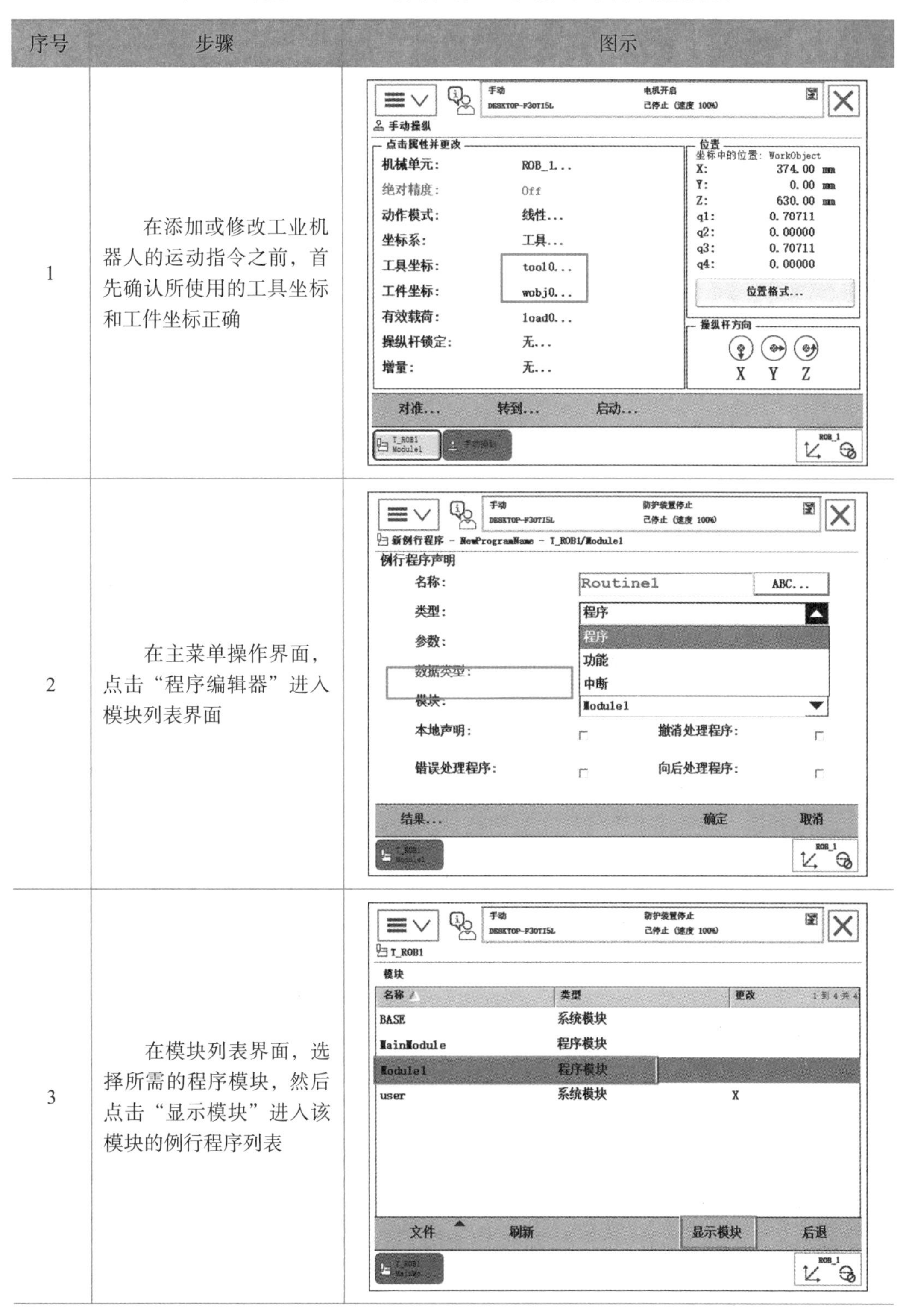

序号	步骤	图示
1	在添加或修改工业机器人的运动指令之前，首先确认所使用的工具坐标和工件坐标正确	
2	在主菜单操作界面，点击“程序编辑器”进入模块列表界面	
3	在模块列表界面，选择所需的程序模块，然后点击“显示模块”进入该模块的例行程序列表	

表 4-6（续 1）

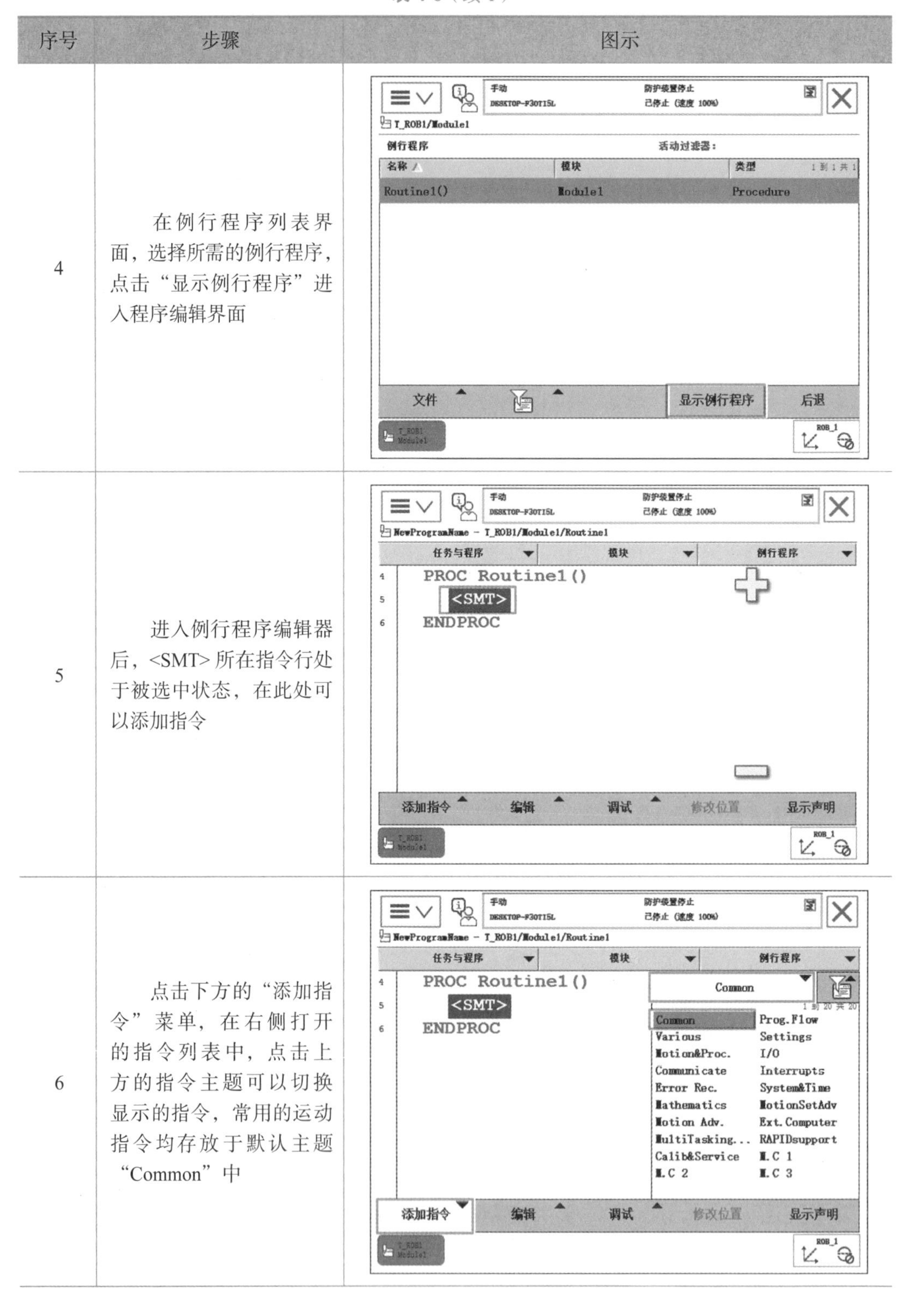

序号	步骤	图示
4	在例行程序列表界面，选择所需的例行程序，点击“显示例行程序”进入程序编辑界面	
5	进入例行程序编辑器后，<SMT> 所在指令行处于被选中状态，在此处可以添加指令	
6	点击下方的“添加指令”菜单，在右侧打开的指令列表中，点击上方的指令主题可以切换显示的指令，常用的运动指令均存放于默认主题“Common”中	

表 4-6（续 2）

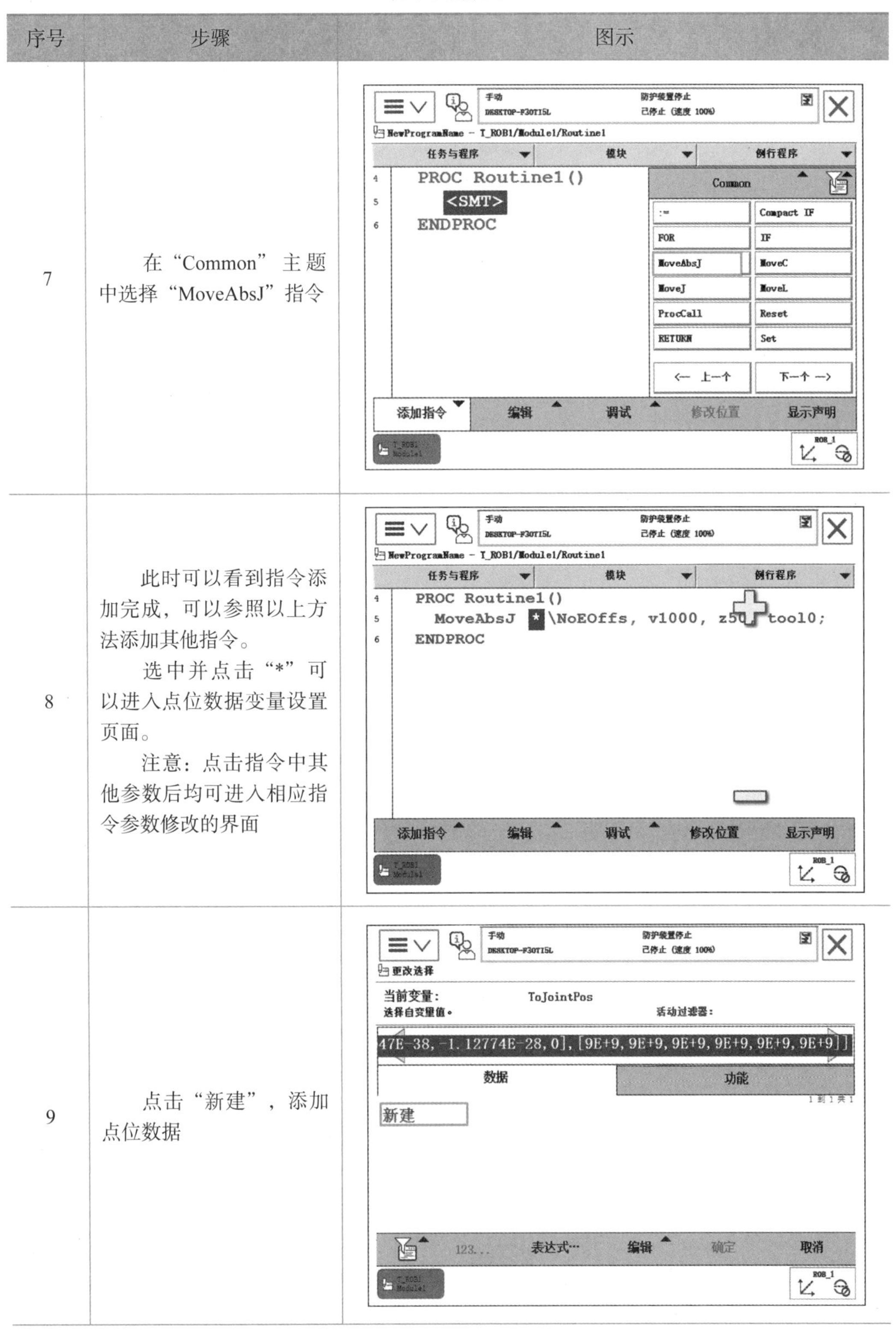

序号	步骤	图示
7	在“Common”主题中选择“MoveAbsJ”指令	
8	此时可以看到指令添加完成，可以参照以上方法添加其他指令。 选中并点击“*”可以进入点位数据变量设置页面。 注意：点击指令中其他参数后均可进入相应指令参数修改的界面	
9	点击“新建”，添加点位数据	

表 4-6（续 3）

序号	步骤	图示
10	在右图所示点位数据变量创建界面中，可设置点位数据的名称、存储类型、模块、例行程序等。 修改完成后，点击“初始值”按钮	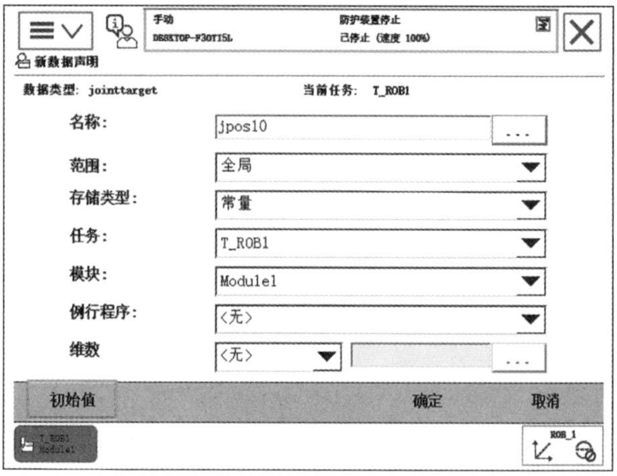 手动 DESKTOP-F30TI5L 防护装置停止 已停止（速度 100%） 新数据声明 数据类型：jointtarget 当前任务：T_ROB1 名称：jpos10 范围：全局 存储类型：常量 任务：T_ROB1 模块：Module1 例行程序：<无> 维数：<无> 初始值 确定 取消
11	根据表 4-5 中 jpos10 点位（即工业机器人机械原点）的数据，将各关节轴的旋转度数设为 0。 完成右图所示“rax_1”至“rax_6”值的设定。 输入数字后，点击数字键盘下方的“确定”按钮保存数据；所有数据输入完毕后，点击下方的“确定”按钮保存点位初始值	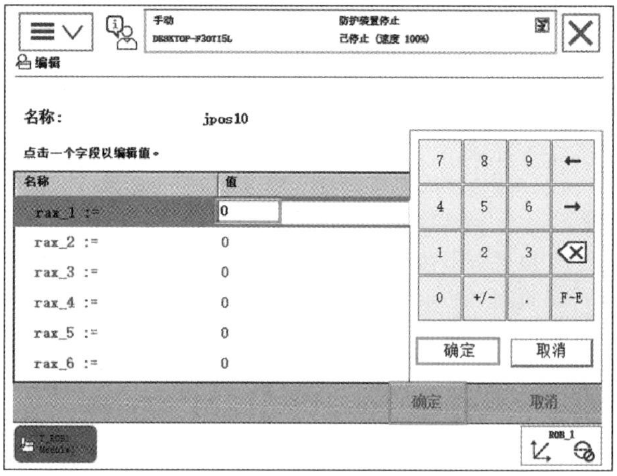 手动 DESKTOP-F30TI5L 防护装置停止 已停止（速度 100%） 编辑 名称：jpos10 点击一个字段以编辑值。 名称 值 rax_1 := 0 rax_2 := 0 rax_3 := 0 rax_4 := 0 rax_5 := 0 rax_6 := 0 7 8 9 ← 4 5 6 → 1 2 3 0 +/- . F-E 确定 取消 确定 取消
12	点击“确定”按钮，到此完成点位“jpos10”的新建以及初始值的设定	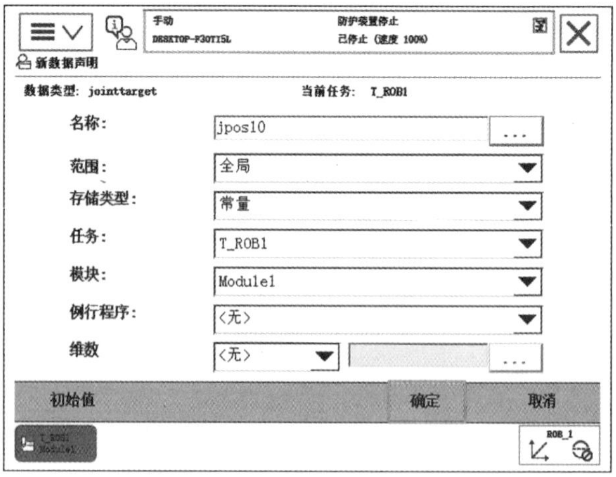 手动 DESKTOP-F30TI5L 防护装置停止 已停止（速度 100%） 新数据声明 数据类型：jointtarget 当前任务：T_ROB1 名称：jpos10 范围：全局 存储类型：常量 任务：T_ROB1 模块：Module1 例行程序：<无> 维数：<无> 初始值 确定 取消

表 4-6（续 4）

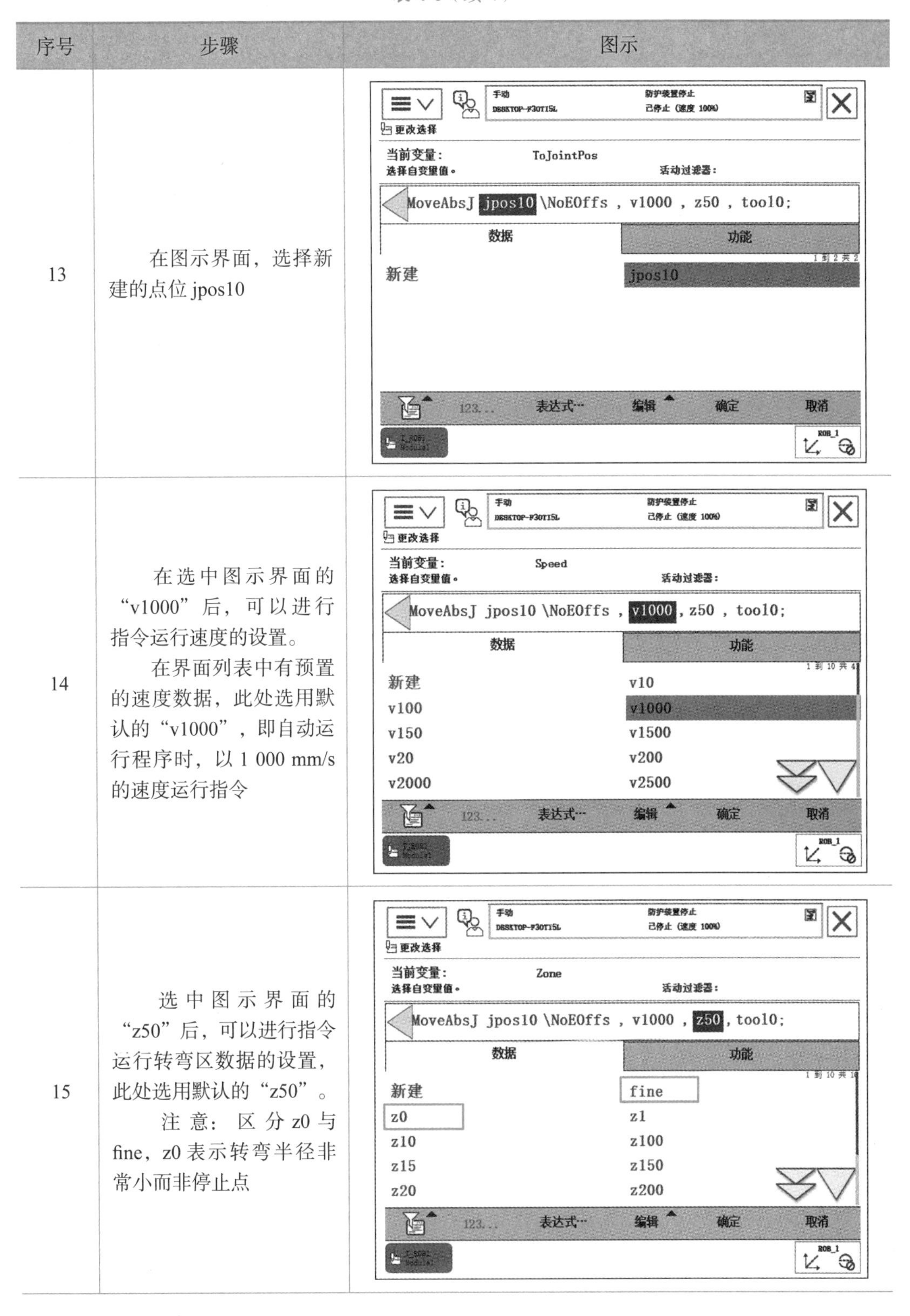

序号	步骤	图示
13	在图示界面，选择新建的点位 jpos10	
14	在选中图示界面的“v1000”后，可以进行指令运行速度的设置。 在界面列表中有预置的速度数据，此处选用默认的“v1000”，即自动运行程序时，以 1 000 mm/s 的速度运行指令	
15	选中图示界面的“z50”后，可以进行指令运行转弯区数据的设置，此处选用默认的“z50”。 注意：区分 z0 与 fine，z0 表示转弯半径非常小而非停止点	

表 4-6（续 5）

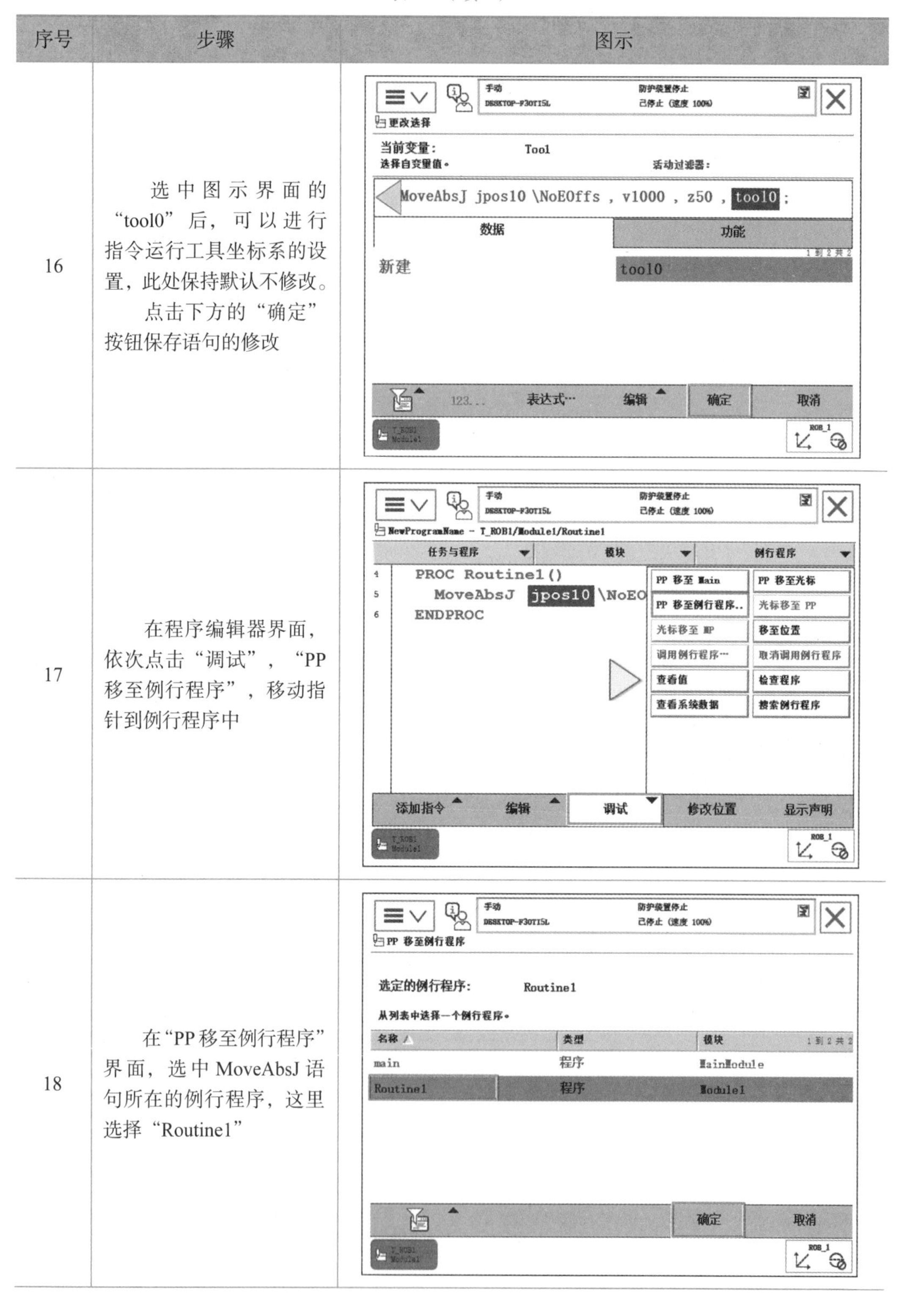

序号	步骤	图示
16	选中图示界面的“tool0”后，可以进行指令运行工具坐标系的设置，此处保持默认不修改。 点击下方的“确定”按钮保存语句的修改	
17	在程序编辑器界面，依次点击“调试”，“PP移至例行程序”，移动指针到例行程序中	
18	在“PP移至例行程序”界面，选中MoveAbsJ语句所在的例行程序，这里选择“Routine1”	

表 4-6（续 6）

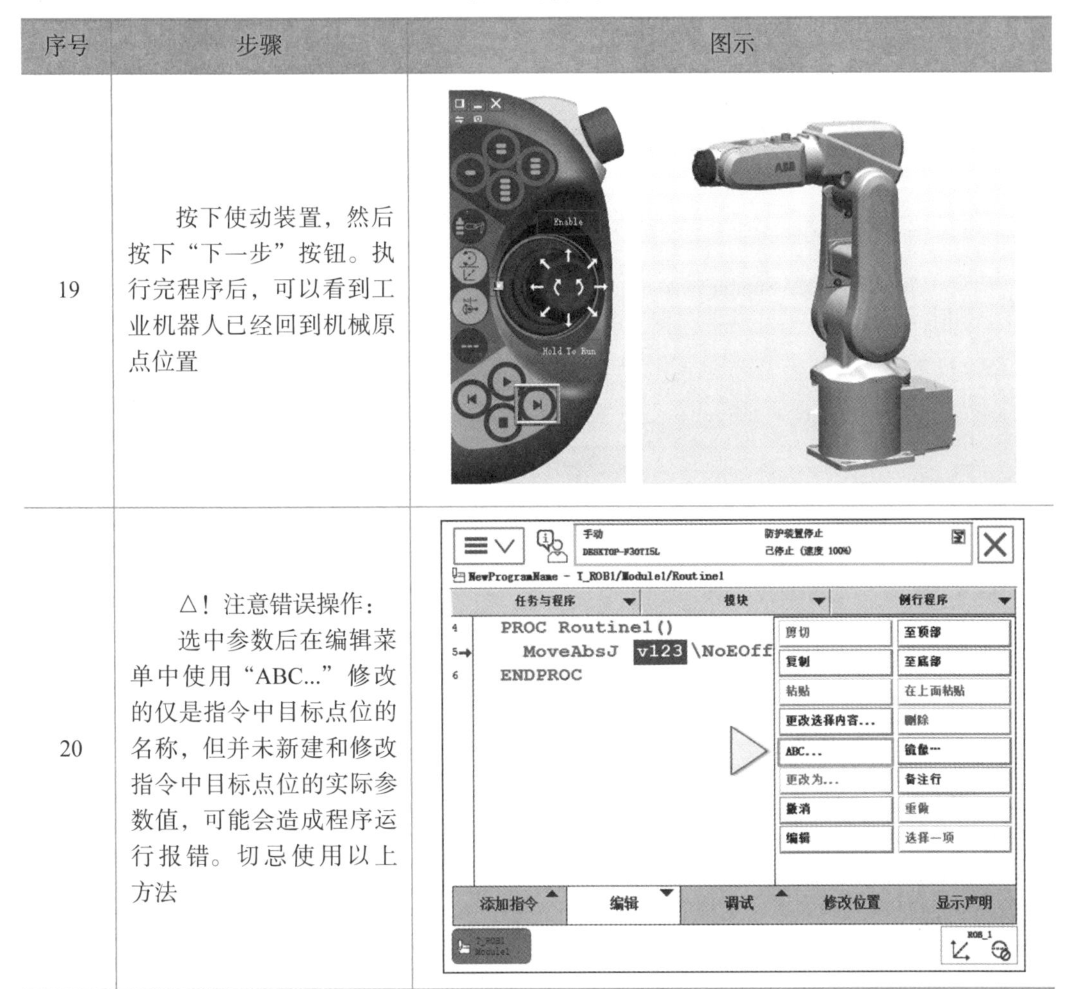

序号	步骤	图示
19	按下使动装置，然后按下“下一步”按钮。执行完程序后，可以看到工业机器人已经回到机械原点位置	
20	△！注意错误操作： 选中参数后在编辑菜单中使用“ABC...”修改的仅是指令中目标点位的名称，但并未新建和修改指令中目标点位的实际参数值，可能会造成程序运行报错。切忌使用以上方法	

2. MoveJ 与 MoveL 的使用

本例中用到的点位信息如图 4-11 所示，先使用 MoveJ 指令将机器人 TCP 点移动到过渡点，再使用 MoveL 指令实现过渡点到示教点以及各个示教点之间的移动，从而实现图 4-11 所示轨迹板上的直线轨迹。在进行示教编程前应首先确定工业机器人已处于手动模式，其使用方法见表 4-7。

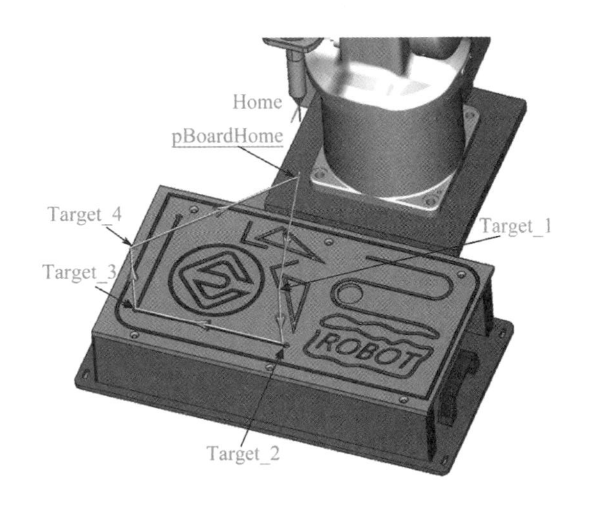

图 4-11 案例轨迹与点位

表 4-7 MoveJ 与 MoveL 的使用方法

序号	步骤	图示
1	新建例行程序 StraightLine 并且打开	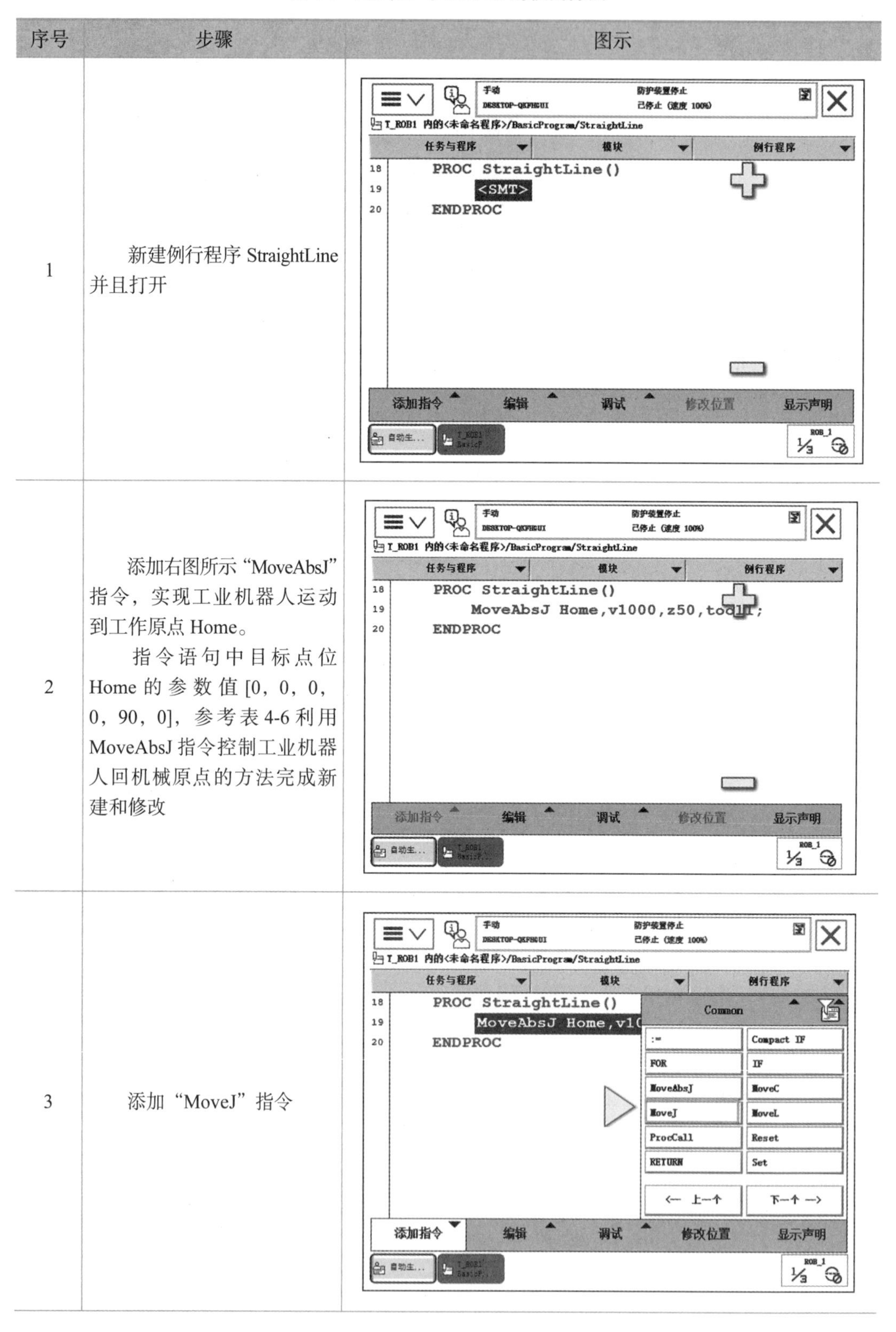
2	添加右图所示“MoveAbsJ”指令，实现工业机器人运动到工作原点 Home。 指令语句中目标点位 Home 的参数值 [0，0，0，0，90，0]，参考表 4-6 利用 MoveAbsJ 指令控制工业机器人回机械原点的方法完成新建和修改	
3	添加“MoveJ”指令	

表 4-7（续 1）

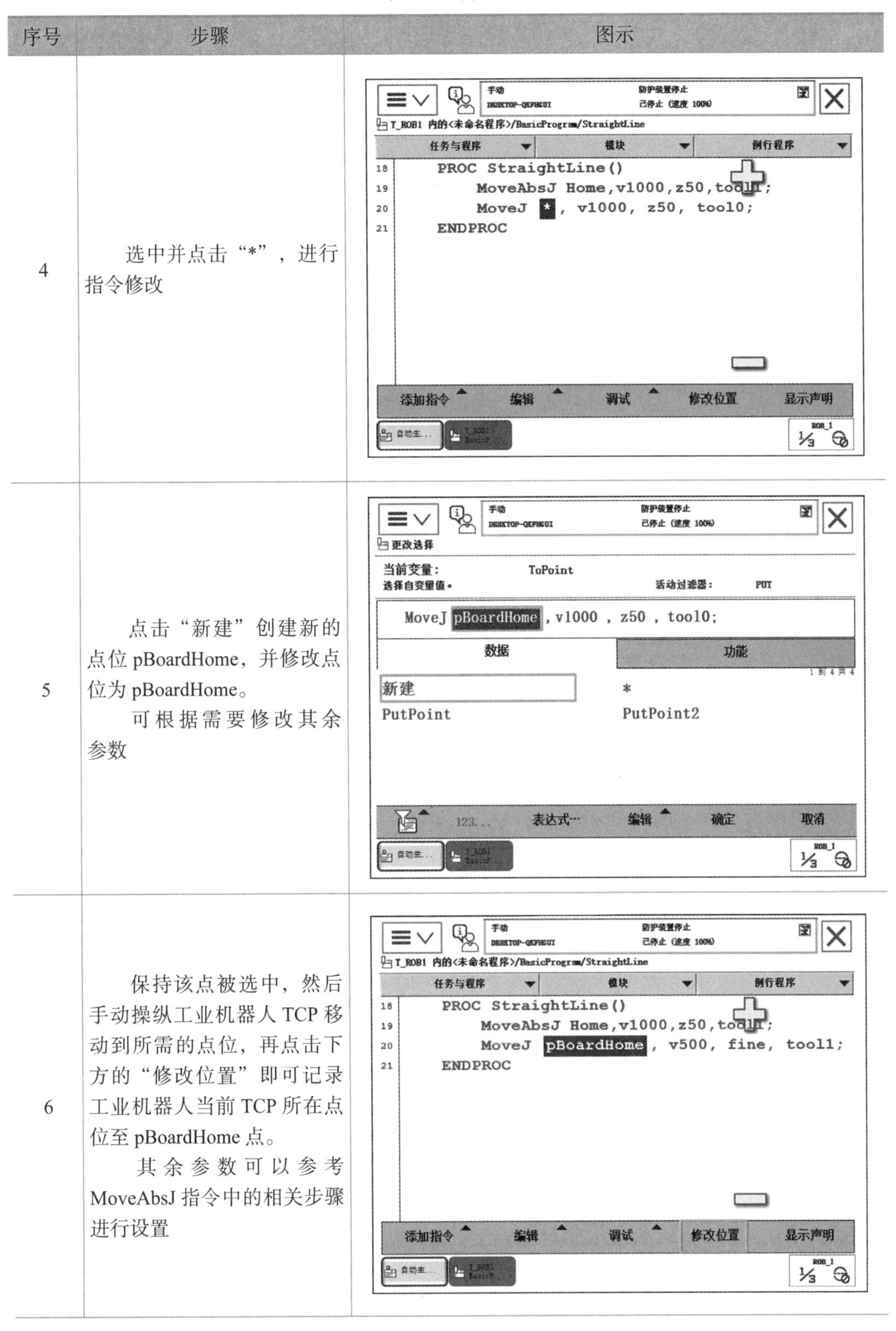

序号	步骤	图示
4	选中并点击“*”，进行指令修改	
5	点击“新建”创建新的点位 pBoardHome，并修改点位为 pBoardHome。 可根据需要修改其余参数	
6	保持该点被选中，然后手动操纵工业机器人 TCP 移动到所需的点位，再点击下方的“修改位置”即可记录工业机器人当前 TCP 所在点位至 pBoardHome 点。 其余参数可以参考 MoveAbsJ 指令中的相关步骤进行设置	

表 4-7（续 2）

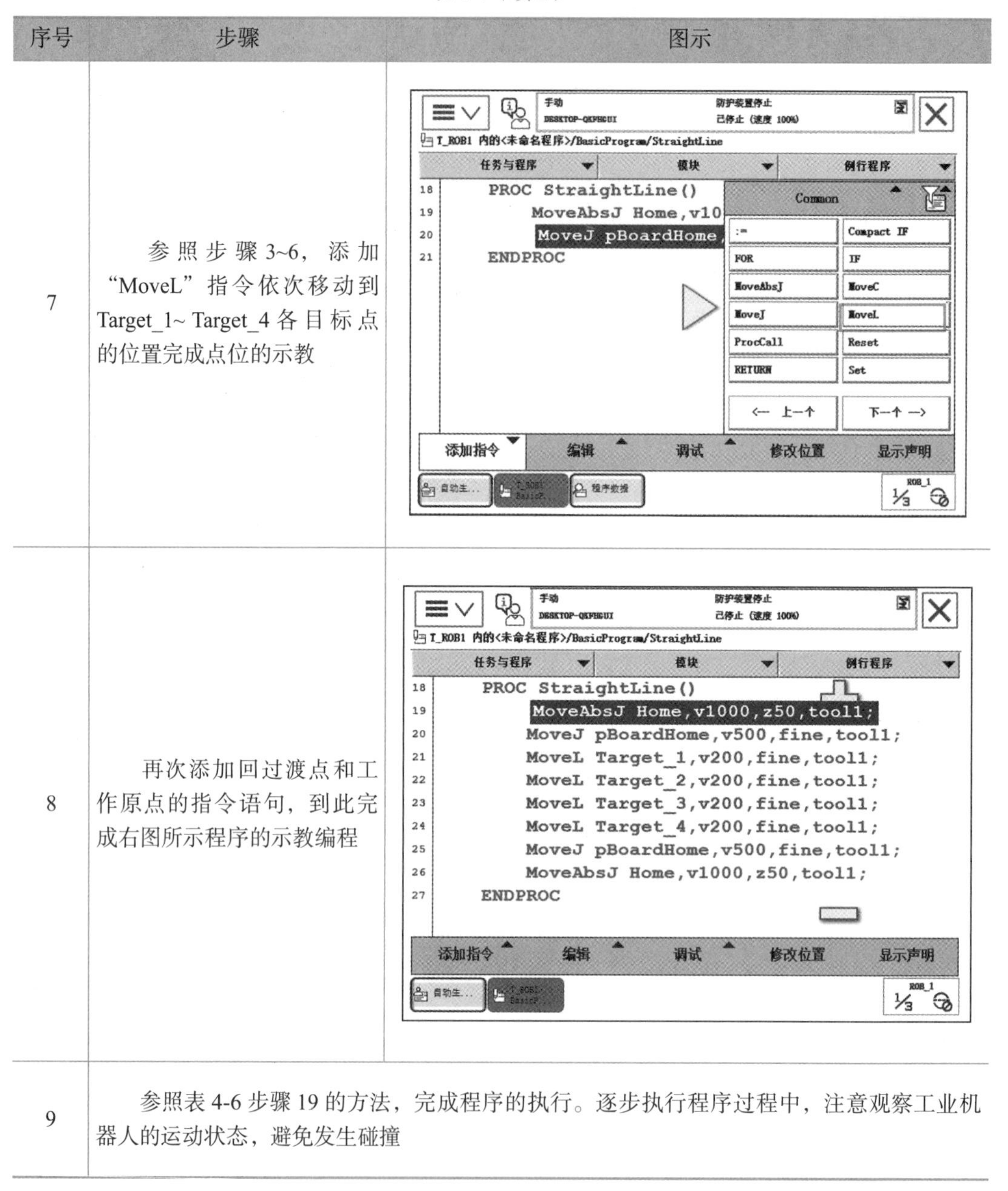

序号	步骤	图示
7	参照步骤 3~6，添加“MoveL”指令依次移动到 Target_1~ Target_4 各目标点的位置完成点位的示教	
8	再次添加回过渡点和工作原点的指令语句，到此完成右图所示程序的示教编程	
9	参照表 4-6 步骤 19 的方法，完成程序的执行。逐步执行程序过程中，注意观察工业机器人的运动状态，避免发生碰撞	

3. 用 MoveC 示教圆形轨迹

本例中将使用两个 MoveC 指令完成一个整圆轨迹的示教，所用到的点位信息如图 4-12 所示。

与前例类似，工业机器人 TCP 将首先前往 CirclePoint1 上方 100 mm 处的过渡点，再运动到运行轨迹的第一个示教点 CirclePoint1，之后沿着圆形轨迹依次前往点位 CirclePoint2、CirclePoint3、CirclePoint4，最后回到 CirclePoint1，走完圆形轨迹后经过渡点回到 Home。

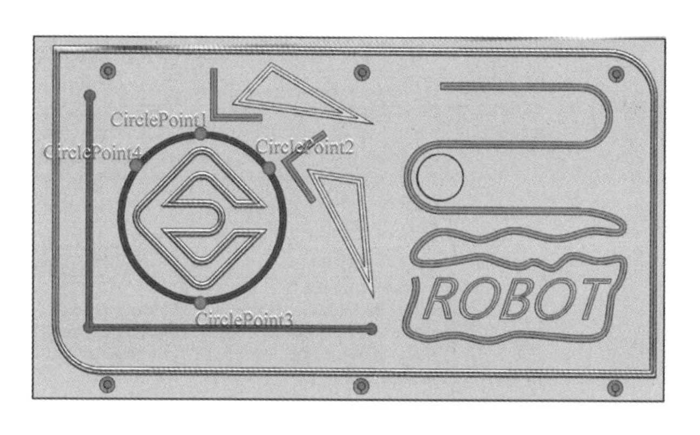

图 4-12 圆形轨迹示教点

在进行示教编程前，应首先确定工业机器人已处于手动模式。用 MoveC 示教圆形轨迹的方法见表 4-8。

表 4-8 用 MoveC 示教圆形轨迹的方法

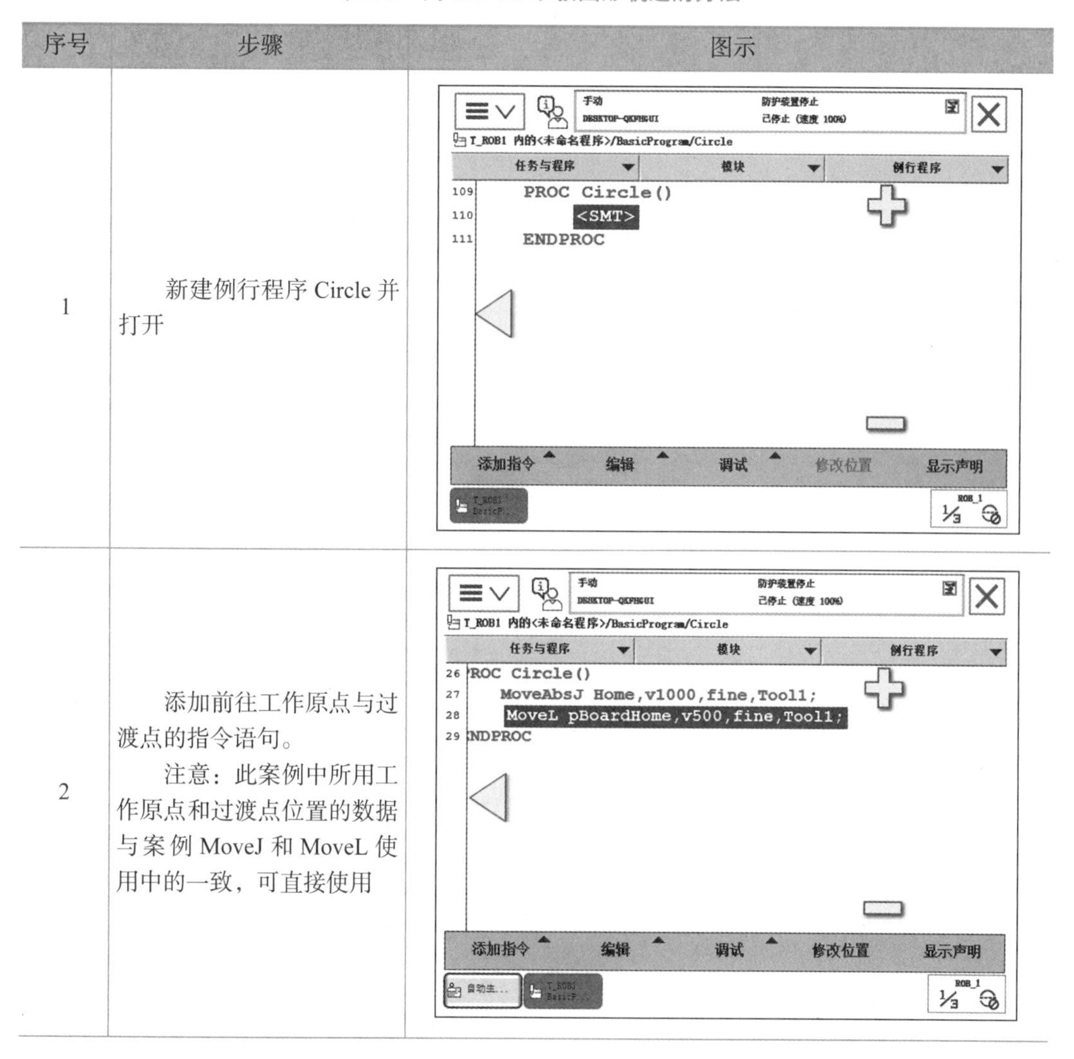

序号	步骤	图示
1	新建例行程序 Circle 并打开	手动 DESKTOP-QKFHGUI 防护装置停止 已停止（速度 100%） T_ROB1 内的<未命名程序>/BasicProgram/Circle 任务与程序 模块 例行程序 109 PROC Circle() 110 <SMT> 111 ENDPROC 添加指令 编辑 调试 修改位置 显示声明
2	添加前往工作原点与过渡点的指令语句。 注意：此案例中所用工作原点和过渡点位置的数据与案例 MoveJ 和 MoveL 使用中的一致，可直接使用	手动 DESKTOP-QKFHGUI 防护装置停止 已停止（速度 100%） T_ROB1 内的<未命名程序>/BasicProgram/Circle 任务与程序 模块 例行程序 26 PROC Circle() 27 MoveAbsJ Home,v1000,fine,Tool1; 28 MoveL pBoardHome,v500,fine,Tool1; 29 ENDPROC 添加指令 编辑 调试 修改位置 显示声明

表 4-8（续 1）

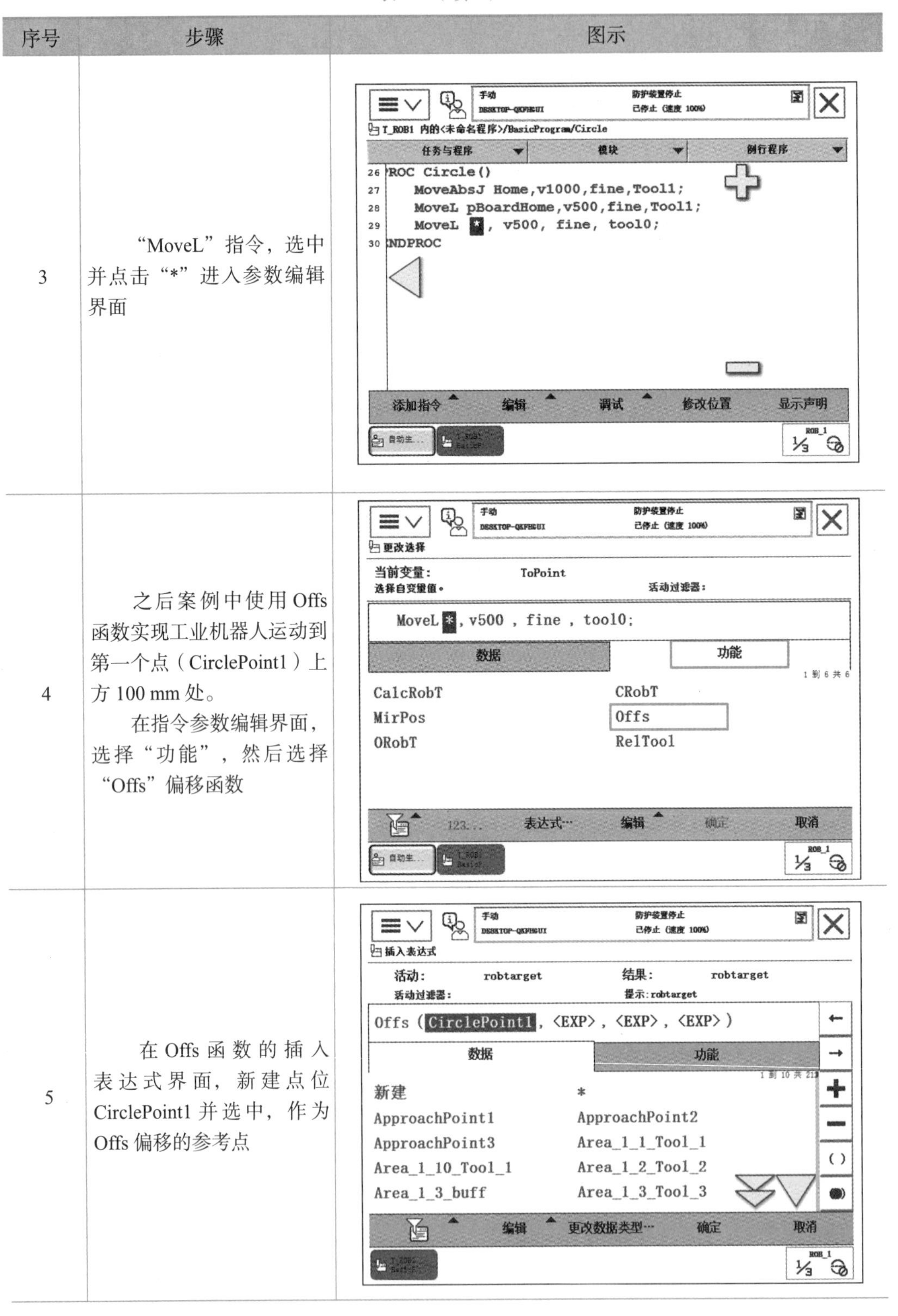

序号	步骤	图示
3	“MoveL”指令，选中并点击“*”进入参数编辑界面	
4	之后案例中使用 Offs 函数实现工业机器人运动到第一个点（CirclePoint1）上方 100 mm 处。 在指令参数编辑界面，选择“功能”，然后选择“Offs”偏移函数	
5	在 Offs 函数的插入表达式界面，新建点位 CirclePoint1 并选中，作为 Offs 偏移的参考点	

表 4-8（续 2）

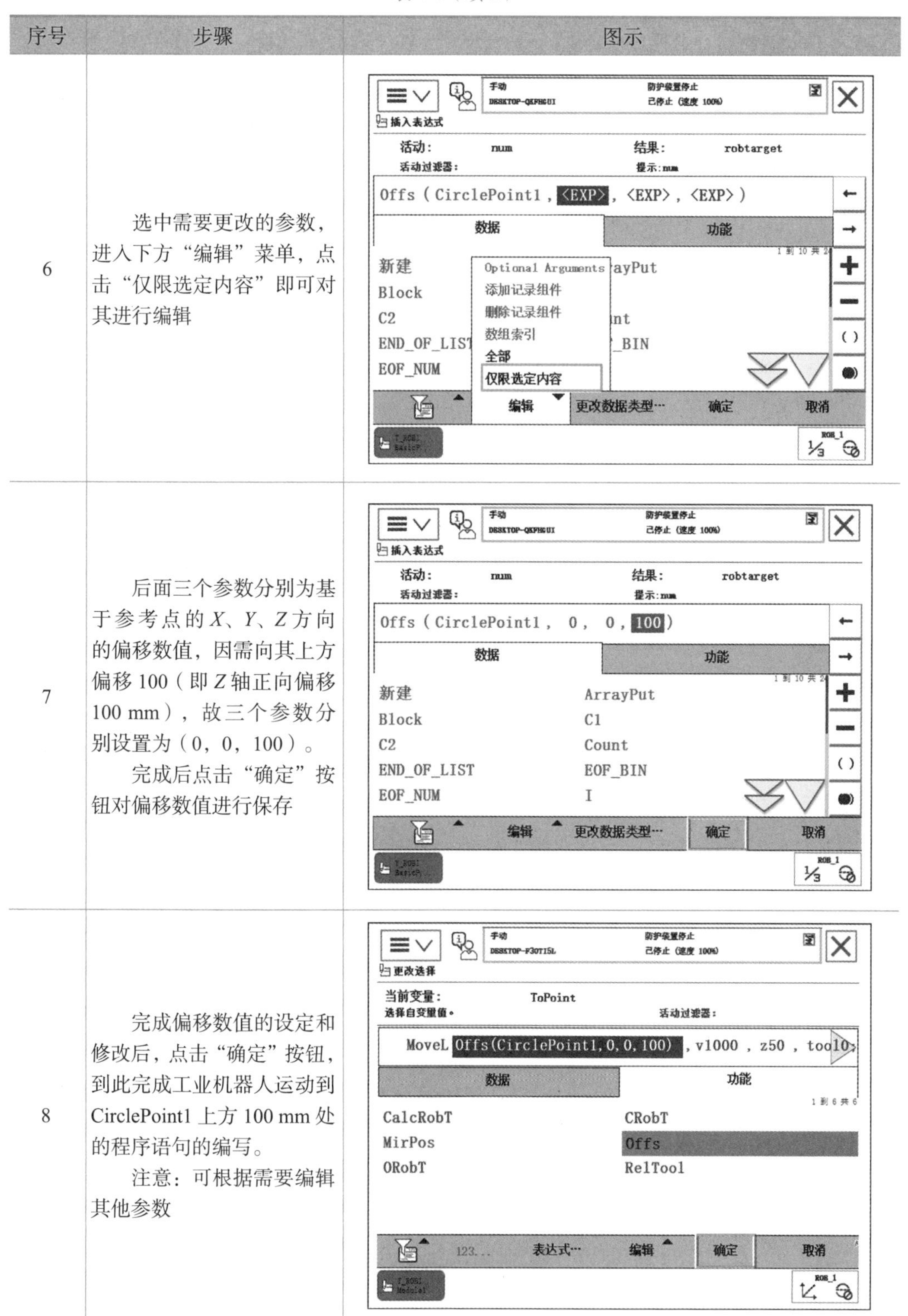

序号	步骤	图示
6	选中需要更改的参数，进入下方“编辑”菜单，点击“仅限选定内容”即可对其进行编辑	
7	后面三个参数分别为基于参考点的 X、Y、Z 方向的偏移数值，因需向其上方偏移 100（即 Z 轴正向偏移 100 mm），故三个参数分别设置为（0，0，100）。 完成后点击“确定”按钮对偏移数值进行保存	
8	完成偏移数值的设定和修改后，点击“确定”按钮，到此完成工业机器人运动到 CirclePoint1 上方 100 mm 处的程序语句的编写。 注意：可根据需要编辑其他参数	

表 4-8（续 3）

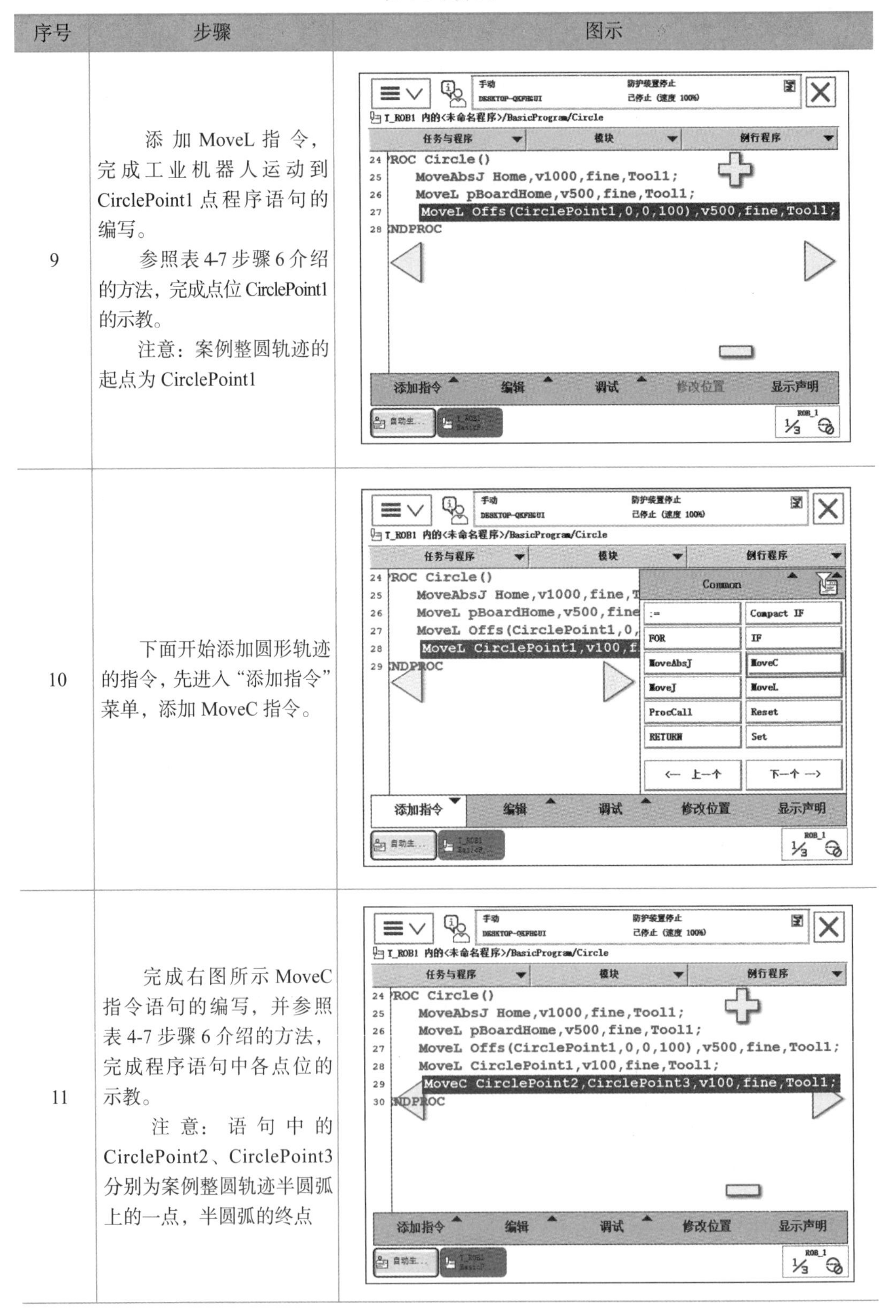

序号	步骤	图示
9	添加 MoveL 指令，完成工业机器人运动到 CirclePoint1 点程序语句的编写。 参照表 4-7 步骤 6 介绍的方法，完成点位 CirclePoint1 的示教。 注意：案例整圆轨迹的起点为 CirclePoint1	
10	下面开始添加圆形轨迹的指令，先进入“添加指令”菜单，添加 MoveC 指令。	
11	完成右图所示 MoveC 指令语句的编写，并参照表 4-7 步骤 6 介绍的方法，完成程序语句中各点位的示教。 注意：语句中的 CirclePoint2、CirclePoint3 分别为案例整圆轨迹半圆弧上的一点，半圆弧的终点	

表 4-8（续 4）

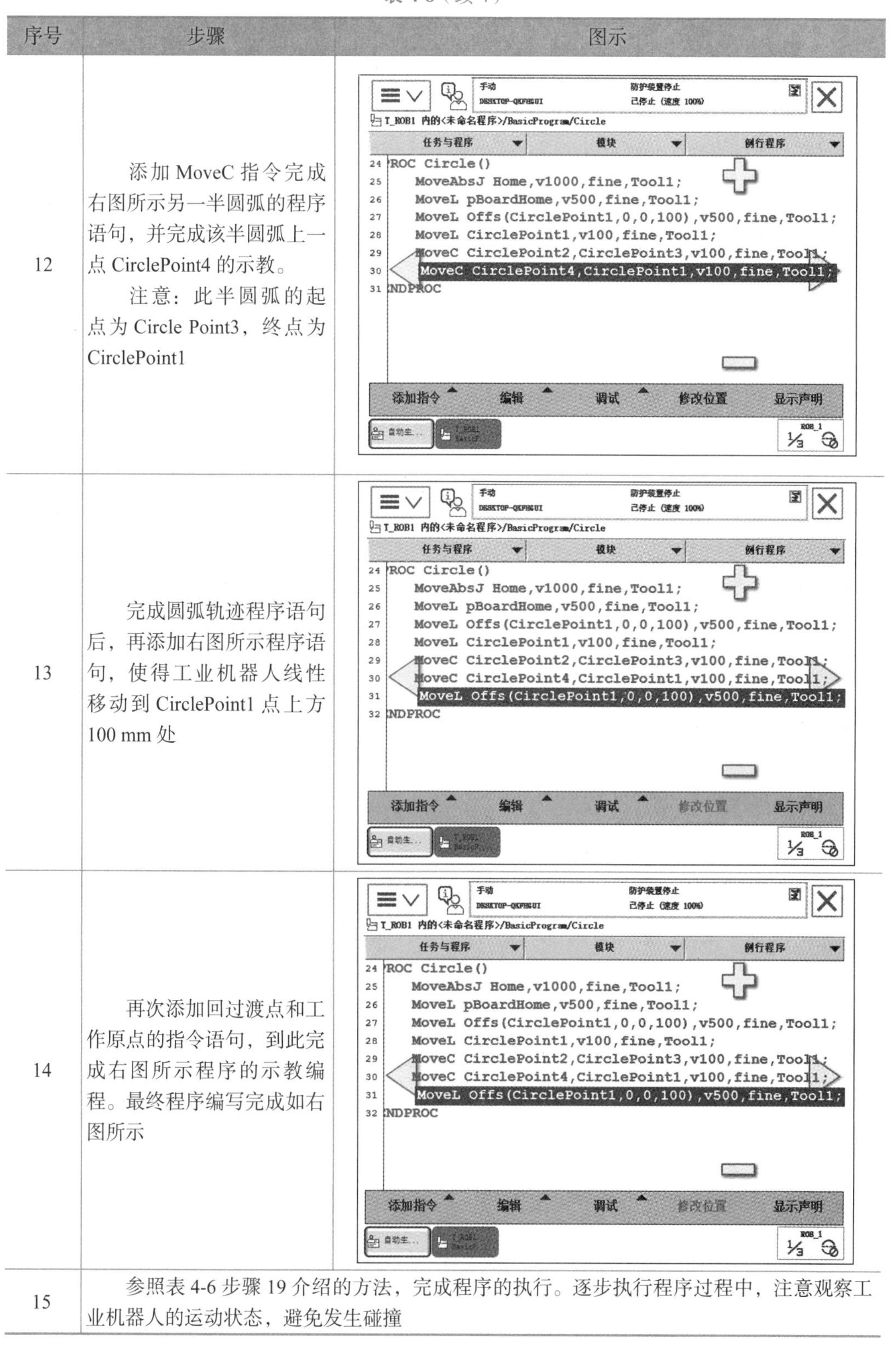

序号	步骤	图示
12	添加 MoveC 指令完成右图所示另一半圆弧的程序语句，并完成该半圆弧上一点 CirclePoint4 的示教。 注意：此半圆弧的起点为 Circle Point3，终点为 CirclePoint1	T_ROB1 内的<未命名程序>/BasicProgram/Circle 24 PROC Circle() 25 MoveAbsJ Home,v1000,fine,Tool1; 26 MoveL pBoardHome,v500,fine,Tool1; 27 MoveL Offs(CirclePoint1,0,0,100),v500,fine,Tool1; 28 MoveL CirclePoint1,v100,fine,Tool1; 29 MoveC CirclePoint2,CirclePoint3,v100,fine,Tool1; 30 MoveC CirclePoint4,CirclePoint1,v100,fine,Tool1; 31 ENDPROC 添加指令 编辑 调试 修改位置 显示声明
13	完成圆弧轨迹程序语句后，再添加右图所示程序语句，使得工业机器人线性移动到 CirclePoint1 点上方 100 mm 处	T_ROB1 内的<未命名程序>/BasicProgram/Circle 24 PROC Circle() 25 MoveAbsJ Home,v1000,fine,Tool1; 26 MoveL pBoardHome,v500,fine,Tool1; 27 MoveL Offs(CirclePoint1,0,0,100),v500,fine,Tool1; 28 MoveL CirclePoint1,v100,fine,Tool1; 29 MoveC CirclePoint2,CirclePoint3,v100,fine,Tool1; 30 MoveC CirclePoint4,CirclePoint1,v100,fine,Tool1; 31 MoveL Offs(CirclePoint1,0,0,100),v500,fine,Tool1; 32 ENDPROC 添加指令 编辑 调试 修改位置 显示声明
14	再次添加回过渡点和工作原点的指令语句，到此完成右图所示程序的示教编程。最终程序编写完成如右图所示	T_ROB1 内的<未命名程序>/BasicProgram/Circle 24 PROC Circle() 25 MoveAbsJ Home,v1000,fine,Tool1; 26 MoveL pBoardHome,v500,fine,Tool1; 27 MoveL Offs(CirclePoint1,0,0,100),v500,fine,Tool1; 28 MoveL CirclePoint1,v100,fine,Tool1; 29 MoveC CirclePoint2,CirclePoint3,v100,fine,Tool1; 30 MoveC CirclePoint4,CirclePoint1,v100,fine,Tool1; 31 MoveL Offs(CirclePoint1,0,0,100),v500,fine,Tool1; 32 ENDPROC 添加指令 编辑 调试 修改位置 显示声明
15	参照表 4-6 步骤 19 介绍的方法，完成程序的执行。逐步执行程序过程中，注意观察工业机器人的运动状态，避免发生碰撞	

4. 轨迹逼近

本例中现需示教图 4-13 所示轨迹，轨迹由 ApproachPoint1 点出发，经过一段直线、圆弧拐角后，再经过一段直线到达 ApproachPoint3 点，ApproachPoint2 点为前后两段直线的交点。

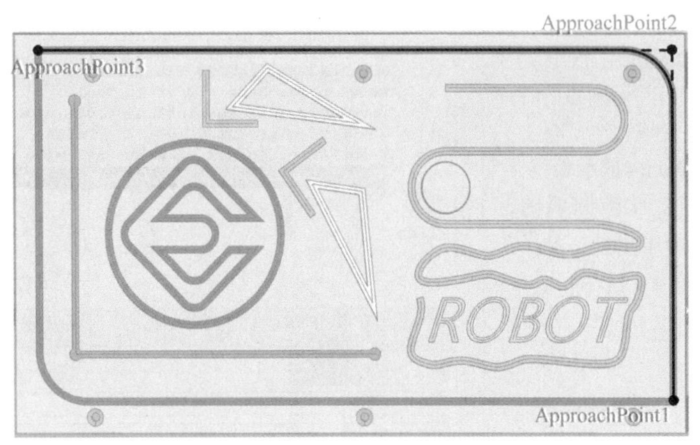

图 4-13 轨迹逼近的轨迹

该轨迹可以选择使用 MoveL 与 MoveC 指令结合的形式完成，但圆弧轨迹中很容易因点位不准确而导致轨迹不够圆滑、流畅。因此这里首先使用 MoveL 指令实现 ApproachPoint1 点到两直线交点 ApproachPoint2、ApproachPoint2 点到 ApproachPoint3 点的直线轨迹。然后通过修改中间位置 ApporachPoint2 点指令语句中的转弯区数据 zonedata，使得工业机器人以飞越点而非停止点的形式运动到 ApproachPoint2 点，最终实现该点处的圆弧拐角轨迹。上述实现 ApproachPoint2 点处轨迹的方法称为轨迹逼近，本案例中轨迹逼近的步骤见表 4-9。

表 4-9 轨迹逼近的步骤

序号	步骤	图示
1	首先新建例行程序“Approach”	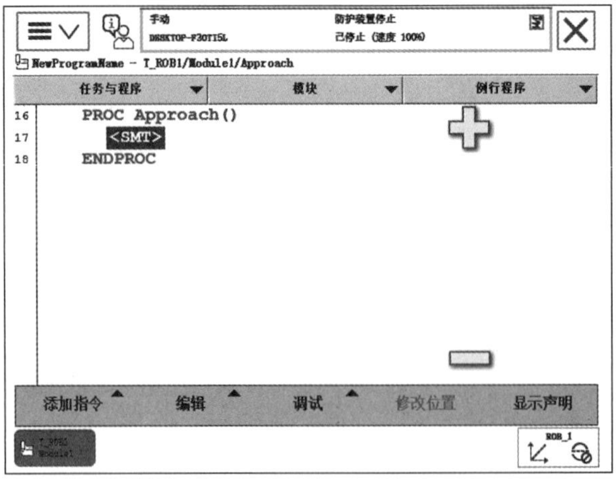

表 4-9（续）

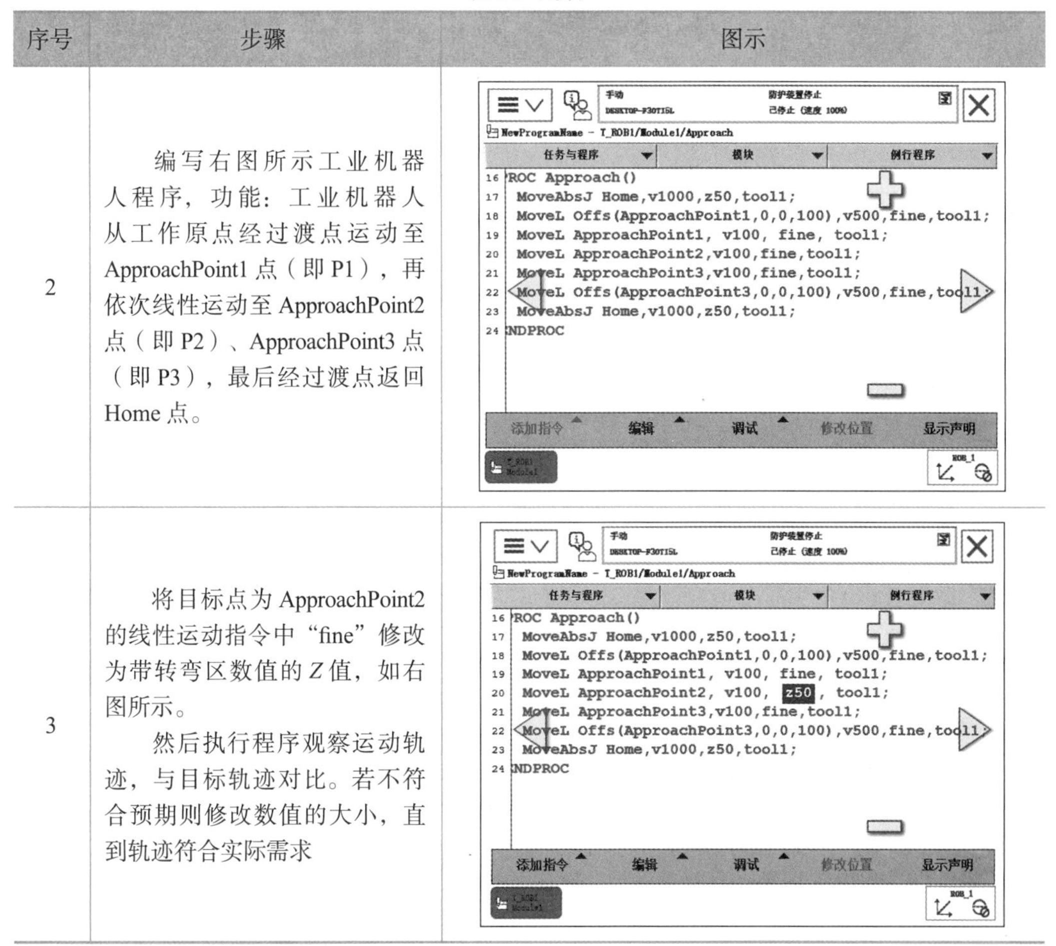

序号	步骤	图示
2	编写右图所示工业机器人程序，功能：工业机器人从工作原点经过渡点运动至 ApproachPoint1 点（即 P1），再依次线性运动至 ApproachPoint2 点（即 P2）、ApproachPoint3 点（即 P3），最后经过渡点返回 Home 点。	
3	将目标点为 ApproachPoint2 的线性运动指令中“fine”修改为带转弯区数值的 Z 值，如右图所示。 然后执行程序观察运动轨迹，与目标轨迹对比。若不符合预期则修改数值的大小，直到轨迹符合实际需求	

任务 4.3 工件坐标系及其应用

【任务描述】

工件坐标系在编程中作为参照（坐标系），可用于确定多个工件位置。本任务将在任务 2.4 的认知基础上，进一步详细说明用三点法进行工件坐标系设置的方法，重点讲解工件坐标系的设置和在轨迹偏移中的应用。

【知识准备】

工件坐标系定义了工件位置，用于手动操纵与编程中作为参照。工件坐标系可以有多个，用来代表不同工件的位置或一个工件在不同位置的副本。工业机器人出厂时自带一默认工具坐标系 wobj0，其与基坐标系一致。图 4-14 中，分别展示了同一个工业机器人的大地坐标系与工件坐标系，工件坐标系实现将工件在大地坐标系下的坐标数据转换为工件坐标数据，从而方便了对工件加工轨迹的编程。

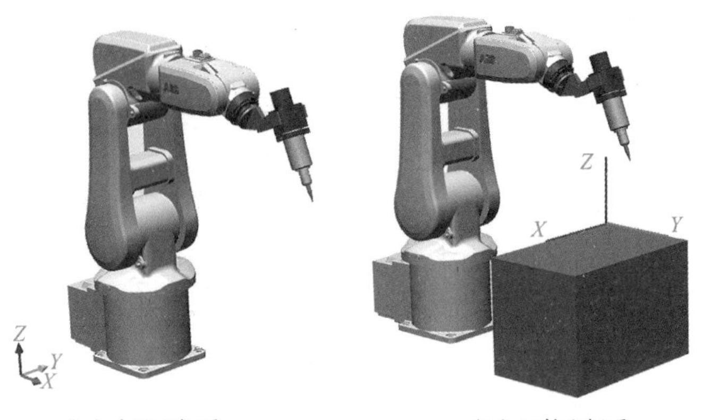

（a）大地坐标系　　（b）工件坐标系

图 4-14　大地坐标系与工件坐标系

一般通过三点法来确定工件坐标系，用户只需在对象表面位置或工件边缘角位置上定义三个点的位置，就可创建一个工件坐标系，如图 4-15 所示。

首先在 *X* 轴上分别确定两点以确定坐标系 *X* 轴的位置与正方向，然后在 *Y* 轴上找到一点使得过该点与 *X* 轴垂直直线的交点成为坐标系原点，坐标系原点与该点的连线则用于确定坐标系的 *Y* 轴以及 *Y* 轴正方向，最后通过右手法则即可确定坐标系的 *Z* 轴方向。

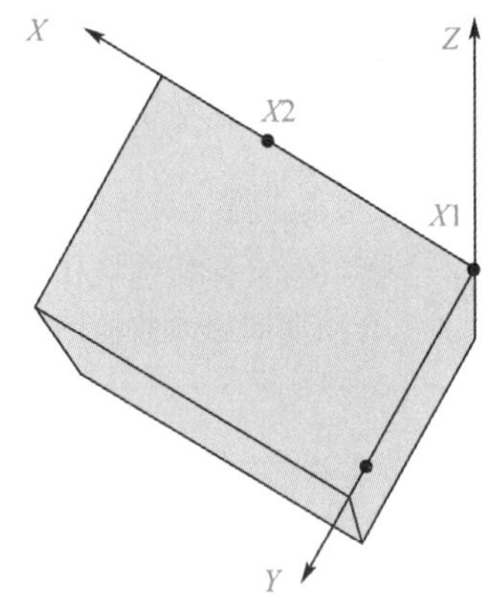

图 4-15　三点法设置工件坐标系

三点法具体步骤如下：

（1）手动操纵工业机器人，在工件表面或边缘角的位置找到一点 *X*1；

（2）手动操纵工业机器人，沿着工件表面或边缘找到一点 *X*2，通过 *X*1 和 *X*2 确定工件坐标系的 *X* 轴的正方向（*X*1 和 *X*2 距离越远，定义的坐标系轴向越精准）；

（3）手动操纵工业机器人，在 *XY* 平面上且 *Y* 值为正的方向找到一点 *Y*1，确定坐标系的 *Y* 轴的正方向，通过 *Y*1 向直线 *X*1*X*2 作垂线，垂足为原点。

【任务实施】

<table>
<tr><td>项目名称</td><td colspan="3">工业机器人基础示教编程</td><td>任务名称</td><td colspan="3">工件坐标系及其应用</td></tr>
<tr><td>班级</td><td></td><td>姓名</td><td></td><td>学号</td><td></td><td>组别</td><td></td></tr>
<tr><td>任务内容</td><td colspan="7">本任务通过手动操纵界面的工件坐标选项，说明了用三点法进行工件坐标系设置的方法，同时讲解了通过工件坐标系偏移实现不同工件坐标系下两相同三角形轨迹的方法</td></tr>
<tr><td rowspan="2">任务目标</td><td colspan="7">1. 掌握工件坐标系设置的技能</td></tr>
<tr><td colspan="7">2. 掌握使用工件坐标系实现轨迹偏移的技能</td></tr>
</table>

1. 工件坐标系定义

使用三点法完成图 4-16 中所示工件坐标系“wobj1”的定义。*X* 轴、*Y* 轴交点处为 *X*1 点，*X* 轴延长线上一点为 *X*2 点，*Y* 轴上一点为 *Y*1 点。案例中工件坐标系定义的方法见表 4-10。

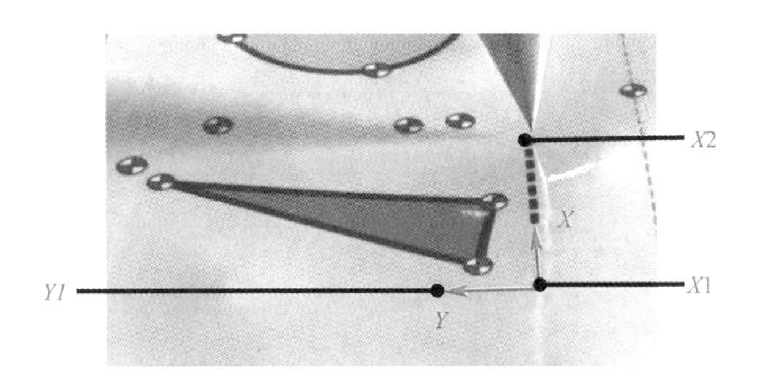

图 4-16 所需定义的工件坐标系

表 4-10 工件坐标系定义的方法

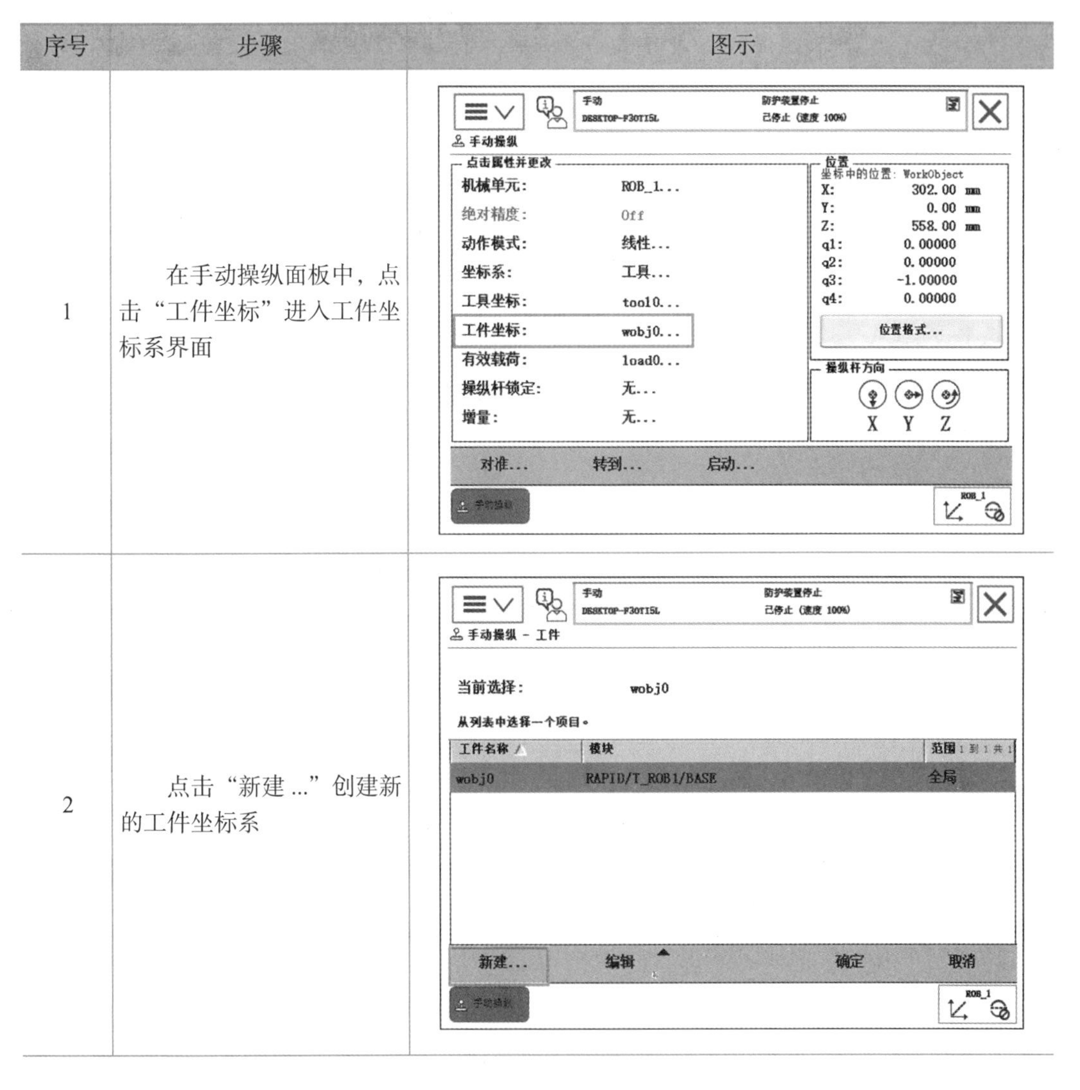

序号	步骤	图示
1	在手动操纵面板中，点击“工件坐标”进入工件坐标系界面	
2	点击“新建 ...”创建新的工件坐标系	

表 4-10（续 1）

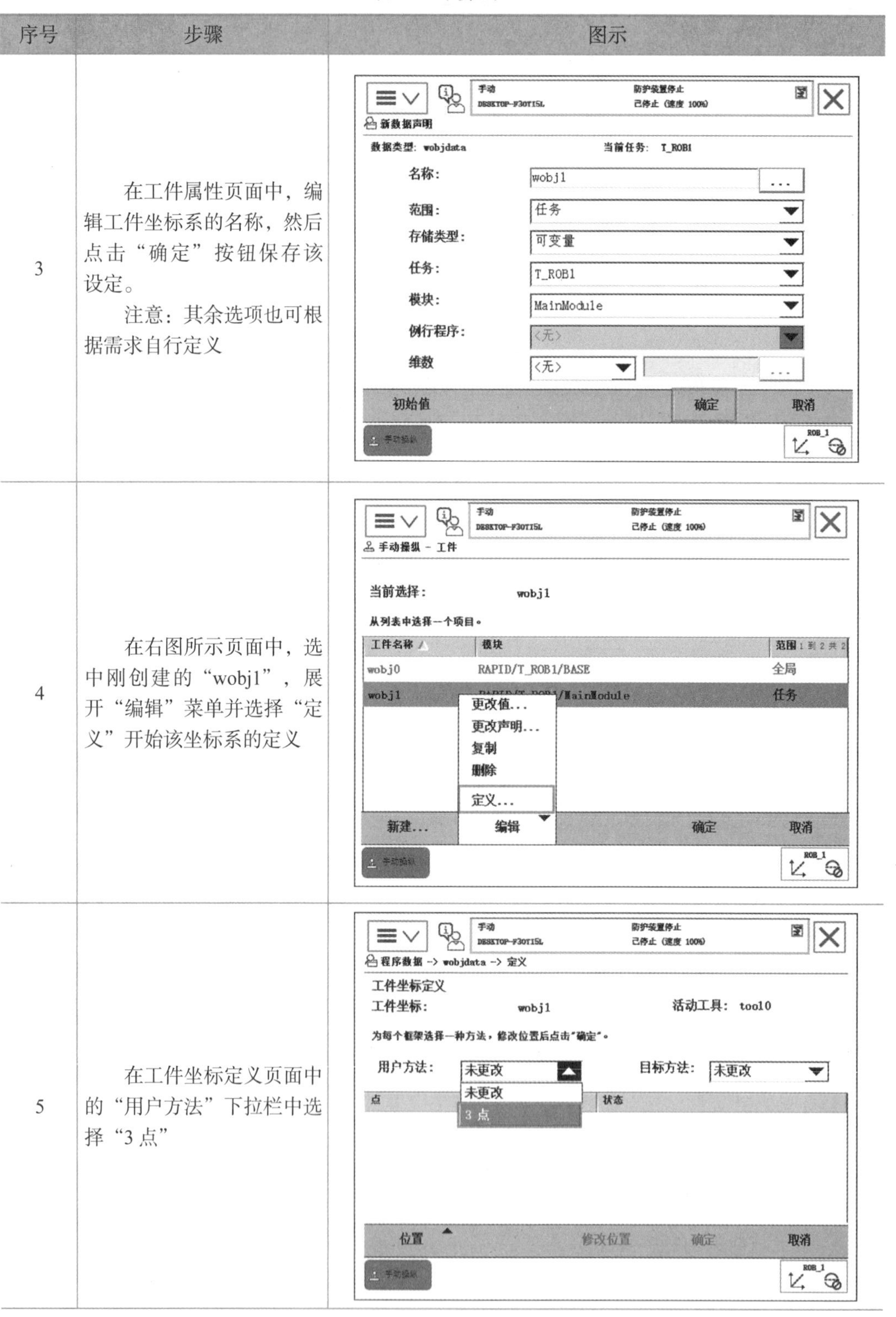

序号	步骤	图示
3	在工件属性页面中，编辑工件坐标系的名称，然后点击“确定”按钮保存该设定。 注意：其余选项也可根据需求自行定义	
4	在右图所示页面中，选中刚创建的“wobj1”，展开“编辑”菜单并选择“定义”开始该坐标系的定义	
5	在工件坐标定义页面中的“用户方法”下拉栏中选择“3 点”	

表 4-10（续 2）

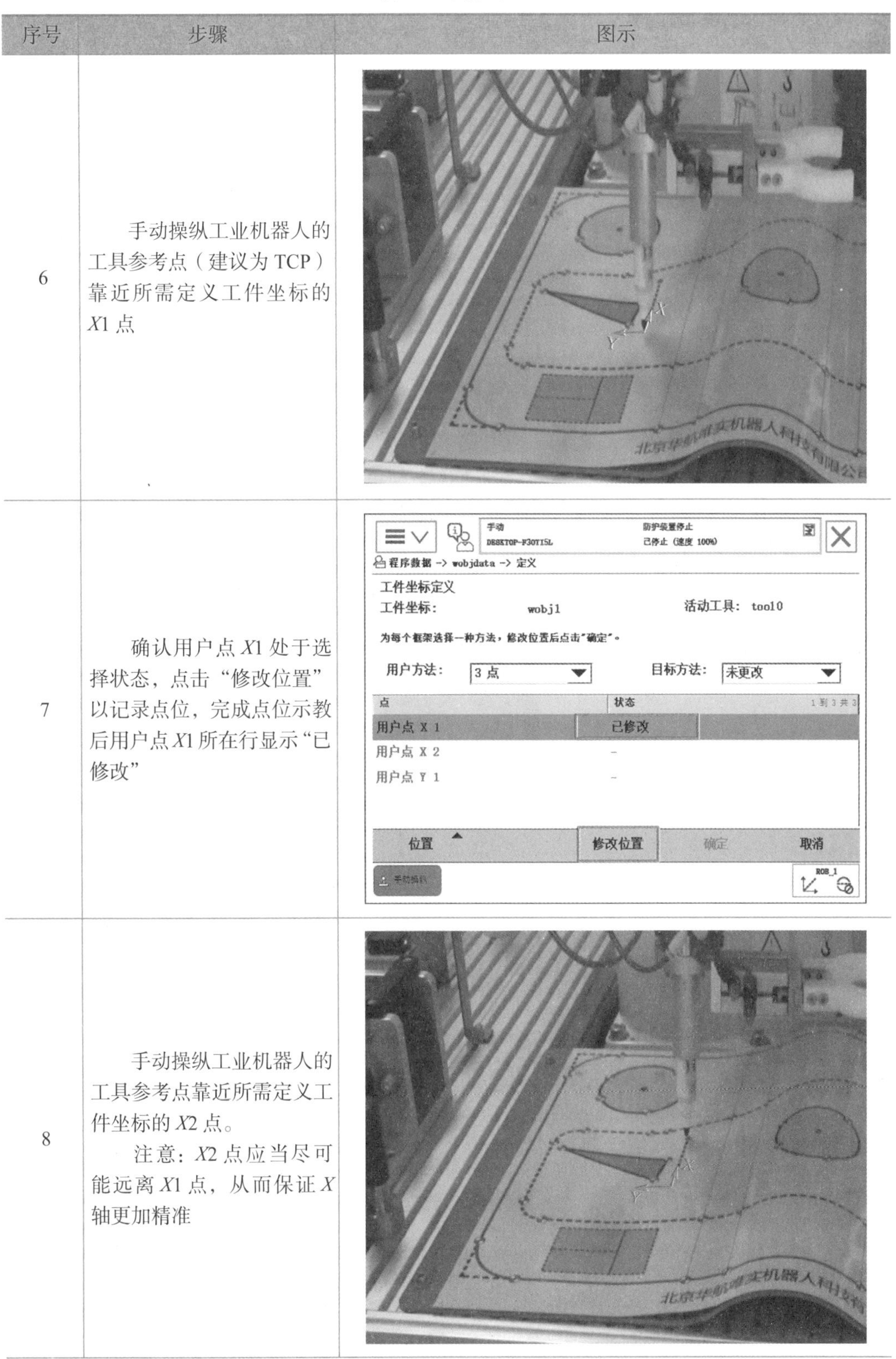

序号	步骤	图示
6	手动操纵工业机器人的工具参考点（建议为 TCP）靠近所需定义工件坐标的 *X*1 点	
7	确认用户点 *X*1 处于选择状态，点击“修改位置”以记录点位，完成点位示教后用户点 *X*1 所在行显示“已修改”	
8	手动操纵工业机器人的工具参考点靠近所需定义工件坐标的 *X*2 点。 注意：*X*2 点应当尽可能远离 *X*1 点，从而保证 *X* 轴更加精准	

表 4-10（续 3）

序号	步骤	图示
9	参照步骤 7 的方法完成用户点 *X*2 的位置修改	
10	手动操纵工业机器人的工具参考点靠近所需定义工件坐标的 *Y*1 点。 注意：*Y*1 点应当位于所需确定的工件坐标系 *Y* 轴的正方向上，如需 *X*1 为坐标系原点，应使得 *X*1*Y*1 与 *X*1*X*2 相垂直	
11	参照步骤 7 中的方法完成用户点 *Y*1 的位置修改，然后点击“确定”按钮保存坐标系定义	

表 4-10（续 4）

序号	步骤	图示
12	在右图所示计算结果界面，点击“确定”按钮确认定义结果	
13	在工件坐标列表页面选中新建的工件坐标系“wobj1”，点击“确定”按钮将工件坐标系切换为wobj1	
14	使用线性动作模式，并将坐标系切换为工件坐标系，手动操纵沿工件坐标系轴移动，可验证工件坐标系方向是否正确	

2. 利用工件坐标系实现轨迹偏移

利用工件坐标系偏移三角形示教轨迹

利用不同的工件坐标系可以实现示教轨迹的偏移，从而使得相同加工轨迹在其他工件上重复。本例中将首先示教图 4-17 中 wobj1 下的三角形轨迹，再通过工件坐标系偏移实现 wobj2 下的三角形轨迹。操作前应按“工件坐标系定义”中的步骤完成图 4-17 所示两个工件坐标系。利用工件坐标系实现轨迹偏移的方法见表 4-11。

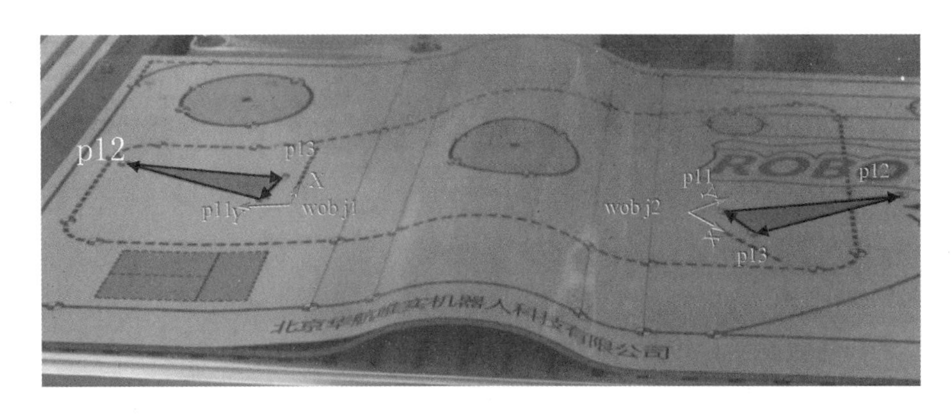

图 4-17 需轨迹偏移的路径

表 4-11 利用工件坐标系实现轨迹偏移的方法

序号	步骤	图示
1	按照前文所述工件坐标系的设置方法，分别建立并完成两个工件坐标系的定义	
2	在手动操纵界面完成右图所示设置后，开始三角形轨迹的示教编程	

表 4-11（续 1）

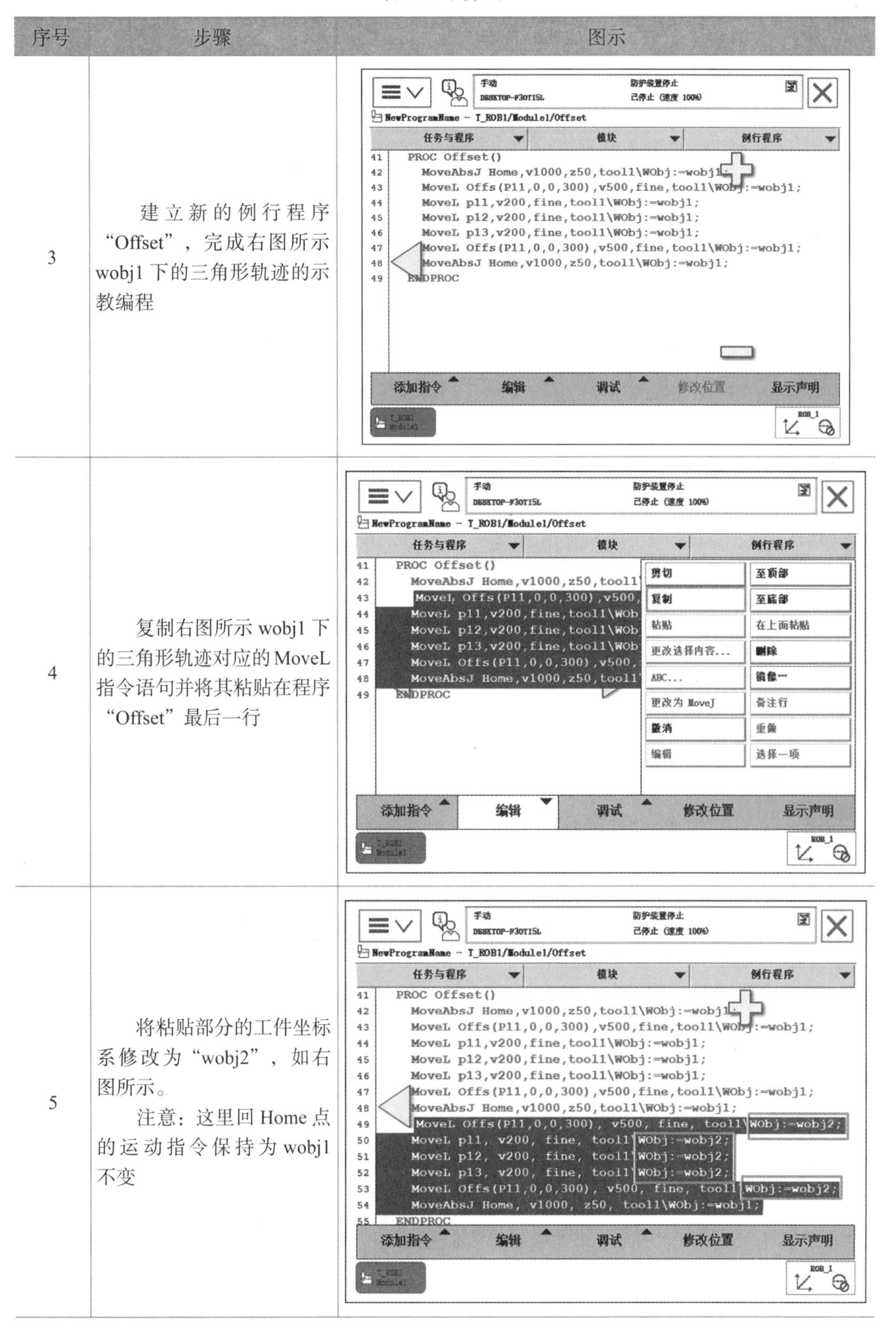

序号	步骤	图示
3	建立新的例行程序“Offset”，完成右图所示 wobj1 下的三角形轨迹的示教编程	
4	复制右图所示 wobj1 下的三角形轨迹对应的 MoveL 指令语句并将其粘贴在程序“Offset”最后一行	
5	将粘贴部分的工件坐标系修改为“wobj2”，如右图所示。 注意：这里回 Home 点的运动指令保持为 wobj1 不变	

表 4-11（续 2）

序号	步骤	图示
6	手动运行该程序，可以发现工业机器人在完成 wobj1 处的三角形轨迹后前往 wobj2 处完成了同样的三角形轨迹	

任务 4.4 数据定义与赋值

【任务描述】

在之前的编程学习中，常需要创建运用各种类型的数据。本任务将对部分常用数据类型的用法进行介绍，并且讲解赋值指令和常用数学指令，另外还将重点讲解定义程序数据并赋值的方法。

【知识准备】

1. 数据类型

在 RAPID 语言中，有上百种数据类型，这些不同类型的数据对应了编程中所需的各种常量、变量。数据类型虽然很多，但是实际上可按程序数据储存类型进行分类：变量 VAR、可变量 PERS、常量 CONTS。

这里的变量与可变量虽名称相似，但其实有很大差别。变量的数值仅在执行或停止时被保存，当程序指针移动到主程序后，其数值就会丢失。而可变量则与指针位置无关，它会一直保持最后被赋予的值。从初始值上来说，变量可以赋初始值也可以不赋，但是可变量必须被赋予一个初始值。

常量，顾名思义是不变的量，但是这种不变指的是无法在程序中进行改动，手动更改仍然是可以的。常量与可变量一样，必须有初始值。

在众多的数据类型中，有一部分是较为常用的，此处对这部分常用的数据类型进行介绍，从而说明其使用方法。

（1）bool 逻辑值

布尔量的数据值有两种状态，即真（TRUE）和假（FALSE）。

例：

```
VAR bool highvalue;
VAR num reg1;
...
```

```
highvalue: = reg1 > 100;
```

如果 reg1 大于 100，则向 highvalue 分配值 TRUE；否则，分配 FALSE。

（2）byte 字节

byte 用于符合字节范围的整数值（0~255 即 8 个二进位），该数据类型可以连同位处理指令和转换函数一起使用。

例：

```
VAR byte data1: = 120;
```

定义一个十进制数值为 120 的字节数据 data1。

例：

```
CONST num parity_bit: = 6;
VAR byte data1: = 120;
BitClear data1, parity_bit;
```

将变量 data1 中的位号 8（parity_bit）设置为 0，例如，变量 data1 的容量将从 120 改变为 88（整数值表示）。

（3）clock 时钟

例：

```
VAR clock myclock;
ClkReset myclock;
```

声明和重置时钟 myclock。在使用 ClkReset 等时钟指令之前，必须先在程序中声明一个数据类型 clock 的变量。

注意：时钟类型为 VAR，而非 PERS。

（4）num 数值

num 的值可以是整数、小数或者指数类型。由于小数仅为近似，其运算不是准确的整数，因此不建议用于对比。

例：

```
a: = 10;
b: = 5;
IF a/b=2 THEN
...
```

由于 *a*/*b* 的结果并非一个整数，因此无法满足此条件。

建议使用方法如下。

例：

```
VAR num reg1;
...
reg1: = 3;
```

将 reg1 指定为值 3。

（5）string 字符串

字符串由一系列附上引号（“”）的字符（最多 80 个）组成，例如，“这是一个字符串”。如果字符串中包括引号，则必须保留两个引号，例如，“本字符串包含一个

“”字符”。如果字符串中包括反斜线，则必须保留两个反斜线符号，例如，“本字符串包含一个 \\ 字符”。

例：

```
VAR string text;
...
text：= “start welding pipe 1”；
TPWrite text;
```

在 FlexPendant 示教器上显示文本 start welding pipe 1。

（6）jointtarget 接头位置数据

细心观察会发现，在 MoveAbsJ 中指定了一个点位，想要在其他运动指令（如 MoveL）中使用却不行，这是因为在它和其他运动指令中，虽然同样都是点位数据，但是表示点的方法却不一样，也就是有着不同的数据类型。Jointtarget 就是用在 MoveAbsJ 指令中，用于确定机械臂和外轴移动到的位置的数据。

例：

```
CONST jointtarget calib_pos：= [ [ 0，0，0，0，0，0]，[ 0，9E9，9E9，9E9，9E9，9E9] ];
```

由本例可以发现，jointtarget 类型前 6 个数分别代表工业机器人 1~6 轴的旋转角度，单位为度（°）；后 6 个数定义外轴的位置，对于旋转外轴单位为（°），对于线性外轴单位为 mm。

本例在 calib_pos 中定义了工业机器人的正常校准位置。同时定义外部逻辑轴 *a* 的正常校准位置 0，单位为（°）或 mm。未定义外轴 *b* 到 *f*。

（7）pos *X*、*Y*、*Z* 方向的位置

pos 类数据描述 *X*、*Y* 和 *Z* 位置的坐标。

例 1：

```
VAR pos pos1;
...
pos1：= [500，0，940];
```

为 pos1 位置分配值：*x*=500 mm，*y*=0 mm，*z*=940 mm。

例 2：

```
pos1.x：= pos1.x + 50;
```

将 pos1 位置沿 *X* 方向移动 50 mm。

（8）robjoint 机械臂轴的接头位置

robjoint 类数据用于储存机械臂轴 1~6 的位置，以（°）计。将轴位置定义为各轴（臂）从轴校准位置沿正方向或负方向旋转的度数。

例：

```
CONST robjoint robjoint1：=[0，0，0，0，0，0];
```

将 robjoint1 设置为零点位置。

（9）robtarget 位置数据

前面说到 jointtarget 适用于 MoveAbsJ 指令，那么其他运动指令使用的点位数据是怎样的呢？ robtarget（robot target）就是这些指令中用于定义移动机械臂和附加轴的移

动位置的数据。

因为当我们仅使用 TCP 与工具方位计算工业机器人轨迹时，计算机可能得出多个解，因此在 robtarget 数据类型中，还包含了机械臂的轴配置信息。

例 1：

CONST robtarget p15：= [[600，500，225.3]，[1，0，0，0]，[1，1，0，0]，[11，12.3，9E9，9E9，9E9，9E9]]；

将点位 p15 定义如下：

- 机械臂的位置：在目标坐标系中，x=600 mm、y=500 mm 和 z=225.3 mm。
- 与目标坐标系方向相同的工具方位。
- 机械臂的轴配置：轴 1 和轴 4 位于 90~180°，轴 6 位于 0°~90°。
- 附加逻辑轴 a 和 b 的位置以（°）或 mm 表示（根据轴的类型）。未定义轴 c 到轴 f。

例 2：

VAR robtarget p20；

...

p20：= CRobT（\Tool：=tool\wobj：=wobjØ）；

p20：= Offs（p20，10，0，0）；

通过调用函数 CRobT，将位置 p20 设置为与同机械臂当前位置相同的位置。随后，将位置沿 X 方向移动 10 mm。

前面说过点位无法通用的原因是数据类型不同，但是当添加运动指令并准备添加点位时，可以点开上方的“功能”菜单，使用 CalcRobT 将 jointtarget 转换为 robtarget，以及使用 CalcJointT 将 robtarget 转换为 jointtarget。

（10）loaddata 负载数据

loaddata 用于描述附于机械臂机械界面（机械臂安装法兰）的负载。Loaddata 还被用作 tooldata 的组成部分，以描述工具负载。

负载数据常常定义机械臂的有效负载或支配负载，即机械臂夹具所施加的负载。指定的负载用于设置机械臂的动态模型，以便可以最佳的方式来控制机械臂运动。

例：

PERS loaddata piece1：= [5，[50，0，50]，[1，0，0，0]，0，0，0]；

通过机械臂所夹持的工具来移动有效负载。使用以下值来描述机械臂夹持的工具：

- 工具质量为 5 kg。
- 重心为工具坐标系中的 x=50 mm，y=0 mm 和 z=50 mm。
- 有效负载为一个点质量。

（11）speeddata 速度数据

speeddata 用于规定机械臂和外轴均开始移动时的速度。在基本运动指令中所使用的 v1000 等实际上是工业机器人系统中预置的速度数据。

速度数据定义了工具中心点移动时的速度、工具的重新定位速度以及线性或旋转外轴移动时的速度。当结合多种不同类型的移动时，其中一个速度常常限制所有运动。工业机器人将会减小其他运动的速度，以便所有运动同时停止执行，同时还会通过机械臂性能来限制速度。

例 1：

VAR speeddata vmedium：=[1000，30，200，15]；

例 1 中用于定义速度数据 vmedium 的参数见表 4-12。

表 4-12 speeddata vmedium 参数

参数	参数值	功能
v_tcp	1000	TCP 速度设置为 1 000 mm/s
v_ori	30	工具的重新定位速度设置为 30°/s
v_leax	200	线性外轴速度设置为 200 mm/s
v_reax	15	旋转外轴速度设置为 15°/s

速度数据后的四个参数分别代表工具中心点移动时的速度、工具的重新定位速度、线性旋转外轴移动速度、旋转外轴移动速度，对于 v200，v1000 等预置速度数据，只改变了 TCP 速度 v 后的数值。

例 2：

vmedium.v_tcp：=900；

将 TCP 的速度改变为 900 mm/s。

（12）tooldata 工具数据

tooldata 用于描述工具（如焊枪或夹具）的特征，包括工具中心点的位置、方位以及工具负载的物理特征。前文已讲过其具体设置方法。

例 1：

PERS tooldata gripper：=[TRUE，[[97.4，0，223.1]，[0.924，0，0.383，0]]，[5，[23，0，75]，[1，0，0，0]，0，0，0]]；

使用以下值来描述工具：

- 机械臂正夹持着工具。
- TCP 所在点与安装法兰的直线距离为 223.1 mm，且沿腕坐标系 X 轴 97.4 mm。
- 工具的 X' 方向和 Z' 方向相对于腕坐标系 Y 方向旋转 45°。
- 工具质量为 5 kg。
- 重心所在点与安装法兰的直线距离为 75 mm，且沿腕坐标系 X 轴 23 mm。
- 可将负载视为一个点质量，即不带任何惯性矩。

例 2：

gripper.tframe.trans.z：=225.2；

将工具、gripper 的工具中心点调整至沿 Z 方向 225.2 mm 处。

值得注意的是，应将工具数据定义为一个永久变量（PERS），且不得在程序内进行定义。随后，在保存程序时保存当前值，并在有载时恢复当前值。

（13）wobjdata 工件数据

wobjdata 即为工件坐标系数据，它定义工件相对于大地坐标系（或其他坐标系）的位置。对工业机器人进行编程，就是在工件坐标系中创建目标和路径。

例 1：

PERS wobjdata wobj2：=[FALSE，TRUE，“”，[[300，600，200]，[1，0，0，0]]，

[[0, 200, 30], [1, 0, 0, 0]]];

使用以下值来描述工件：

● 机械臂未夹持工件。

● 使用固定的用户坐标系。

● 用户坐标系不旋转，且其在世界坐标系中的原点坐标为 x=300 mm、y=600 mm 和 z=200 mm。

● 目标坐标系不旋转，且其在用户坐标系中的原点坐标为 x=0 mm、y=200 mm 和 z=30 mm。

例 2：

wobj2.oframe.trans.z：=38.3；

将工件 wobj2 的位置调整为沿 Z 方向 38.3 mm 处。

2. 赋值方法

"：="指令用于向数据分配新值。该值可以是一个恒定值，亦可以是一个算术表达式。

在赋值指令的使用中，应注意赋值是将一个常量赋给一个变量，并注意指令左侧的数据类型。

以下给出该指令使用的几个例子。

例 1：

reg1：=5；

将 reg1 指定为值 5。

例 2：

reg1：=reg2–reg3；

将 reg1 的值指定为 reg2–reg3 的计算结果。

例 3：

counter：=counter+1；

将 counter 的值增加 1。

赋值指令的添加方法如图 4-18 所示，位于"添加指令"菜单的"Common"类型下。

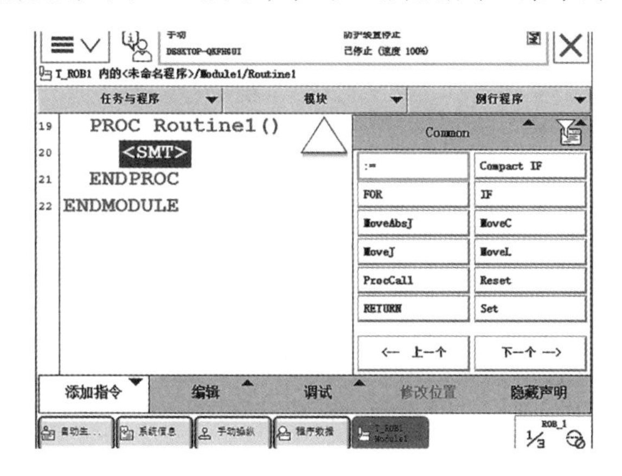

图 4-18　赋值指令的添加方法

在图 4-19 所示页面的右侧功能键，可添加加号、减号、括号等进行赋值运算表达式的编辑。

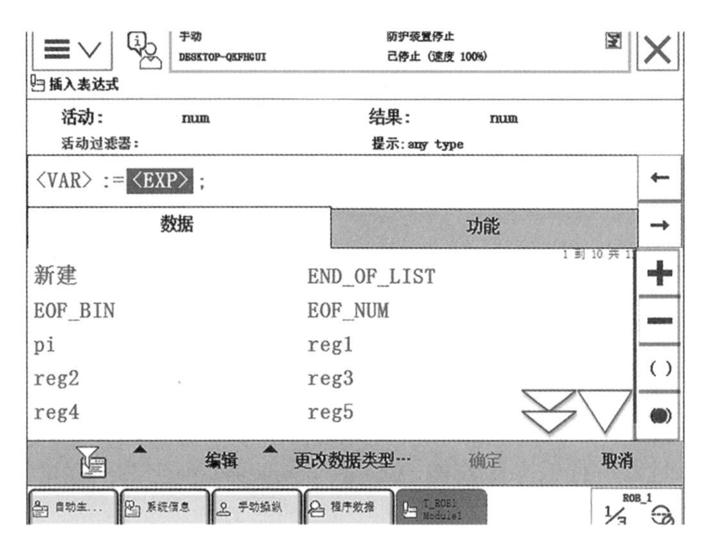

图 4-19　表达式编辑 1

如添加加号后，可选中“+”，在图 4-20 下方页面可以选择多种运算方式。

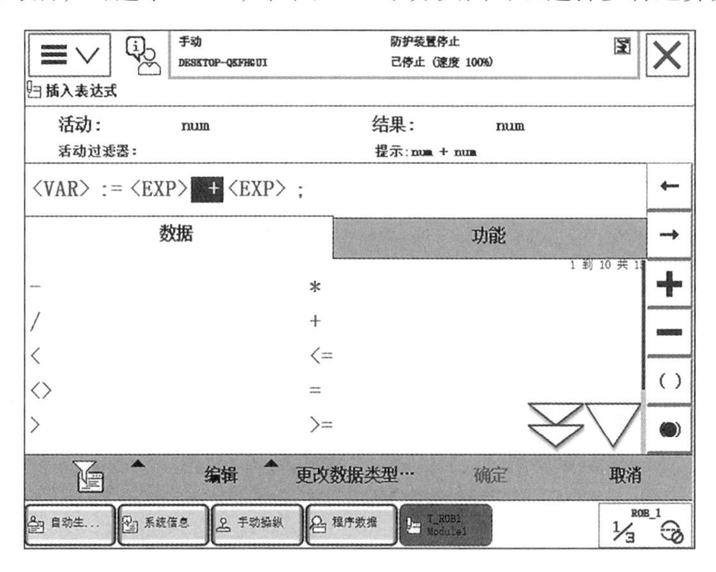

图 4-20　表达式编辑 2

3. 常用数学指令

（1）Clear 清除数值

Clear 用于清除数值变量或永久数据对象，即将数值设置为 0。

例：

Clear reg1；

Reg1 得以清除，即 reg1：=0。

（2）Add 加法指令

Add 用于将数值变量或者永久数据对象增减一个数值。

例 1：

Add reg1，3；

将 3 增加到 reg1，即 reg1：=reg1+3。

例 2：

Add reg1，-reg2；

reg2 的值得以从 reg1 中减去，即 reg1：=reg1–reg2。

（3）Incr 增 1 指令

Incr 用于将数值变量或者永久数据对象增加 1。

例：

Incr reg1；

将 1 增加至 reg1，即 reg1：=reg1+1。

（4）Decr 减 1 指令

Decr 用于将数值变量或者永久数据对象减去 1。

例：

Decr reg1；

从 reg1 中减去 1，即 reg1：=reg1–1。

【任务实施】

项目名称	工业机器人基础示教编程		任务名称	数据定义与赋值	
班级		姓名		学号		组别	
任务内容	本任务讲解了程序数据的定义方法，并且介绍了使用定义界面中“初始值”与赋值指令两种方法给程序数据赋值				
任务目标	1. 了解常用的数据类型的作用				
	2. 了解常用的数学指令				
	3. 掌握对不同类型的程序数据进行定义赋值的方法				

程序数据的定义与赋值

本任务中我们以新建 num 类型数据并将其赋值为例，说明程序数据定义与赋值的方法。

程序数据定义与赋值有两种方法，方法一：在程序数据的新建界面中，通过“初始值”按钮给数据赋予初始值 5。方法二：在定义了程序数据后，通过在程序中使用赋值指令的方法给数据赋值。该方法不仅可以将常量赋值给数据，也可以将表达式的值计算后给变量赋值。使用本方法前应按照任务 4.1 中介绍的方法首先建立程序模块与例行程序。程序数据定义与赋值的方法见表 4-13。

表 4-13 程序数据定义与赋值的方法

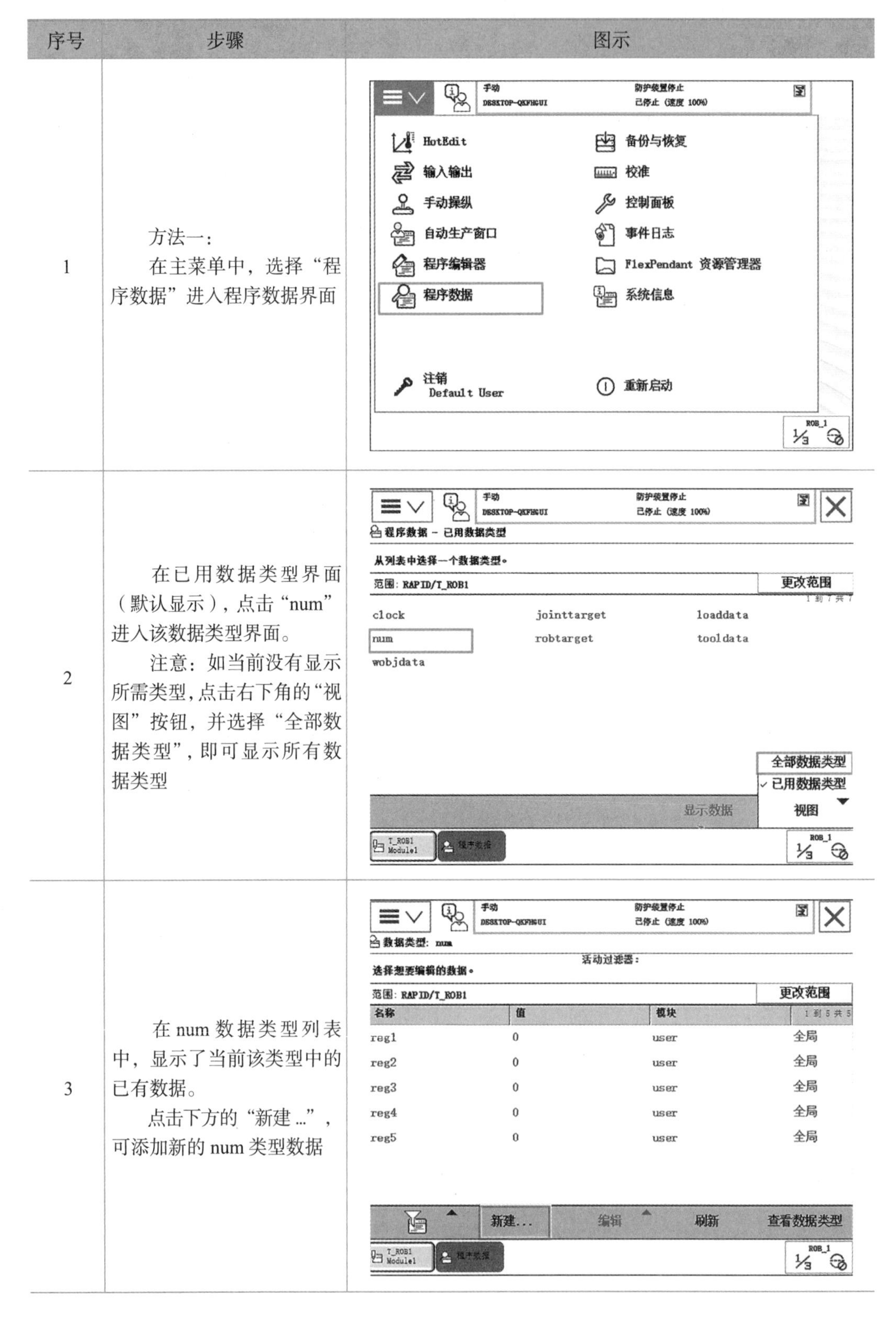

序号	步骤	图示
1	方法一： 在主菜单中，选择“程序数据”进入程序数据界面	
2	在已用数据类型界面（默认显示），点击“num”进入该数据类型界面。 注意：如当前没有显示所需类型，点击右下角的“视图”按钮，并选择“全部数据类型”，即可显示所有数据类型	
3	在 num 数据类型列表中，显示了当前该类型中的已有数据。 点击下方的“新建...”，可添加新的 num 类型数据	

表 4-13（续 1）

序号	步骤	图示
4	在右图所示新数据声明界面先修改所需的数据名称，然后点击左下角的“初始值”即可进行数据的赋值。 也可参照方法二使用赋值指令对该数据进行赋值	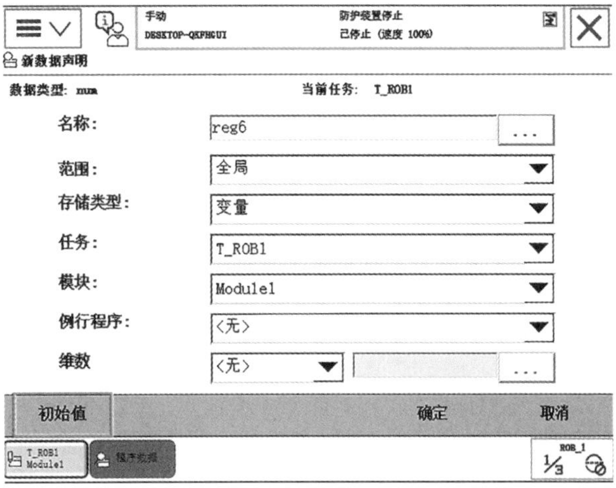
5	在图示界面中，点击并修改数值，点击“确定”按钮进行保存，至此完成程序数据的定义与赋值。 这里将 num 数据“reg6”的初始值赋为 5	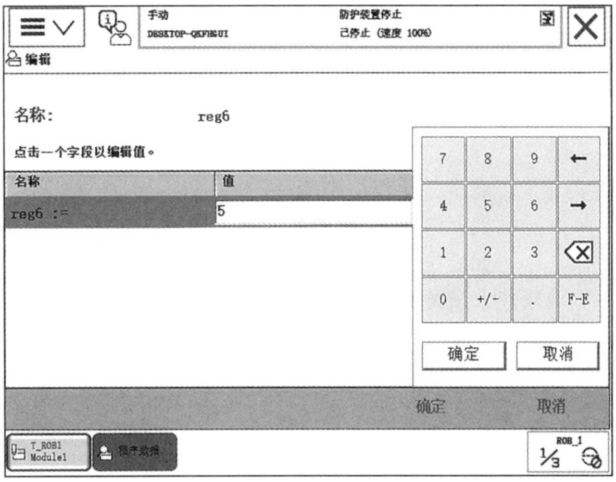
6	方法二： 在程序编辑器中，点击左下角“添加指令”，然后在右侧选中赋值指令	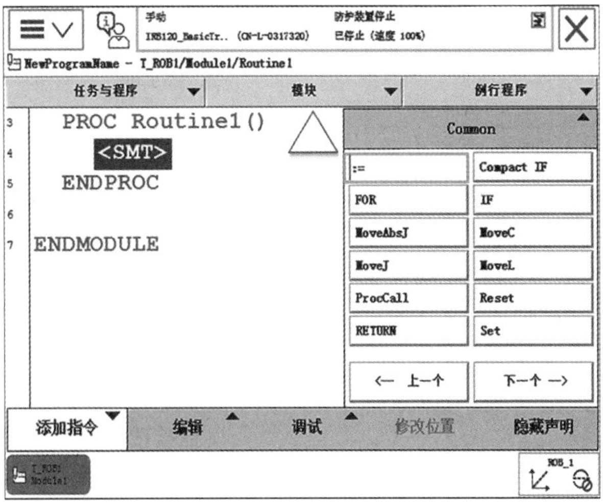

表 4-13（续 2）

序号	步骤	图示
7	在上方可见当前数据类型默认为“num”。 如需其他数据类型，可点击下方的“更改数据类型...”并按步骤 2~3 进行选择	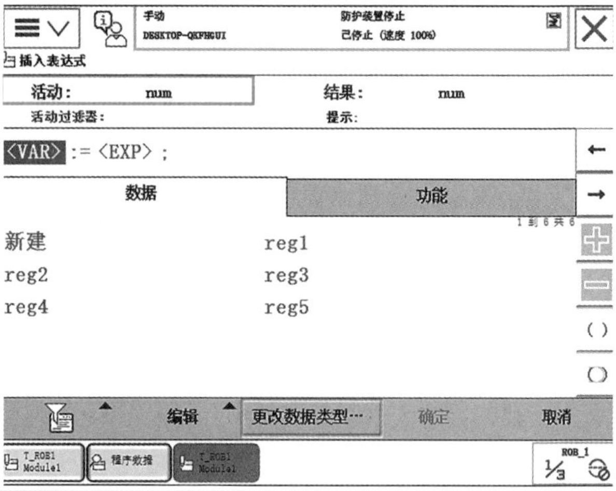
8	点击“新建”添加新的 num 类型数据。 如已按照方法一中步骤新建，请跳到步骤 10	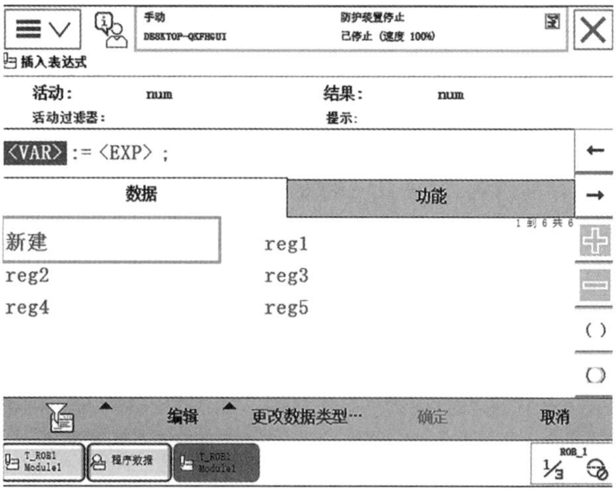
9	修改所需的数据名称，修改完毕点击“确定”按钮。然后用赋值指令对其进行赋值。 也可参考方法一点击左下角的“初始值”进行赋值	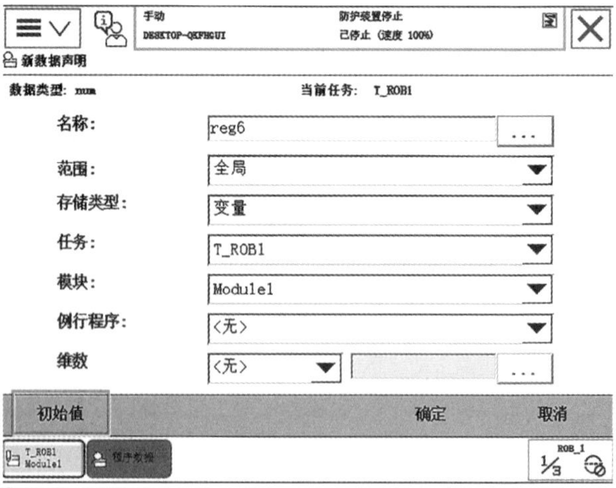

表 4-13（续 3）

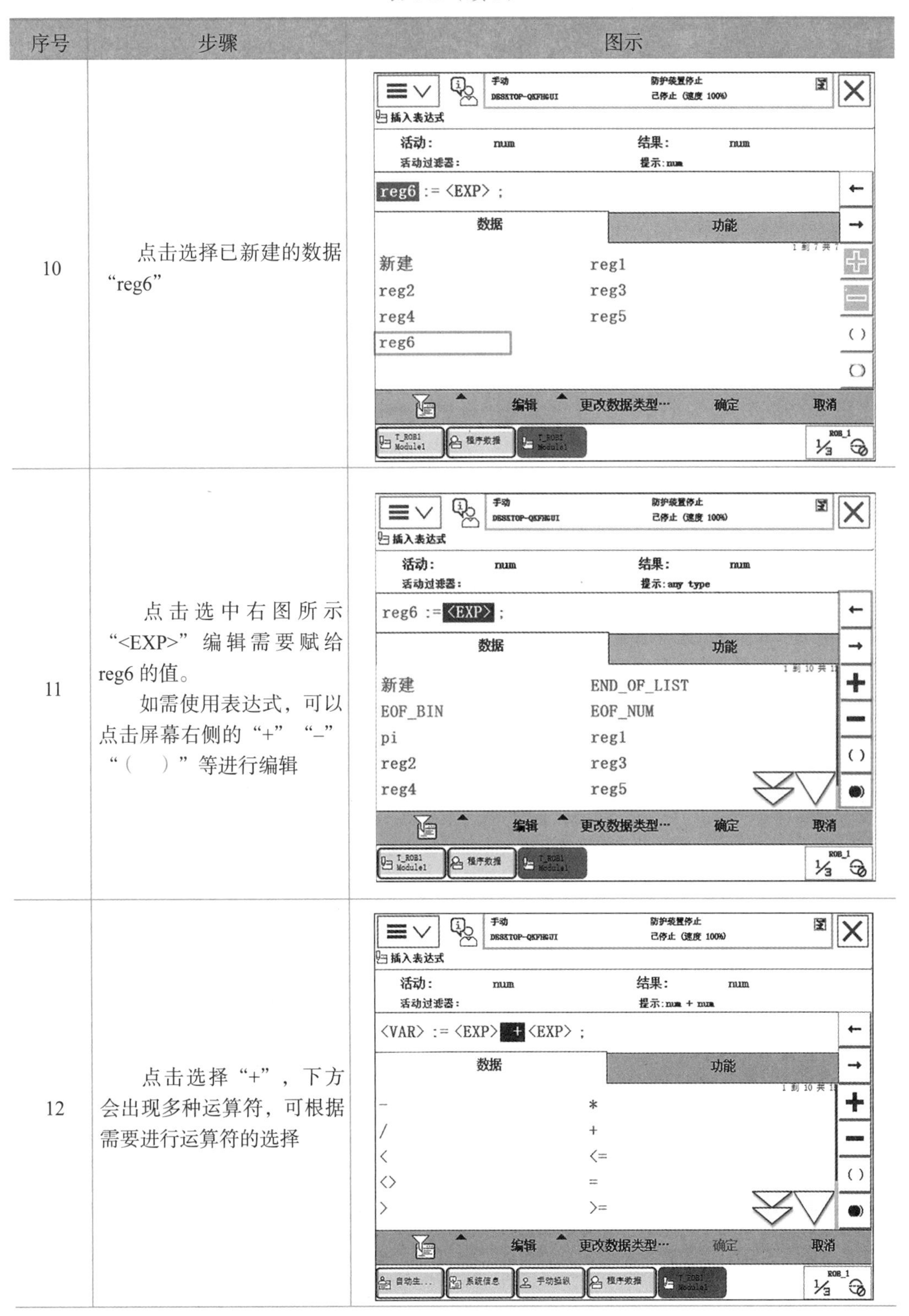

序号	步骤	图示
10	点击选择已新建的数据“reg6”	
11	点击选中右图所示“<EXP>”编辑需要赋给reg6的值。 如需使用表达式，可以点击屏幕右侧的“+”“–”“（　）”等进行编辑	
12	点击选择“+”，下方会出现多种运算符，可根据需要进行运算符的选择	

表 4-13（续 4）

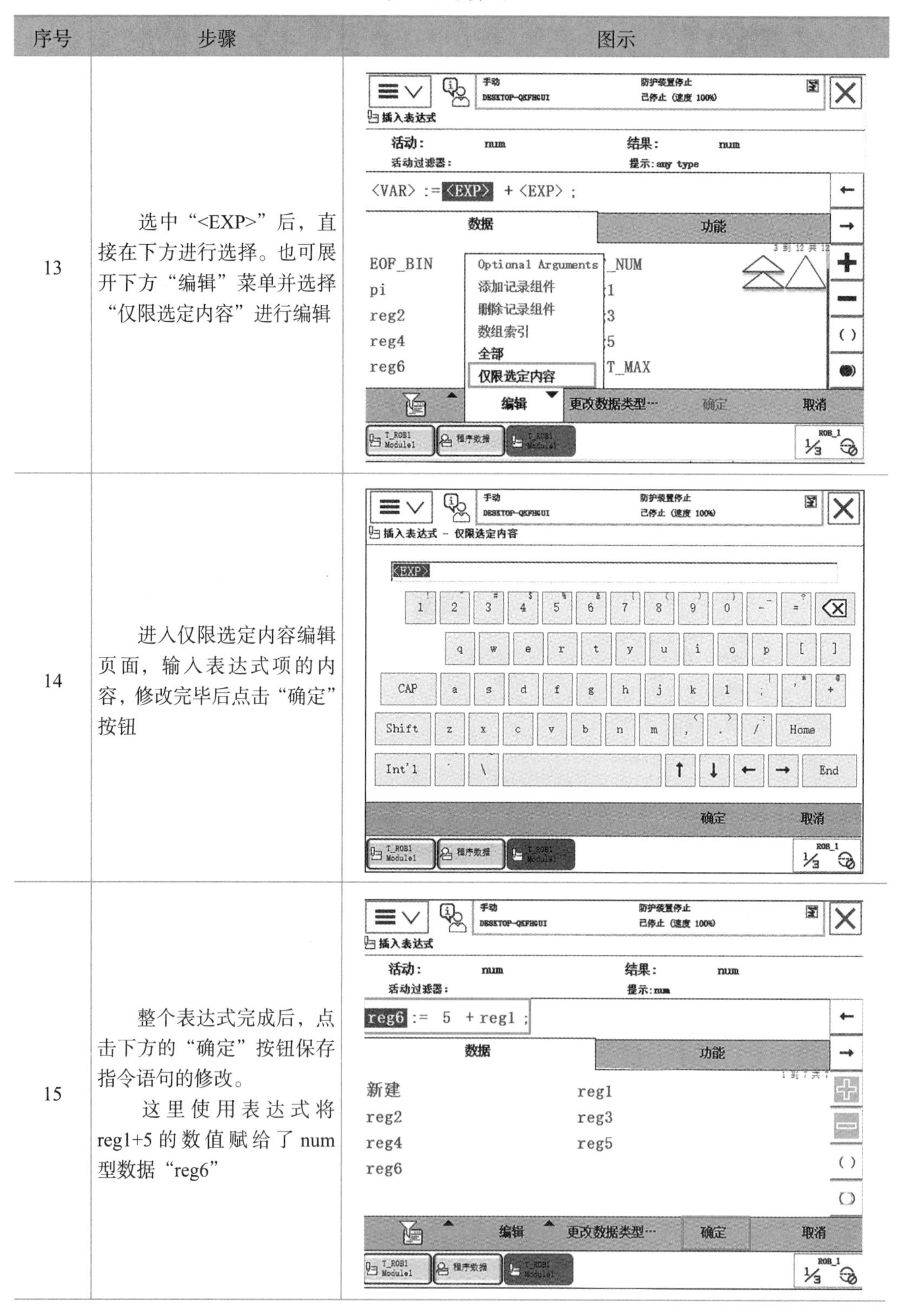

序号	步骤	图示
13	选中“<EXP>”后，直接在下方进行选择。也可展开下方“编辑”菜单并选择“仅限选定内容”进行编辑	
14	进入仅限选定内容编辑页面，输入表达式项的内容，修改完毕后点击“确定”按钮	
15	整个表达式完成后，点击下方的“确定”按钮保存指令语句的修改。 这里使用表达式将 reg1+5 的数值赋给了 num 型数据“reg6”	

表 4-13（续 5）

序号	步骤	图示
16	点击“确定”按钮后返回程序编辑界面，完成赋值指令语句的添加，如右图所示	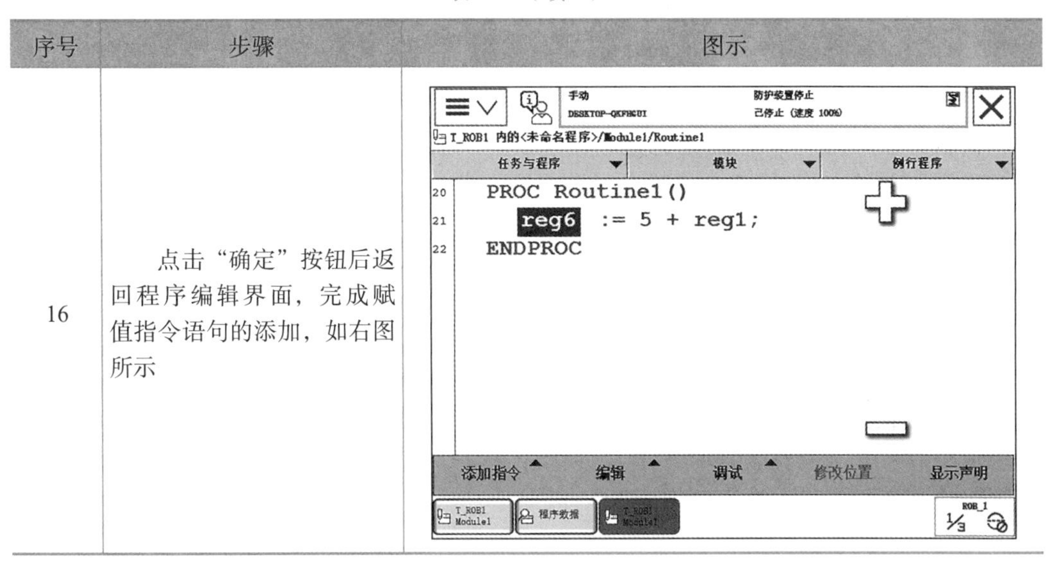

任务 4.5　逻辑判断指令与程序调用指令的配合使用

【任务描述】

在编程中，逻辑判断指令提供了对条件进行判断、循环等功能，有助于优化程序流程。程序调用指令可将较大的程序分为若干子程序，令程序结构更加清晰。本任务中，首先讲解了 IF、FOR、WHILE、TEST、ProcCall 等指令的使用方法，然后通过两个案例说明了逻辑判断与程序调用指令的使用方法。

【知识准备】

1. 常用逻辑判断指令

在编程时，常需对给定条件进行判断，并在条件满足与不满足时执行对应程序。在这些情景下，就需要使用逻辑判断指令了。常用的逻辑判断指令有 IF、Compact IF、FOR、WHILE 和 TEST。下面依次对逻辑判断指令的使用方法进行讲解。

（1）IF 条件判断指令

IF 作为编程中常用的指令之一，在各种需要对条件进行判断以及程序分支的地方均发挥了很大作用。以下通过两个实际案例展示 IF 指令的使用方法：

例 1：

```
IF reg1 > 5 THEN
    Set do1;
    Set do2;
```

```
ENDIF
```

当 reg1 大于 5 时，将信号 do1 和 do2 置位。

例 2：

```
IF reg1 > 5 THEN
  Set do1;
  Set do2;
ELSE
  Reset do1;
  Reset do2;
ENDIF
```

当 reg1 大于 5 时，将信号 do1 和 do2 置位，否则将信号 do1 和 do2 复位。

（2）Compact IF 紧凑型判断指令

紧凑型条件判断指令与 IF 逻辑判断指令类似，但是语句结构更加紧凑，节省了程序空间。

例：

```
IF reg1 > 5 GOTO next;
```

如果 reg1 大于 5，则从 next 标签处继续程序执行。此处 IF 后为判断的条件，GOTO next 为满足条件时执行的语句。

（3）FOR 重复执行指令

重复执行指令用于循环执行某一行或多行程序段。FOR 指令判定标准为特定的变量，只要该变量满足设定范围，即可循环执行循环内的程序段。

例 1：

```
FOR i FROM 1 TO 10 DO
  routine1;
ENDFOR
```

重复 routine1 无返回值程序 10 次。

例 2：

```
FOR i FROM 10 TO 2 STEP -2 DO
  a{i}: = a{i-1};
ENDFOR
```

本例增加了步长（步长为 –2），实现了将数组中的数值向上调整的功能，以便使 a{10}：=a{9}、a{8}：=a{7}，等等。

（4）WHILE 指令

WHILE 指令用于判定条件满足时，重复执行对应指令。

例：

```
WHILE reg1 < reg2 DO
  ...
  reg1: = reg1 + 1;
ENDWHILE
```

只要 reg1< reg2，则重复 WHILE 块中的指令。

（5）TEST 指令

根据表达式或数据的值，当有待执行不同的指令时，使用 TEST 指令。当选择较少时，可使用 IF...ELSE 替代。

例：

```
TEST reg1
  CASE 1，2，3：
  routine1；
  CASE 4：
  routine2；
  DEFAULT：
  TPWrite "Illegal choice"；
  Stop；
ENDTEST
```

根据 reg1 的值，执行不同的指令。如果该值为 1，2 或 3，则执行 routine1；如果该值为 4，则执行 routine2。否则，打印出错误消息，并停止执行。

2. ProcCall 指令

当工业机器人需要重复某一段动作、逻辑判断等在一个完整的生产流程中时，无须将程序重复多遍。可以将一个大的工作流程分解为若干个独立的小流程，当流程重复时，只需要对这个小流程进行重复调用即可。而 RAPID 中用于调用例行程序的指令是 ProcCall。

ProcCall 调用的只能是没有返回值的 Procedure 例行程序，而有返回值的 Function 类型必须在表达式中进行调用。

例 1：

```
weldpipe1；
```

调用 weldpipe1 无返回值程序。

例 2：

```
weldpipe2 10，lowspeed；
```

调用包含两个参数的 weldpipe2 无返回值程序。

值得注意的是，程序可相互调用，并反过来调用另一个程序。程序亦可自我调用，即递归调用。

3. 带参数的例行程序

在创建例行程序时，可以在“参数”选项中为例行程序添加参数。通过添加例行程序参数，可以实现程序适应更多变化，例如可以编写一个例行程序来实现机器人的增量移动。

例：

```
PROC DMOVE（X1，Y1，Z1）
  MoveL Offs（CRobT（），X1，Y1，Z1），v200，fine，tool0；
```

ENDPROC

从这个例子中可以看出，带参数的例行程序中，参数作为一个输入变量，可以用于运动等指令中。但与函数有所不同，带参数的例行程序的输入变量不会作为一个返回值输出，但是可以从运动等方式中表现出来，关于函数的内容将会在任务 5.1 中详细讲解。

例行程序声明中的参数 *X*1、*Y*1、*Z*1 作为输入变量实际上是形式参数（简称形参），即只在例行程序内部有效。我们可以使用 DMOVE 1，2，3；这样的语句，这里的 1，2，3 就是实际的参数（简称实参）。在使用了这样一个语句后，三个形参被赋予了相应的值并应用于例行程序中。

【任务实施】

项目名称	工业机器人基础示教编程			任务名称	逻辑判断指令与程序调用指令的配合使用		
班级		姓名		学号		组别	
任务内容	本任务中，通过 FOR 循环示教若干个相同的圆形轨迹，以及通过条件判断指令 IF 实现程序分支，讲解了逻辑判断指令与程序调用指令的使用方法						
任务目标	1. 掌握常用逻辑判断指令的使用方法						
	2. 掌握 ProcCall 指令的使用方法						

1. 使用 FOR 循环实现多个重复轨迹

FOR 循环用于重复多次且已知次数的相同流程中。现要重复任务 4.2 中的圆形轨迹 *n* 次，次数 *n* 在主程序调用时作为例行程序的输入参数，本例使用 For 循环实现。本例中点位与任务 4.2 中圆形轨迹示教的点位相同，使用 FOR 循环实现多个重复轨迹的方法见表 4-14。

表 4-14 使用 FOR 循环实现多个重复轨迹的方法

序号	步骤	图示
1	新建例行程序并将例行程序命名为 ForCirculation。 点击“参数”后的“...”进入例行程序参数选择界面	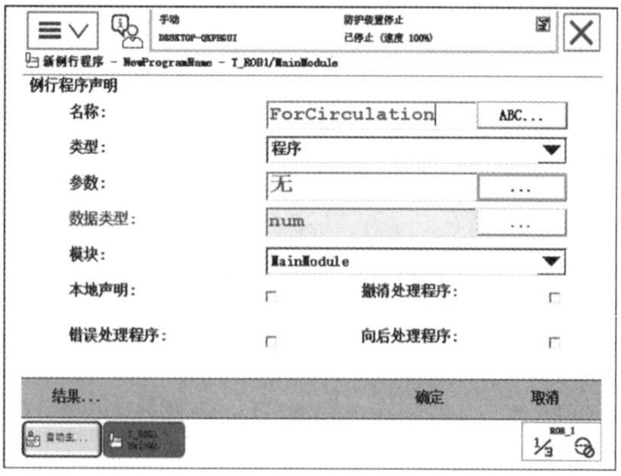

表 4-14（续 1）

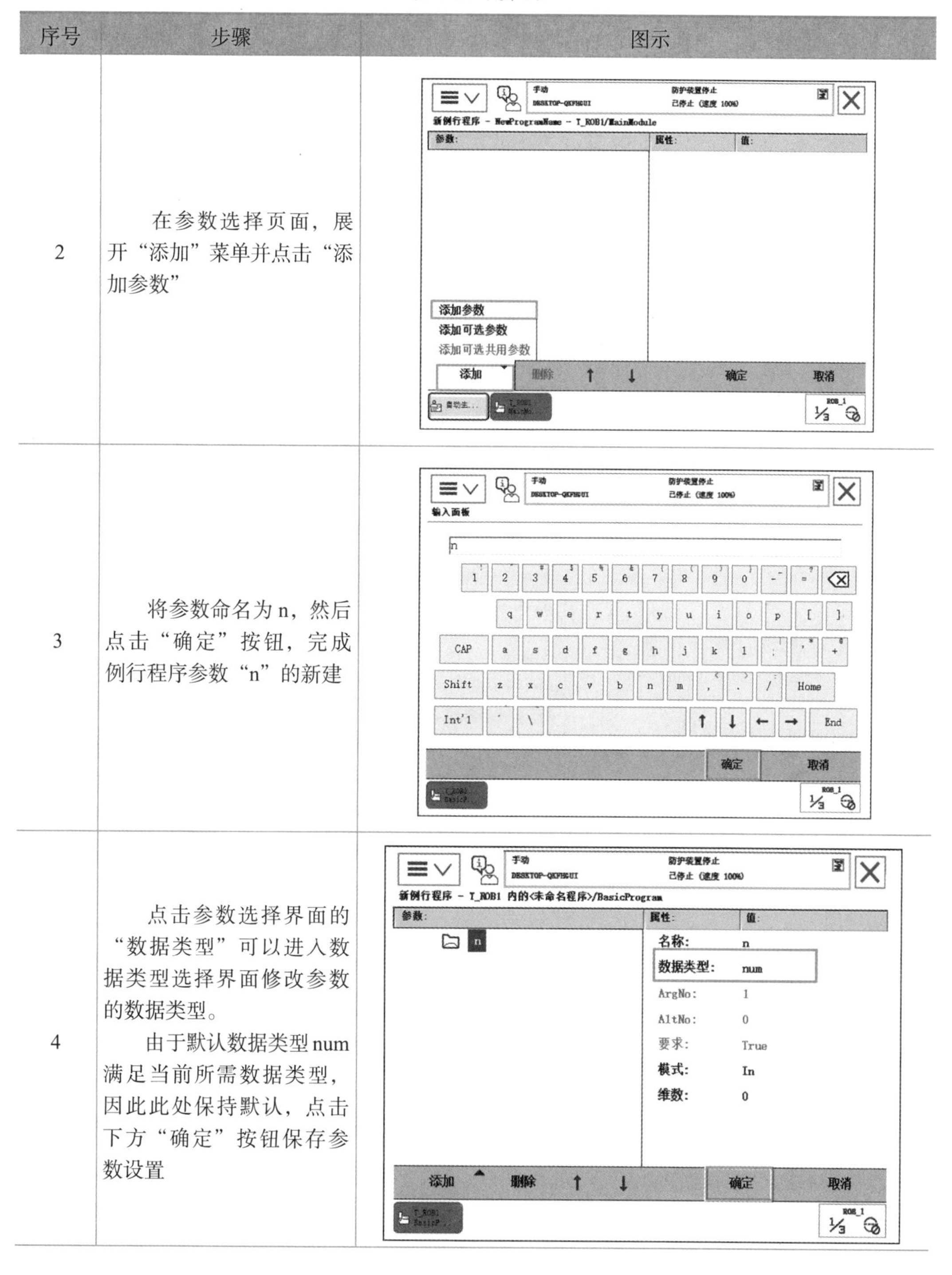

序号	步骤	图示
2	在参数选择页面，展开“添加”菜单并点击“添加参数”	
3	将参数命名为 n，然后点击“确定”按钮，完成例行程序参数“n”的新建	
4	点击参数选择界面的“数据类型”可以进入数据类型选择界面修改参数的数据类型。 由于默认数据类型 num 满足当前所需数据类型，因此此处保持默认，点击下方“确定”按钮保存参数设置	

表 4-14（续 2）

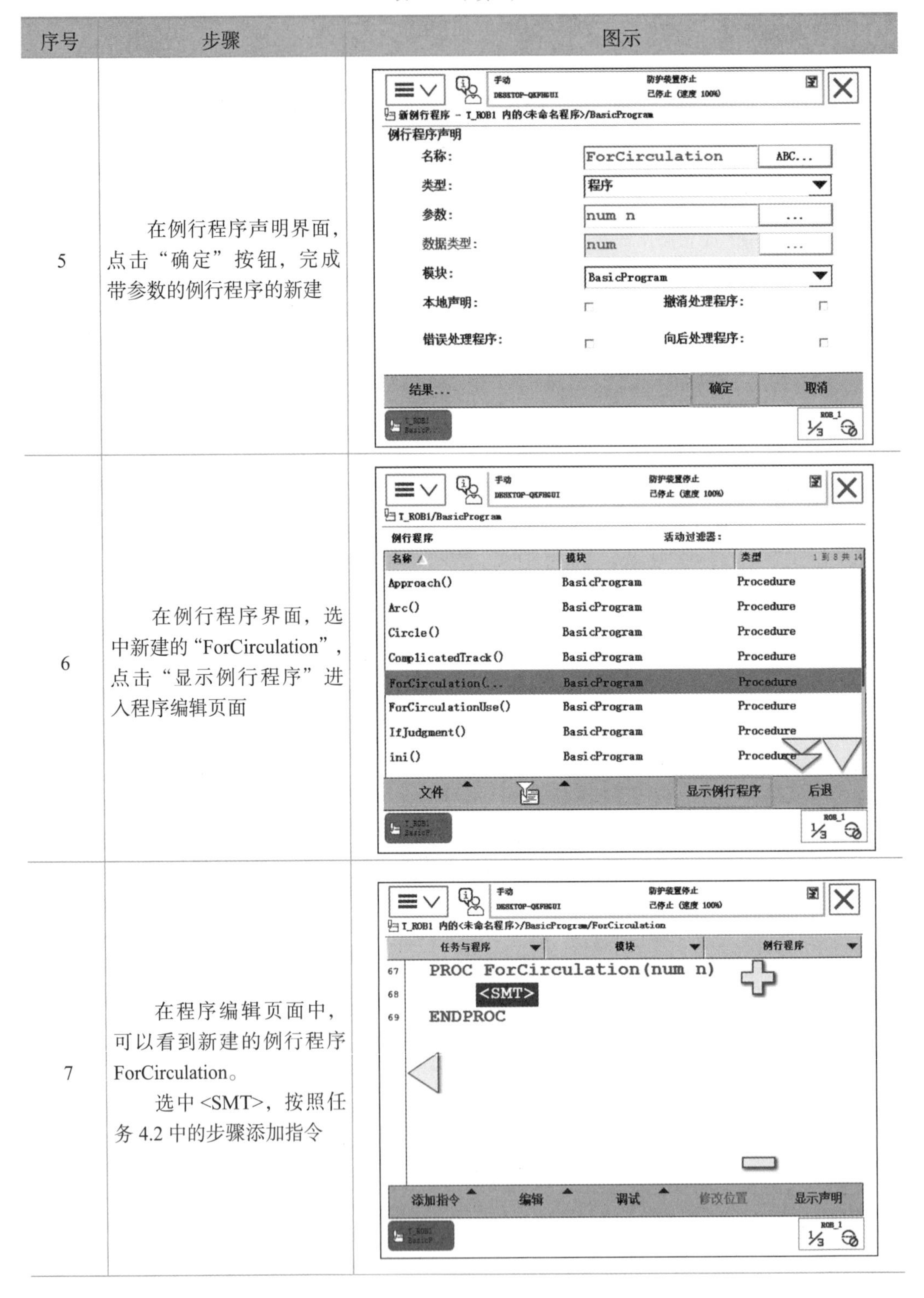

序号	步骤	图示
5	在例行程序声明界面，点击“确定”按钮，完成带参数的例行程序的新建	
6	在例行程序界面，选中新建的“ForCirculation”，点击“显示例行程序”进入程序编辑页面	
7	在程序编辑页面中，可以看到新建的例行程序 ForCirculation。 选中 <SMT>，按照任务 4.2 中的步骤添加指令	

表 4-14（续 3）

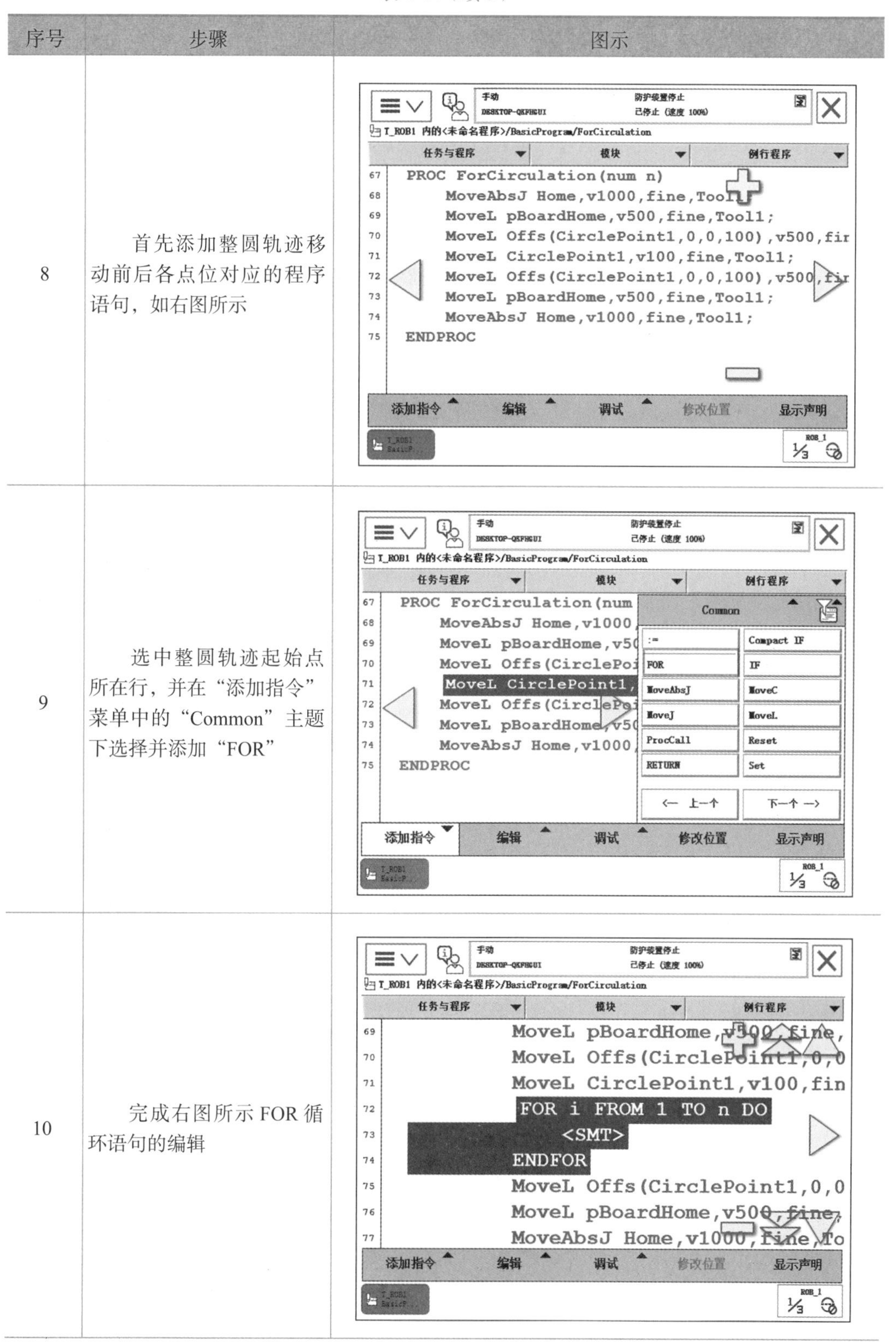

序号	步骤	图示
8	首先添加整圆轨迹移动前后各点位对应的程序语句，如右图所示	
9	选中整圆轨迹起始点所在行，并在“添加指令”菜单中的“Common”主题下选择并添加“FOR”	
10	完成右图所示 FOR 循环语句的编辑	

表 4-14（续 4）

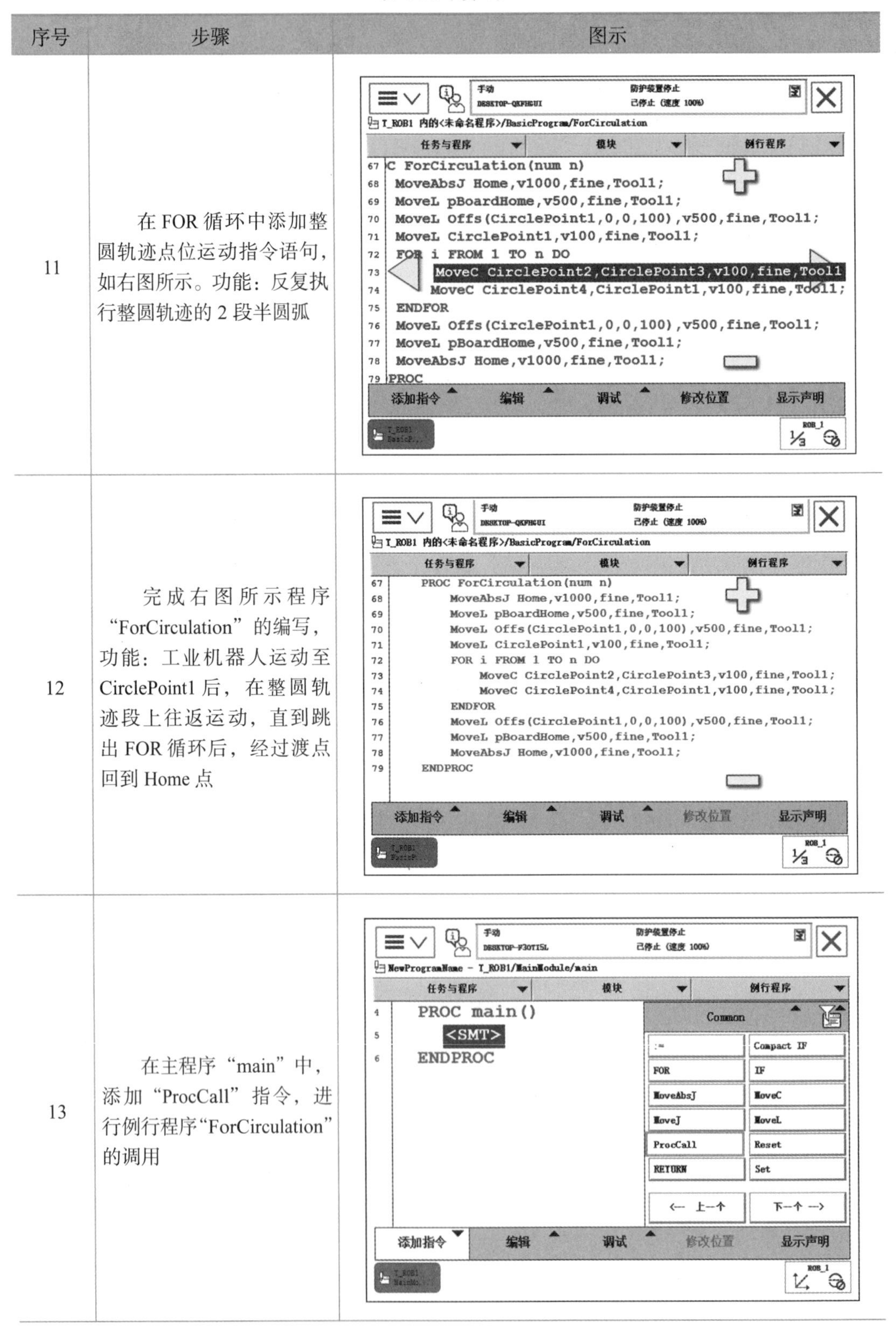

序号	步骤	图示
11	在 FOR 循环中添加整圆轨迹点位运动指令语句，如右图所示。功能：反复执行整圆轨迹的 2 段半圆弧	
12	完成右图所示程序“ForCirculation”的编写，功能：工业机器人运动至 CirclePoint1 后，在整圆轨迹段上往返运动，直到跳出 FOR 循环后，经过渡点回到 Home 点	
13	在主程序“main”中，添加“ProcCall”指令，进行例行程序“ForCirculation”的调用	

表 4-14（续 5）

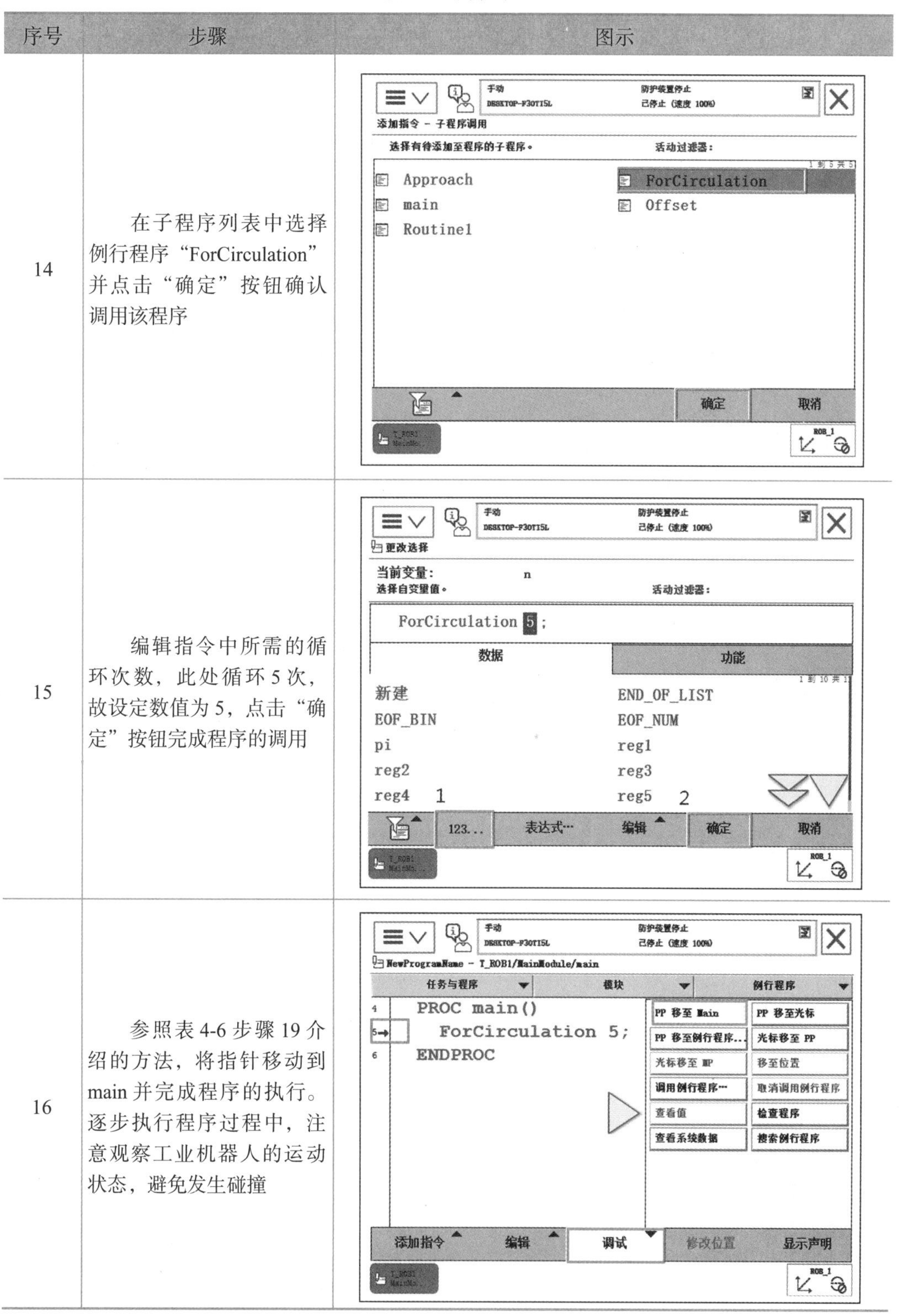

序号	步骤	图示
14	在子程序列表中选择例行程序“ForCirculation”并点击“确定”按钮确认调用该程序	
15	编辑指令中所需的循环次数，此处循环 5 次，故设定数值为 5，点击“确定”按钮完成程序的调用	
16	参照表 4-6 步骤 19 介绍的方法，将指针移动到 main 并完成程序的执行。逐步执行程序过程中，注意观察工业机器人的运动状态，避免发生碰撞	

2. 使用 IF 指令实现轨迹示教选择

利用 IF 指令实现圆形和三角形示教轨迹的选择

编程中常需使用 IF 指令进行判断和实现程序分支。本例中需使用 IF 指令进行判断，这里提供示教器读取一个数字的值，若值为 1 则画三角形（图 4-21（b）），若值为 0 则画圆形（图 4-21（a））。在进行本例中操作前，应首先建立好 IfJudgment 例行程序和 Triangle（三角形轨迹）与 Circle（圆形轨迹）两个子程序。

（a）圆形轨迹

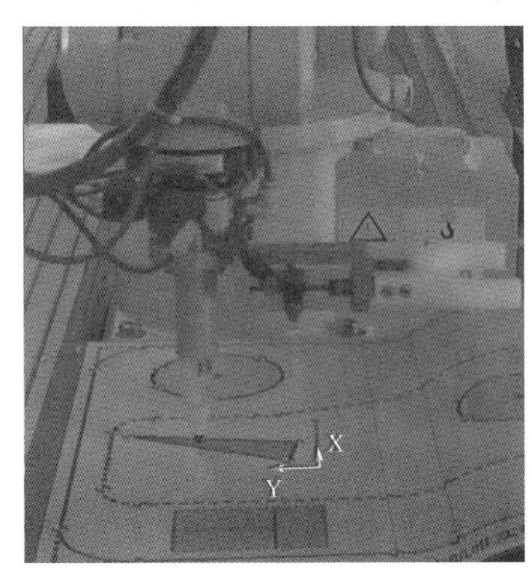

（b）三角形轨迹

图 4-21　使用 IF 指令进行选择的轨迹

本例中 reg1 为一 num 类型变量，三角形子程序中有 TrianglePoint1~3 三个示教点对应三角形各边交点，圆形子程序中有 CirclePoint1~4 四个示教点，可以是圆上任意四点。使用 IF 指令实现轨迹示教选择的方法见表 4-15。

表 4-15　使用 IF 指令实现轨迹示教选择的方法

序号	步骤	图示
1	按照任务 4.1 中介绍的方法，添加例行程序 IfJudgment 并打开程序编辑器界面，如右图所示	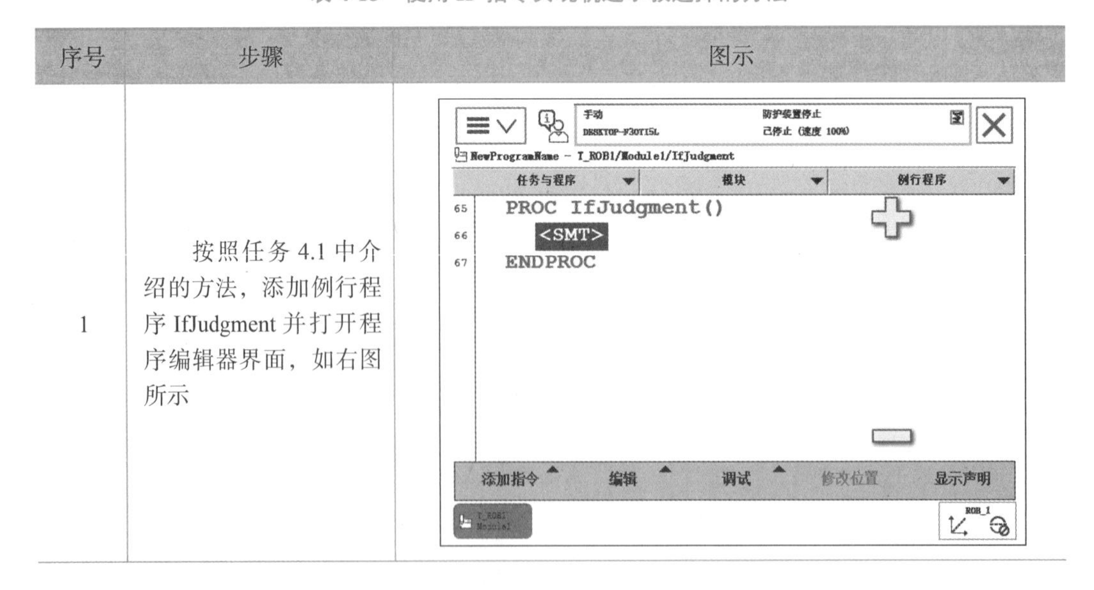

表 4-15（续 1）

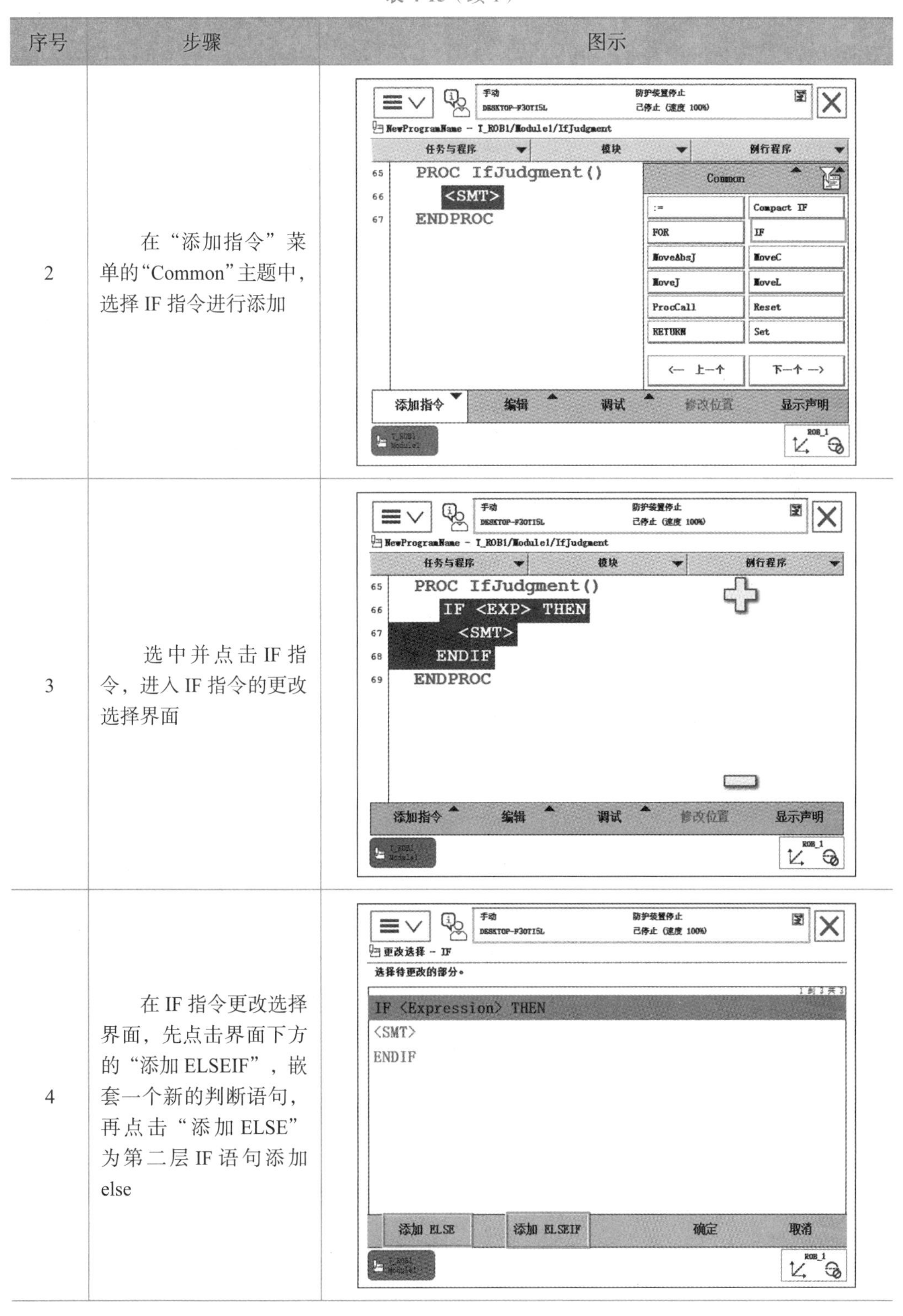

序号	步骤	图示
2	在“添加指令”菜单的“Common”主题中，选择 IF 指令进行添加	
3	选中并点击 IF 指令，进入 IF 指令的更改选择界面	
4	在 IF 指令更改选择界面，先点击界面下方的“添加 ELSEIF”，嵌套一个新的判断语句，再点击“添加 ELSE”为第二层 IF 语句添加 else	

表 4-15（续 2）

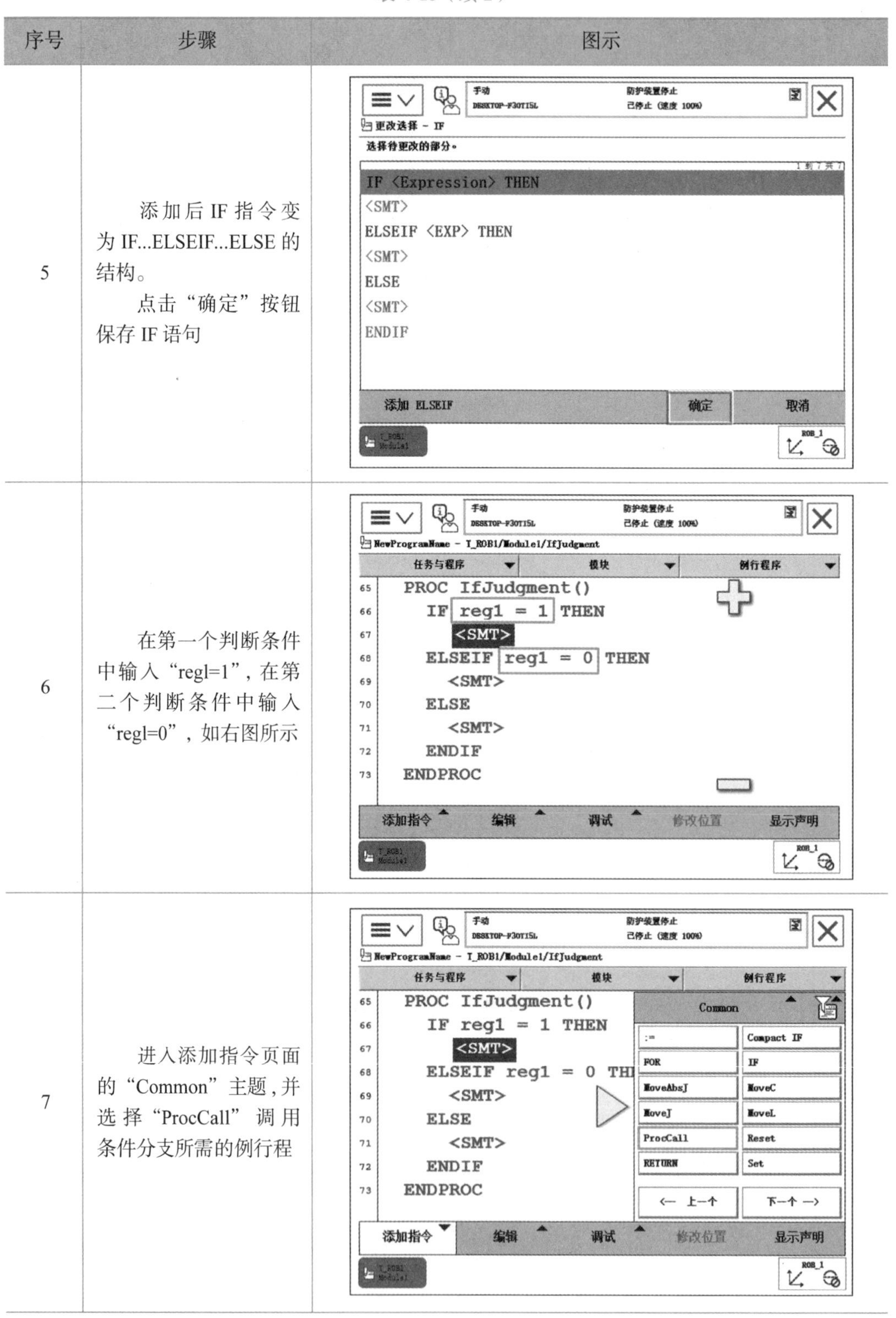

序号	步骤	图示
5	添加后 IF 指令变为 IF...ELSEIF...ELSE 的结构。 点击“确定”按钮保存 IF 语句	
6	在第一个判断条件中输入“regl=1”，在第二个判断条件中输入“regl=0”，如右图所示	
7	进入添加指令页面的“Common”主题，并选择“ProcCall”调用条件分支所需的例行程	

表 4-15（续 3）

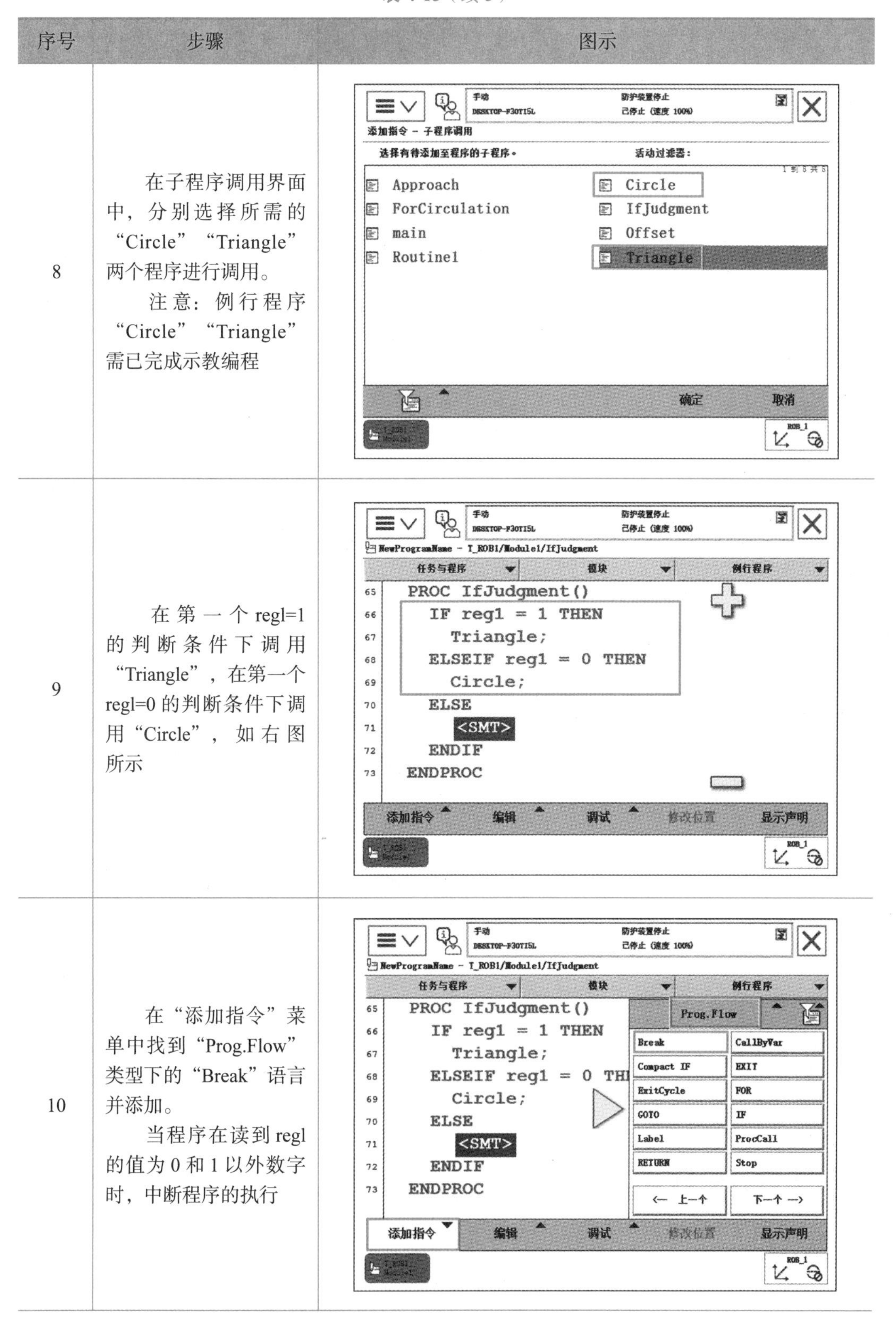

序号	步骤	图示
8	在子程序调用界面中，分别选择所需的“Circle”“Triangle”两个程序进行调用。 注意：例行程序“Circle”“Triangle”需已完成示教编程	
9	在第一个 regl=1 的判断条件下调用“Triangle”，在第一个 regl=0 的判断条件下调用“Circle”，如右图所示	
10	在“添加指令”菜单中找到“Prog.Flow”类型下的“Break”语言并添加。 当程序在读到 regl 的值为 0 和 1 以外数字时，中断程序的执行	

表 4-15（续 4）

序号	步骤	图示
11	编辑好的判断程序如右图所示。 功能：当程序在读到 reg1 的值为 0 和 1 以外数字时，中断程序的执行	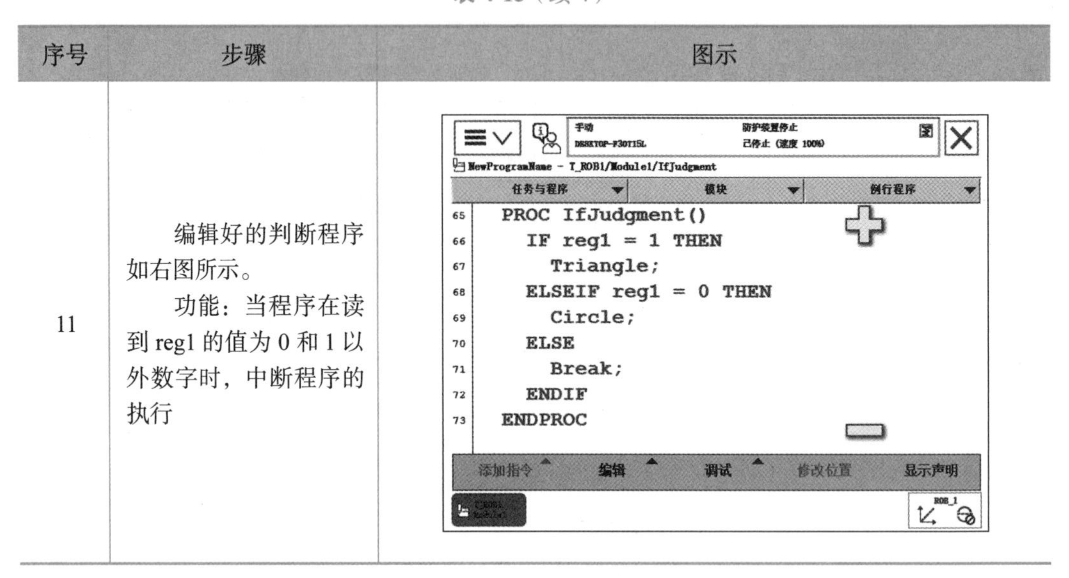

任务 4.6　I/O 控制指令的应用

【任务描述】

项目 3 中已经学习了 I/O 通信的设置方法，在这些 I/O 信号被定义好之后，通过在程序中调用相应的 I/O 指令，不仅可以对信号的值进行设置，还可以设置工业机器人在收到相应信号前进行等待，使其在收到信号后进行相应的动作。本任务中，通过对常用 I/O 控制指令进行讲解，并且以置位指令为例，讲解了 I/O 控制指令的使用方法。

【知识准备】

I/O 控制指令指的是用于控制 I/O 信号的输出值，以及实现工业机器人系统与周边设备通信的指令。通过这些指令可以实现信号交互的功能，例如工业机器人收到 PLC 信号时，会做出相应动作等。

1. Set 数字量输出信号置位

Set 用于将指定数字量输出信号设置为“1”。

例：

```
Set do15;
```

将信号 do15 设置为 1。

2. Reset 数字量输出信号复位

Reset 用于将指定数字量输出信号设置为“0”。

例：

```
Reset do15;
```

将信号 do15 设置为 0。

3. SetAO 改变模拟量输出信号的值

SetAO（Set Analog Output）用于将模拟量输出信号设置为指定的值。

例：

SetAO ao2，5.5；

将信号 ao2 设置为 5.5。

4. SetDO 改变数字量输出信号的值

SetDO（Set Digital Output）用于将数字量输出信号设置为指定的值。

例：

SetDO do15，1；

将信号 do15 设置为 1。

5. SetGO 改变数字量组输出信号的值

SetGO（Set Group Output）用于将数字量组输出信号设置为指定的值。

例：

SetGO go2，12；

将信号 go2 设置为 12。在任务 3.2 中我们将组输出信号地址定义为 0~7，则以 0 为低位、7 为高位，将 12 转换为二进制数 00001100，故地址位 2 和 3 被设置为 1，其他位被设置为 0。

6. WaitAI 等待至已设置模拟量输入信号值

WaitAI（Wait Analog Input）用于等待，直至已设置模拟量信号输入信号值。

例 1：

WaitAI ai1，\GT，5；

仅在 ai1 模拟量信号输入具有大于 5 的值之后，方可继续执行程序。

例 2：

WaitAI ai1，\LT，5；

仅在 ai1 模拟量信号输入具有小于 5 的值之后，方可继续执行程序。

此处 \GT 与 \LT 分别为 Greater Than 与 Less Than 的缩写，是用于比较大于与小于的可选参数。

7. WaitAO 等待至已设置模拟量输出信号值

WaitAO（Wait Analog Output）用于等待，直至该模拟量达到设定值时，就可以继续执行程序。

例：

WaitAO ao1，\GT，5；

仅在 ao1 模拟量信号输出具有大于 5 的值之后，方可继续程序执行。

8. WaitDI 等待至已设置数字量输入信号值

WaitDI（Wait Digital Input）用于等待，直至已设置数字量信号输入。

例：

WaitDI di4，1；

仅在已设置 di4 输入（即 di4=1）后，继续执行程序。

9. WaitDO 等待至已设置数字量输出信号值

WaitDO（Wait Digital Output）用于等待，直至已设置数字量输出信号值。

例：

WaitDO do4，1；

仅在已设置 do4 输出（即 do4=1）后，继续执行程序。

10. WaitGI 等待至已设置数字量组输入信号值

WaitGI（Wait Group Digital Input）用于等待，直至将一组数字量输入信号设置为指定值。

例：

WaitGI gi4，5；

仅在 gi4 输入具有值 5 后，继续执行程序。

11. WaitGO 等待至已设置数字量组输出信号值

WaitGO（Wait Group Digital Output）用于等待，直至将一组数字量信号输出信号设置为指定值。

例：

WaitGO go4，5；

仅在 go4 输出具有值 5 后，继续执行程序。

【任务实施】

项目名称	工业机器人基础示教编程		任务名称	I/O 控制指令的应用	
班级		姓名	学号		组别
任务内容	本任务中以置位指令为例，通过对 do1 信号进行置位，说明 I/O 控制指令的使用方法				
任务目标	掌握常用 I/O 指令的使用方法				

在工业机器人操作与编程过程中，常需要使用气动快换接口、夹具等，这些气动部件需要通过工业机器人 Set 或 Reset 信号进行开启与关闭。本例中就以 Set 指令置位 do1 信号为例，展示 I/O 控制指令的使用。在进行操作之前需按任务 3.2 中方法定义好“do1”信号。置位指令的使用方法见表 4-16。

表 4-16　置位指令的使用方法

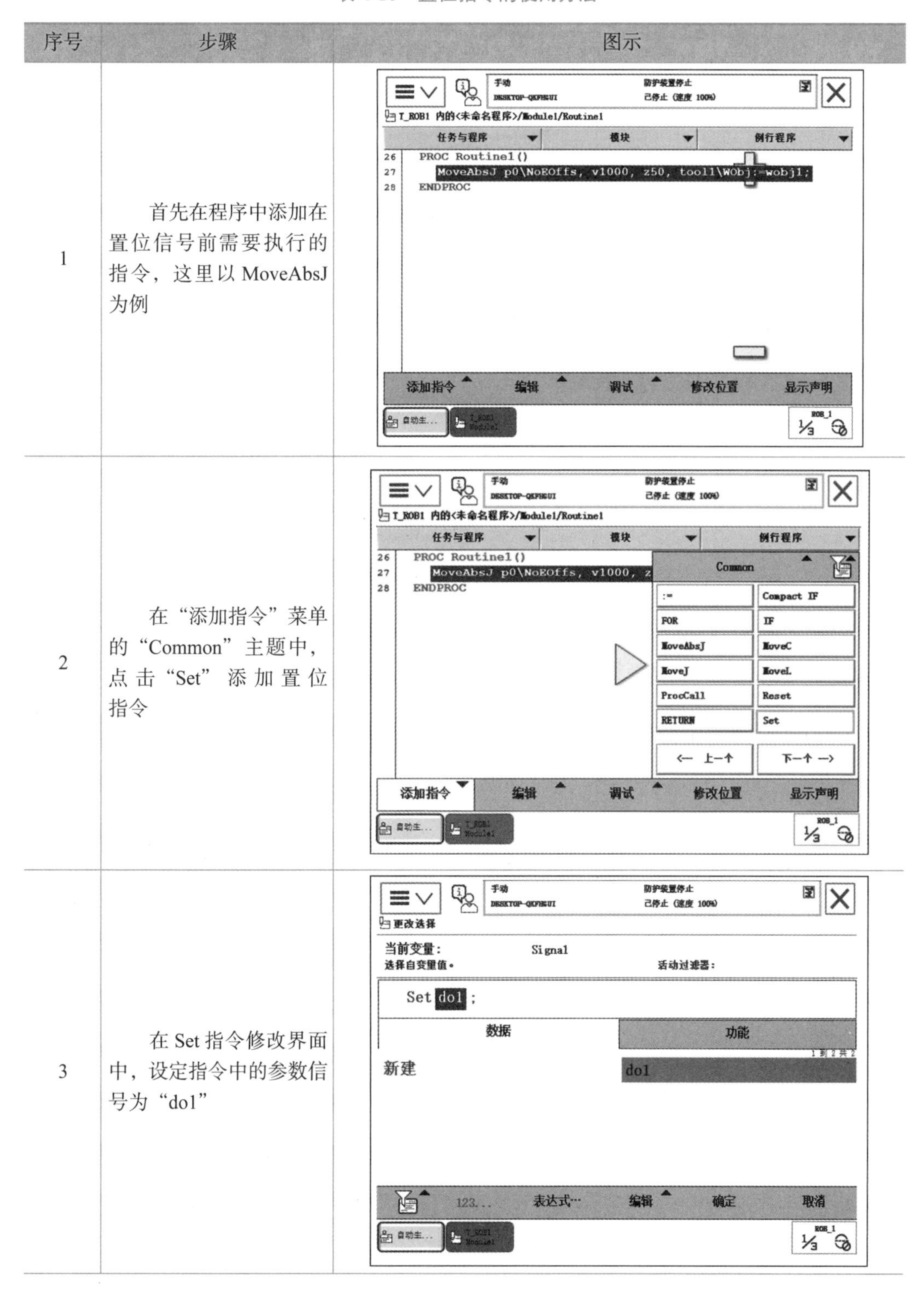

序号	步骤	图示
1	首先在程序中添加在置位信号前需要执行的指令，这里以 MoveAbsJ 为例	
2	在“添加指令”菜单的“Common”主题中，点击“Set”添加置位指令	
3	在 Set 指令修改界面中，设定指令中的参数信号为“do1”	

表 4-16（续 1）

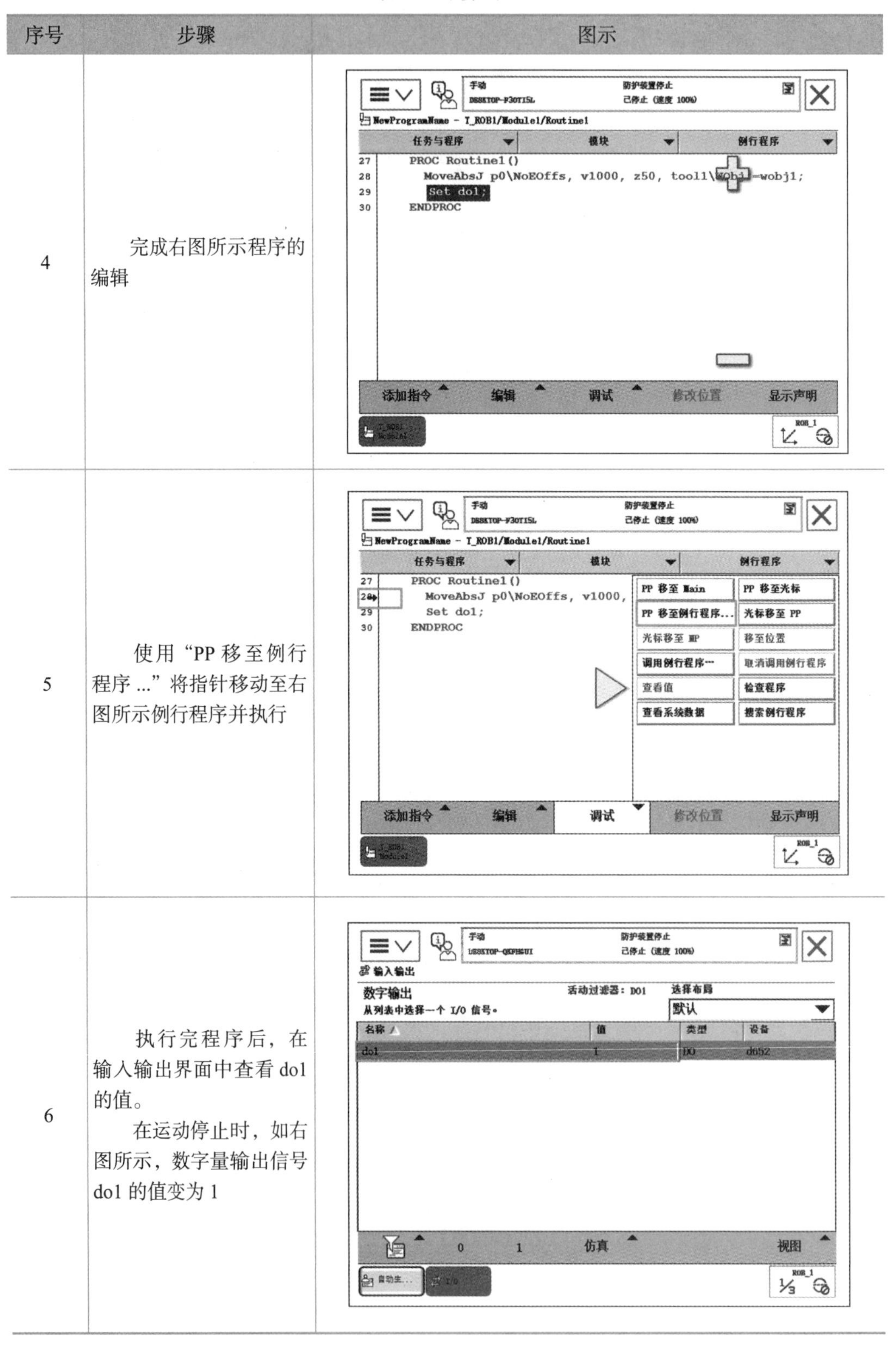

序号	步骤	图示
4	完成右图所示程序的编辑	
5	使用“PP 移至例行程序 ...”将指针移动至右图所示例行程序并执行	
6	执行完程序后，在输入输出界面中查看 do1 的值。 在运动停止时，如右图所示，数字量输出信号 do1 的值变为 1	

【项目评测】

1. 选择题

（1）每台工业机器人可以有（　　）个主程序。

A.1个　　B.3　　C.5个　　D. 没有限制

（2）当工业机器人加速度设置为8%时，实际加速度为（　　）。

A.8%　　B.10%　　C.20%　　D.40%

2. 填空题

（1）一个程序模块中所包含的对象可以有________、________、________、________。

（2）工件坐标系常用的定义方法是________。

3. 判断题

（1）（　　）在MoveAbsJ中使用过的点位可以直接在MoveJ中使用。

（2）（　　）Return指令仅用于函数返回值。

（3）（　　）RelTool与Offs是一样的。

项目 5　工业机器人高级示教编程

在已经完成机器人基础示教编程的基础上，为了让机器人实现更加复杂的功能，可以使用函数、跳转、标签等高级功能，以使程序结构更加合理与清晰。本项目介绍了函数与中断的使用方法，同时还讲解了带参数的程序的使用、程序的自动运行程序、程序模块的导入导出等内容。

任务 5.1　函数的定义与调用

【任务描述】

函数与例行程序最大的不同在于函数具有返回值，且可作为指令中的参数或使用赋值指令进行调用。本任务讲解了函数的使用方法，同时还介绍了 Return 在函数与例行程序中的不同用法。

【知识准备】

1. 函数

函数具有输入变量、返回值、程序语句三个要素，如下例所示。

例：

```
FUNC num AbsValue（num value）
  IF value<0 THEN
    RETURN -value;
  ELSE
    RETURN value;
  ENDIF
ENDFUNC
```

其中，“AbsValue(num value)”括号中的 value 即为输入变量，RETURN 后的“-value”“value”为返回值，中间的 IF 语句部分是函数的程序语句。

这里的输入变量 value 为函数的形式参数，其使用只能在此函数内。当使用 Abs

（a）调用了这个函数求数值 a 的绝对值时，实际上是将 a 的数据数值传递给了输入变量 value，使用 value 作为桥梁来实现对未知输入变量绝对值的求取。

当进行函数设计时，首先要明确的就是输入变量，包括其类型是变量还是可变量，是何种数据类型以及是否需要初值。

函数中的返回值好比经过函数加工出的产品，例如上面的求绝对值函数，求出的绝对值就是返回值。返回值需要使用 RETURN 指令进行返回。

对于函数与例行程序来说，二者都可以有输入变量，但是返回值只有函数才有。有返回值就意味着函数在使用中既可以作为指令中的参数，例如任务 4.2 中偏移函数的返回值就作为运动指令的点位参数，也可以通过赋值指令赋予某个变量或可变量。

在编写函数时要注意明确函数的功能，对于无需返回值的功能不建议放在函数中，当函数功能过多、过于冗杂时，考虑对函数进行拆分或嵌套，将有助于优化程序结构。

2. Function 与 Return 的用法

RETURN 与 Function 函数结合使用，可实现函数中值的返回，这里以前述绝对值函数为例，讲解函数的定义与调用：

```
PROC main（ ）
  VAR num a：=–4；
  a：=AbsValue（a）；
ENDPROC
FUNC num AbsValue（num value）
  IF value<0 THEN
    RETURN -value；
  ELSE
    RETURN value；
  ENDIF
ENDFUNC
```

这里使用加括号与参数的形式将 a 作为函数的输入变量，并通过赋值指令将函数返回值重新赋给 a。RETURN 在 Function 函数中起到返回返回值的作用。

Return 还有另外一种用法，用于退出例行程序的执行。

例：

```
PROC main（ ）
  ……
  ErrorMessage；
  Set do1；
  ……
ENDPROC
PROC ErrorMessage（ ）
  IF di1=1 THEN
    RETURN；
  ENDIF
```

```
  TPWrite "Error";
ENDPROC
```

这里调用例行程序后进行判断，当 di1=1 时，直接退出程序 ErrorMessage 的执行后，再往下执行 Set 指令；否则，将跳出 IF 继续执行下面的 TPWrite 执行，然后返回执行 Set 指令。

【任务实施】

项目名称	工业机器人高级示教编程		任务名称	函数的定义与调用	
班级		姓名		学号		组别	
任务内容	本任务通过定义一个函数并在主程序中调用，讲解函数定义与调用的方法				
任务目标	掌握函数的定义与调用方法				

本例中，定义了一个求取二维数组中最大数的函数，并声明了一个四行三列的二维数组作为该函数的输入变量，然后调用该函数求取该四行三列二维数组中最大的数。函数定义与调用的方法见表 5-1。

表 5-1　函数定义与调用的方法

序号	步骤	图示
1	进入模块的例行程序列表，然后进入"文件"菜单，选择"新建例行程序 ..."	
2	完成名称修改后，在类型选项的下拉栏中选择"功能"，将程序定义为函数	

表 5-1（续 1）

序号	步骤	图示
3	点击“参数”后的“...”设置函数的输入参数	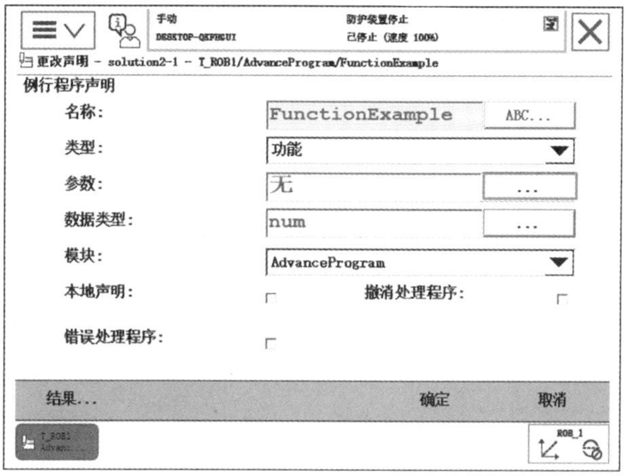
4	在更改声明参数界面展开“添加”菜单并选择“添加参数”	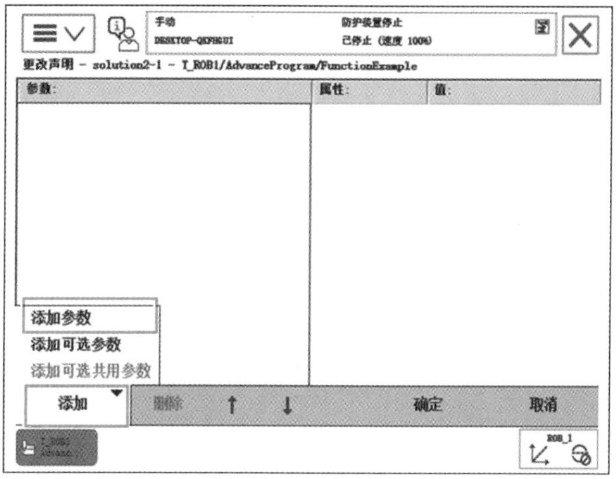
5	完成参数名称的设定后，在右侧的参数属性中将参数“维数”设置为 2，然后点击“确定”按钮完成参数的添加。	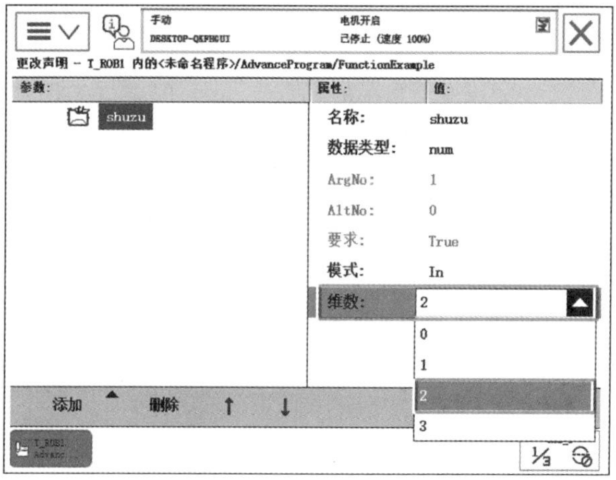

表 5-1（续 2）

序号	步骤	图示
6	完成右图所示函数的声明后，点击“确定”按钮保存函数声明	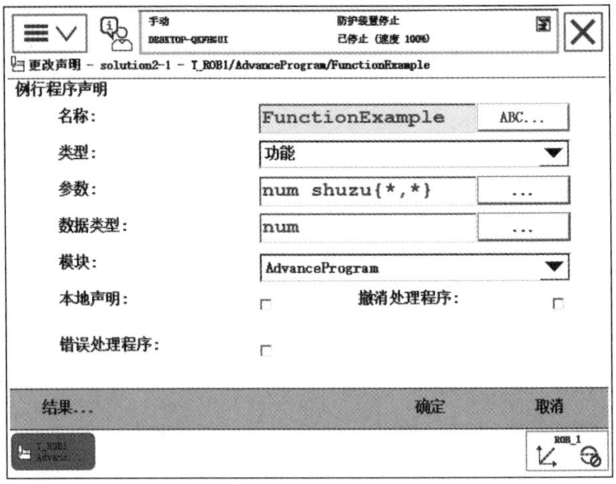 手动 DESKTOP-QKFHGUI 防护装置停止 已停止（速度 100%） 更改声明 - solution2-1 - T_ROB1/AdvanceProgram/FunctionExample 例行程序声明 名称：FunctionExample ABC... 类型：功能 参数：num shuzu{*,*} ... 数据类型：num ... 模块：AdvanceProgram 本地声明： 撤消处理程序： 错误处理程序： 结果... 确定 取消
7	在程序编辑界面中，添加右图所示函数的程序语句。 功能：函数先读取数组的所有维数的元素，然后在 IF 指令进行数组元素数值大小的比较，最大数的数值将通过 RETURN 返回	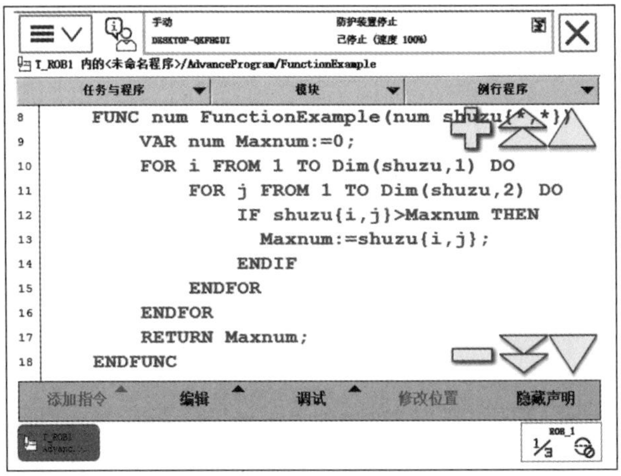 手动 DESKTOP-QKFHGUI 防护装置停止 已停止（速度 100%） T_ROB1 内的<未命名程序>/AdvanceProgram/FunctionExample 任务与程序 模块 例行程序 8 FUNC num FunctionExample(num shuzu{*,*}) 9 VAR num Maxnum:=0; 10 FOR i FROM 1 TO Dim(shuzu,1) DO 11 FOR j FROM 1 TO Dim(shuzu,2) DO 12 IF shuzu{i,j}>Maxnum THEN 13 Maxnum:=shuzu{i,j}; 14 ENDIF 15 ENDFOR 16 ENDFOR 17 RETURN Maxnum; 18 ENDFUNC 添加指令 编辑 调试 修改位置 隐藏声明
8	在主程序所在模块中完成变量 Max 的声明以及数组 a 的定义后，完成右图所示函数调用指令语句的编写。 注意：可点击程序编辑界面的“显示声明”查看模块中已完成声明的数据及其值	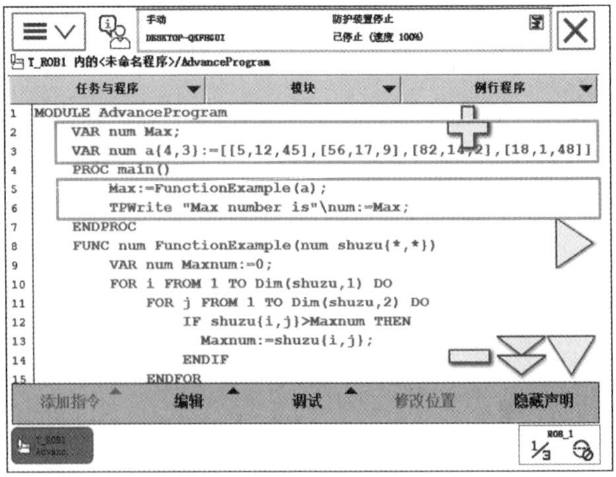 手动 DESKTOP-QKFHGUI 防护装置停止 已停止（速度 100%） T_ROB1 内的<未命名程序>/AdvanceProgram 任务与程序 模块 例行程序 1 MODULE AdvanceProgram 2 VAR num Max; 3 VAR num a{4,3}:=[[5,12,45],[56,17,9],[82,14,2],[18,1,48]] 4 PROC main() 5 Max:=FunctionExample(a); 6 TPWrite "Max number is"\num:=Max; 7 ENDPROC 8 FUNC num FunctionExample(num shuzu{*,*}) 9 VAR num Maxnum:=0; 10 FOR i FROM 1 TO Dim(shuzu,1) DO 11 FOR j FROM 1 TO Dim(shuzu,2) DO 12 IF shuzu{i,j}>Maxnum THEN 13 Maxnum:=shuzu{i,j}; 14 ENDIF 15 ENDFOR 添加指令 编辑 调试 修改位置 隐藏声明

表 5-1（续 3）

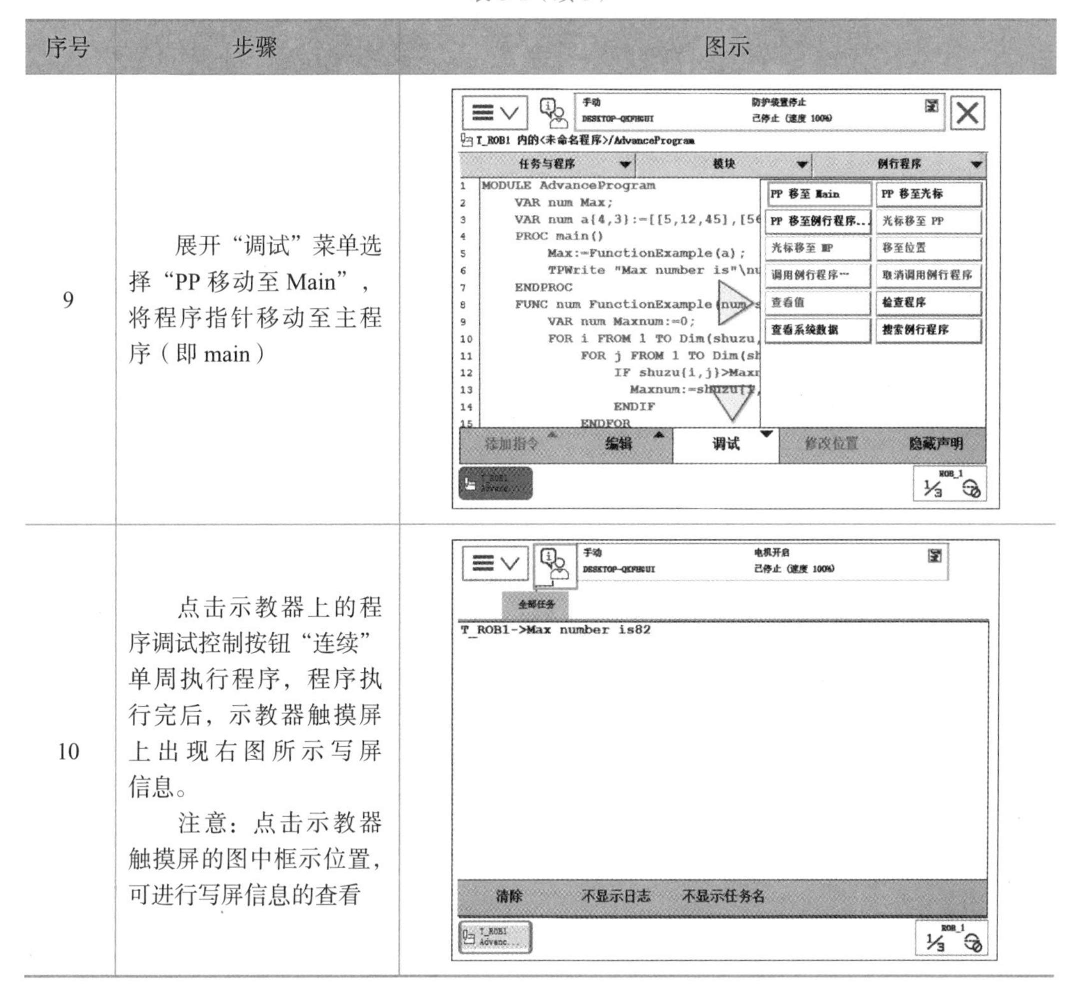

序号	步骤	图示
9	展开“调试”菜单选择“PP 移动至 Main”，将程序指针移动至主程序（即 main）	
10	点击示教器上的程序调试控制按钮“连续”单周执行程序，程序执行完后，示教器触摸屏上出现右图所示写屏信息。 注意：点击示教器触摸屏的图中框示位置，可进行写屏信息的查看	

任务 5.2　跳转与标签的使用

【任务描述】

标签可以在程序的某处位置进行标记，然后通过跳转指令可以将指针移动到标签处。本任务介绍了跳转与标签指令的使用方法，并利用案例进行了讲解。

【知识准备】

Label 指令由标签名与“：”组成，标记了程序中某处位置以供 GOTO 指令使用。使用 GOTO 指令可以移动至 Label 所指定的标签处往下执行程序语句。

例：

```
reg1：=1；
next：
```

```
…
reg1：=reg1+1；
IF reg1<=5 GOTO next；
```

该例中将执行转移至next四次(reg1=2,3,4,5)，next是由Label指令指定的标签名。

在复杂与结构化的程序中，尤其应注意减少GOTO指令的使用，以保证程序架构清晰，且不易出错。

【任务实施】

项目名称	工业机器人高级示教编程		任务名称	跳转与标签的使用	
班级		姓名		学号		组别	
任务内容	本任务通过IF指令与跳转结合，讲解了跳转与标签指令的使用方法				
任务目标	掌握GOTO与Label语句的用法				

本例中，以对reg1进行判断为例，如reg1大于100则信号do1输出1，反之输出0。进行本任务前，应先定义好信号数字量输出信号do1。跳转指令与标签指令的具体使用步骤见表5-2。

表5-2 跳转程序的编写

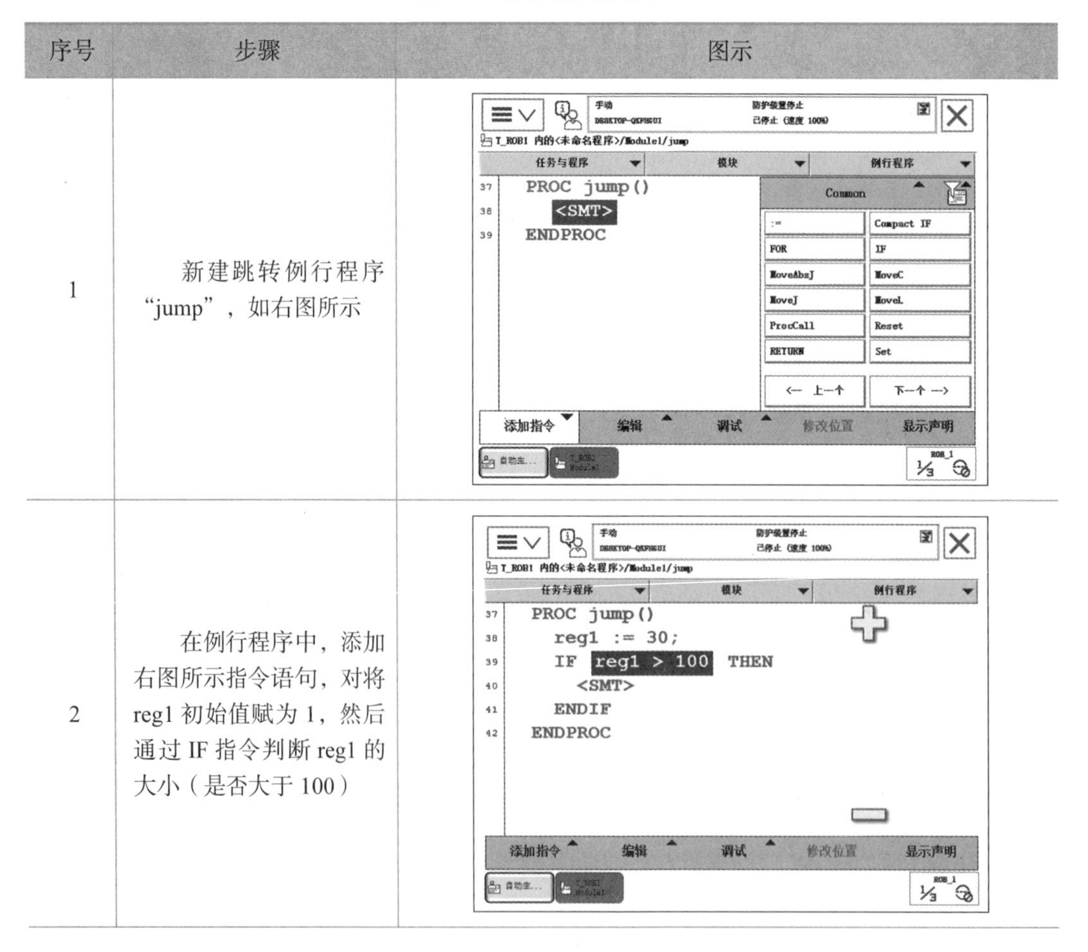

序号	步骤	图示
1	新建跳转例行程序“jump”，如右图所示	
2	在例行程序中，添加右图所示指令语句，对将reg1初始值赋为1，然后通过IF指令判断reg1的大小（是否大于100）	

表 5-2（续 1）

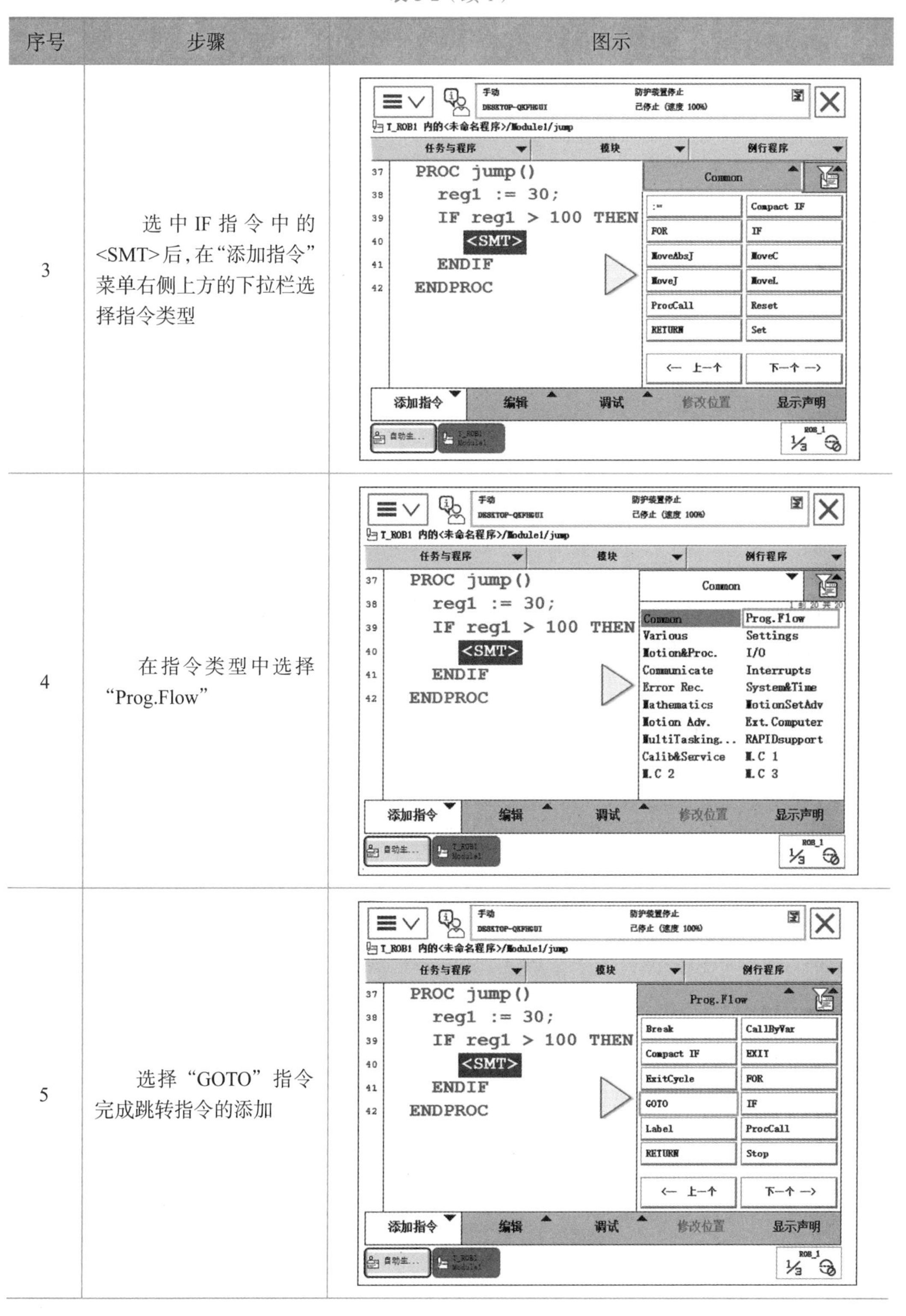

序号	步骤	图示
3	选中 IF 指令中的 <SMT>后，在“添加指令”菜单右侧上方的下拉栏选择指令类型	
4	在指令类型中选择“Prog.Flow”	
5	选择“GOTO”指令完成跳转指令的添加	

表 5-2（续 2）

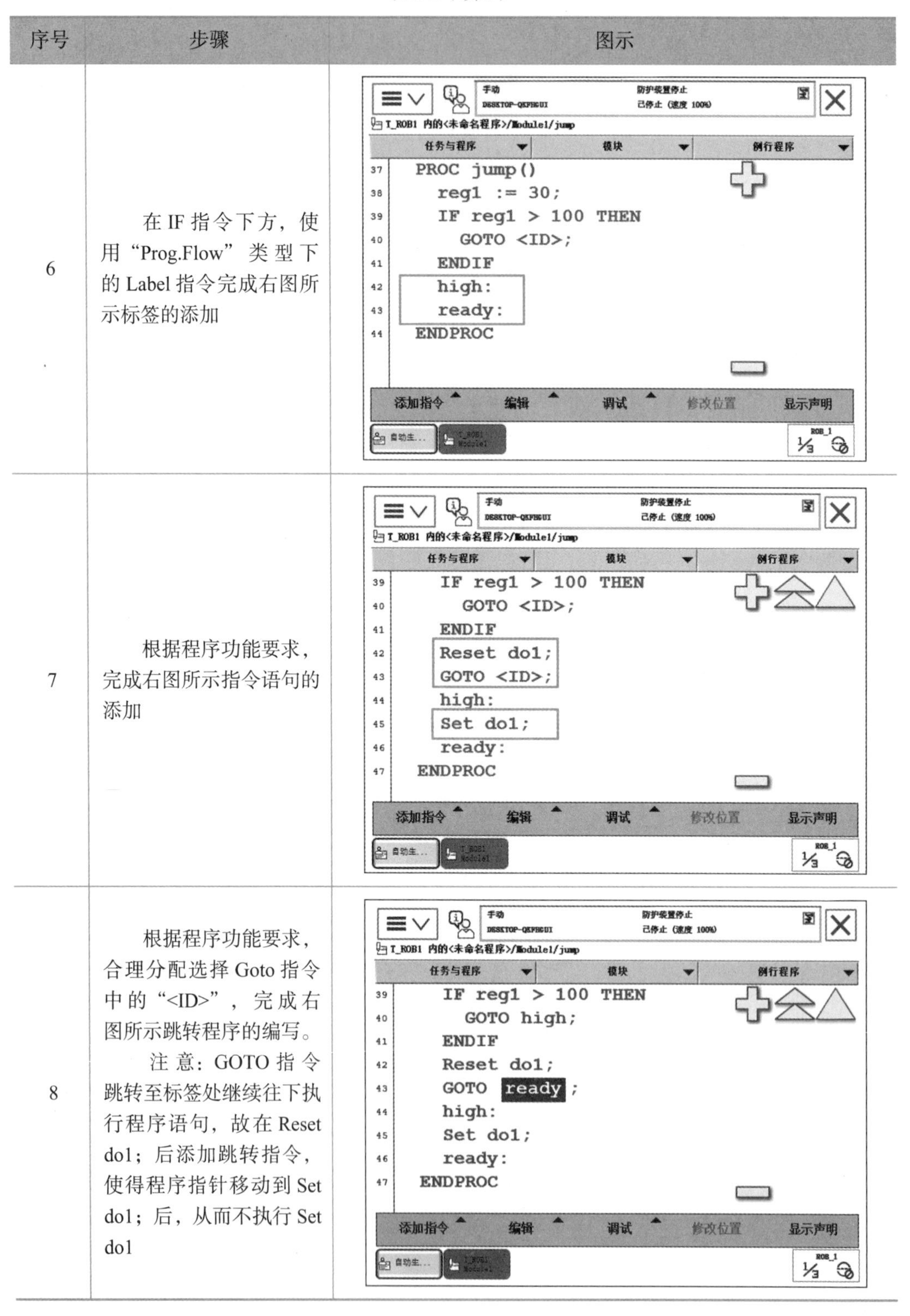

序号	步骤	图示

6	在 IF 指令下方，使用“Prog.Flow”类型下的 Label 指令完成右图所示标签的添加	PROC jump()
		reg1 := 30;
		IF reg1 > 100 THEN
		GOTO <ID>;
		ENDIF
		high:
		ready:
		ENDPROC

7	根据程序功能要求，完成右图所示指令语句的添加	IF reg1 > 100 THEN
		GOTO <ID>;
		ENDIF
		Reset do1;
		GOTO <ID>;
		high:
		Set do1;
		ready:
		ENDPROC

8	根据程序功能要求，合理分配选择 Goto 指令中的“<ID>”，完成右图所示跳转程序的编写。
	注意：GOTO 指令跳转至标签处继续往下执行程序语句，故在 Reset do1；后添加跳转指令，使得程序指针移动到 Set do1；后，从而不执行 Set do1
		IF reg1 > 100 THEN
		GOTO high;
		ENDIF
		Reset do1;
		GOTO ready;
		high:
		Set do1;
		ready:
		ENDPROC

任务 5.3 中断和停止

【任务描述】

使用之前所介绍的编程方法，当工业机器人运行过程中遇到一些错误时，往往需要手动解决。而实际上我们可以通过中断功能，来实现当工业机器人遇到某些错误时能自动解决。本任务通过对中断的基础知识以及程序停止的相关指令进行讲解，实践了中断程序的编写，加深学生对中断相关知识的理解。

【知识准备】

1. 中断

中断就是指在程序执行过程中暂停当前程序的运行，进入中断例行程序中处理紧急情况的过程。中断过程中用于处理紧急情况的程序称作中断例行程序（TRAP）。中断例行程序经常被用于出错处理、外部信号的响应等实时响应要求高的场合。

例如，在工业机器人程序执行过程中，程序会扫描中断识别号以及与之关联的中断触发指令，当发生需要紧急处理的情况时，扫描到满足中断的条件，需要暂停执行当前的程序，并将程序指针跳转到对应的程序中，对紧急情况进行相应的处理。当中断程序执行完毕后，将返回原程序暂停位置继续执行。一般情况下中断执行的流程如图 5-1 所示。如果中断中写有 GOTO 语句，也可在中断执行后将指针移动到其他位置。

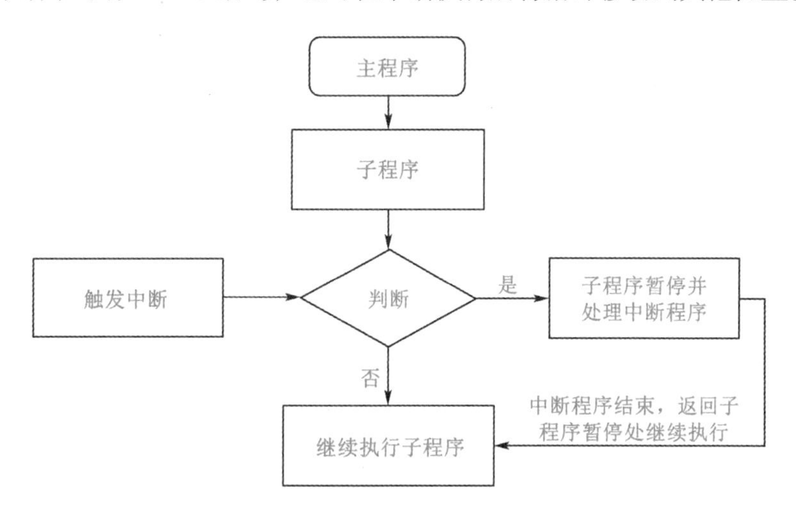

图 5-1 中断执行的流程

中断一般包含两部分，一部分是触发中断程序的语句段，另一部分是中断程序，这两部分之间有一定的联系。触发中断程序的因素多种多样，有可能是数字量信号的触发，也有可能是模拟量信号的触发，或者是设定时间等因素的触发。下面先介绍触发中断程序的语句段中一些常用的指令。

2. 中断相关指令

（1）CONNECT 指令

Connect 指令用于发现中断识别号，并将其与软中断程序相连。

Connect 指令需要创建类型为 intnum 的中断识别号。中断号与中断程序连接后，才能够在中断被触发时执行该程序。这里要注意的是，一个中断号只能对应一个中断程序，但是一个中断程序可以对应多个中断号。下面通过一个示例讲解用 Connect 指令连接中断程序的方法。

例：

```
VAR intnum feeder_low;
PROC main（ ）
  CONNECT feeder_low WITH feeder_empty;
  ISignalDI di1， 1， feeder_low;
  …
```

创建类型为 intnum 的中断识别号 feeder_low，并使用 CONNECT 指令将其与软中断程序 feeder_empty 相连。当输入 di1 变为 1 时，将会出现中断。换句话说，当中断触发信号与指令中指定值相同时，执行 feeder_empty 软中断程序。

（2）中断触发指令

中断可以通过多种方式来触发，其中包括信号中断、定时器中断等。中断触发指令及其说明见表 5-3。

表 5-3　中断触发指令及其说明

指令	指令说明
ISignalDI	数字量输入信号中断
ISignalDO	数字量输出信号中断
ISignalGI	数字量组输入信号中断
ISignalGO	数字量组输出信号中断
ISignalAI	模拟量输入信号中断
ISignalAO	模拟量输出信号中断
ITimer	定时中断
TriggInt	定义与位置相关的中断
IPers	在永久变量数值改变时中断
IError	在出错时中断
IRMQMessage	RAPID 消息队列收到指定数据类型时中断

下面以 ISignalDI 与 ITimer 指令为例，讲解中断触发指令的使用方法。其他指令的具体使用方法请查阅 RAPID 指令、函数和数据类型手册。

例 1：

```
VAR intnum sig1int;
PROC main ( )
  CONNECT sig1int WITH iroutine1;
  ISignalDI di1, 1, sig1int;
```

下达关于每当数字信号输入信号 di1 设置为 1 时出现中断的指令。随后，调用 iroutine1 软中断程序。

例 2：

```
VAR intnum timeint;
PROC main ( )
  CONNECT timeint WITH iroutine1;
  ITimer 60, timeint;
```

下达每 60 s 循环出现中断的指令。随后，调用软中断程序 iroutine1。

例 3：

```
ITimer \Single, 60, timeint;
```

60 s 之后，下达仅出现一次中断的指令。此处使用可选参数“\single”时，表示该中断仅出现一次。

中断生效控制指令可用于取消、停用、启用中断，此处以 ISleep 与 IWatch 为例讲解其使用方法。中断生效控制指令及其说明见表 5-4。

表 5-4　中断生效控制指令

指令	指令说明
IDelete	取消中断
ISleep	停用一个中断
IWatch	启用一个中断
IDisable	禁用所有中断
IEnable	启用所有中断

例：

```
VAR intnum sig1int;
PROC main ( )
  CONNECT sig1int WITH iroutine1;
  ISignalDI di1, 1, sig1int;
  ...
  ISleep sig1int;
  weldpart1;
  IWatch sig1int;
```

在执行 weldpart1 程序期间，信号 di1 不允许触发中断程序 iroutine1。

3. 程序停止指令

（1）EXIT 终止程序执行

EXIT 用于终止程序执行。随后仅可从主程序第一个指令重启程序。

当出现致命错误或永久地停止程序执行时，应当使用 EXIT 指令。Stop 指令用于临时停止程序执行。在执行指令 EXIT 后，程序指针消失。为继续程序执行，必须设置程序指针。

例：

```
ErrWrite "Fatal error" , " Illegal state" ;
EXIT;
```

程序执行停止，且无法从程序中的停止位置重启。

（2）Break 中断程序执行

Break 用于立即中断程序执行，机械臂立即停止运动。

例：

```
...
Break;
...
```

指令立即停止程序执行，且无须等待机械臂和外轴达到当时其程序规定的运动目的点。随后可从下一个指令重启程序执行。

（3）STOP 停止程序执行

STOP 用于停止程序执行。在 STOP 指令就绪之前，将完成当前执行的所有移动，即在运动任务中会等待机械臂和外轴达到当时其程序规定的运动目的点。随后可从下一指令重启程序执行。

例：

```
TPWrite "The line to the host computer is broken" ;
Stop;
```

在将消息写入 FlexPendant 示教器之后，停止程序执行。当在实际运动任务中受影响的机械单元当时正在进行的移动已达到并保持静止时，本指令才停止程序执行。

【任务实施】

项目名称	工业机器人高级示教编程		任务名称	中断和停止	
班级		姓名		学号		组别	
任务内容	本任务通过对中断的基础知识，包括中断以及程序停止的相关指令进行讲解，实践中断程序的编写，加深学生对中断相关知识的理解				
任务目标	1. 了解中断程序				
	2. 了解中断与程序停止相关指令				
	3. 掌握中断程序的应用方法				

现在以信号中断为例，讲解中断程序的使用方法。本例中，设置信号 do1 的中断为停止移动功能，在 I/O 中设置信号可观察工业机器人是否停止运动以验证中断程序的功能。中断程序的编写方法见表 5-5。

注意：本例中信号设置仅为示例，具体应根据实际情况选择信号类型。

表 5-5　中断程序的编写法

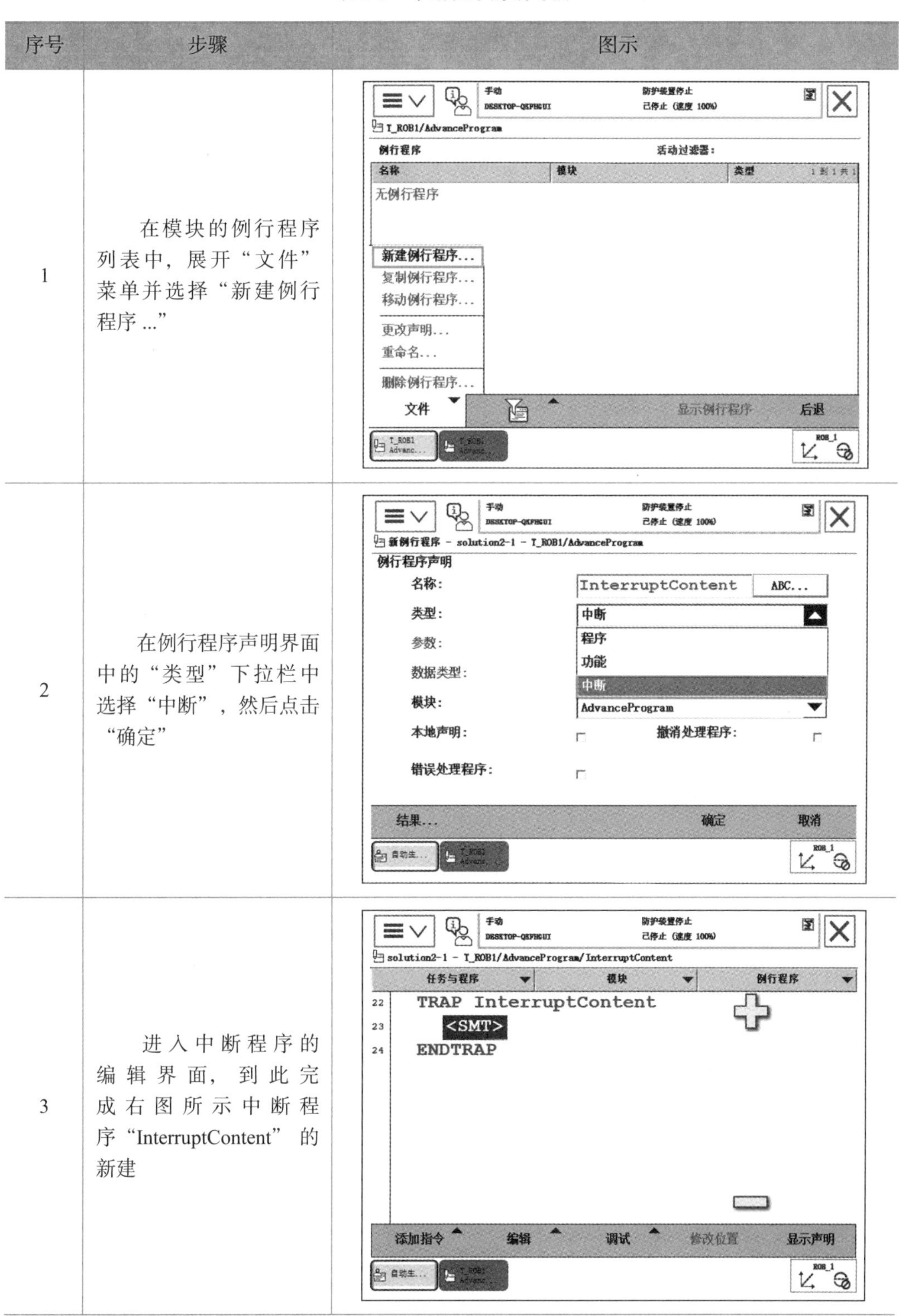

序号	步骤	图示
1	在模块的例行程序列表中，展开“文件”菜单并选择“新建例行程序...”	
2	在例行程序声明界面中的“类型”下拉栏中选择“中断”，然后点击“确定”	
3	进入中断程序的编辑界面，到此完成右图所示中断程序“InterruptContent”的新建	

表 5-5（续 1）

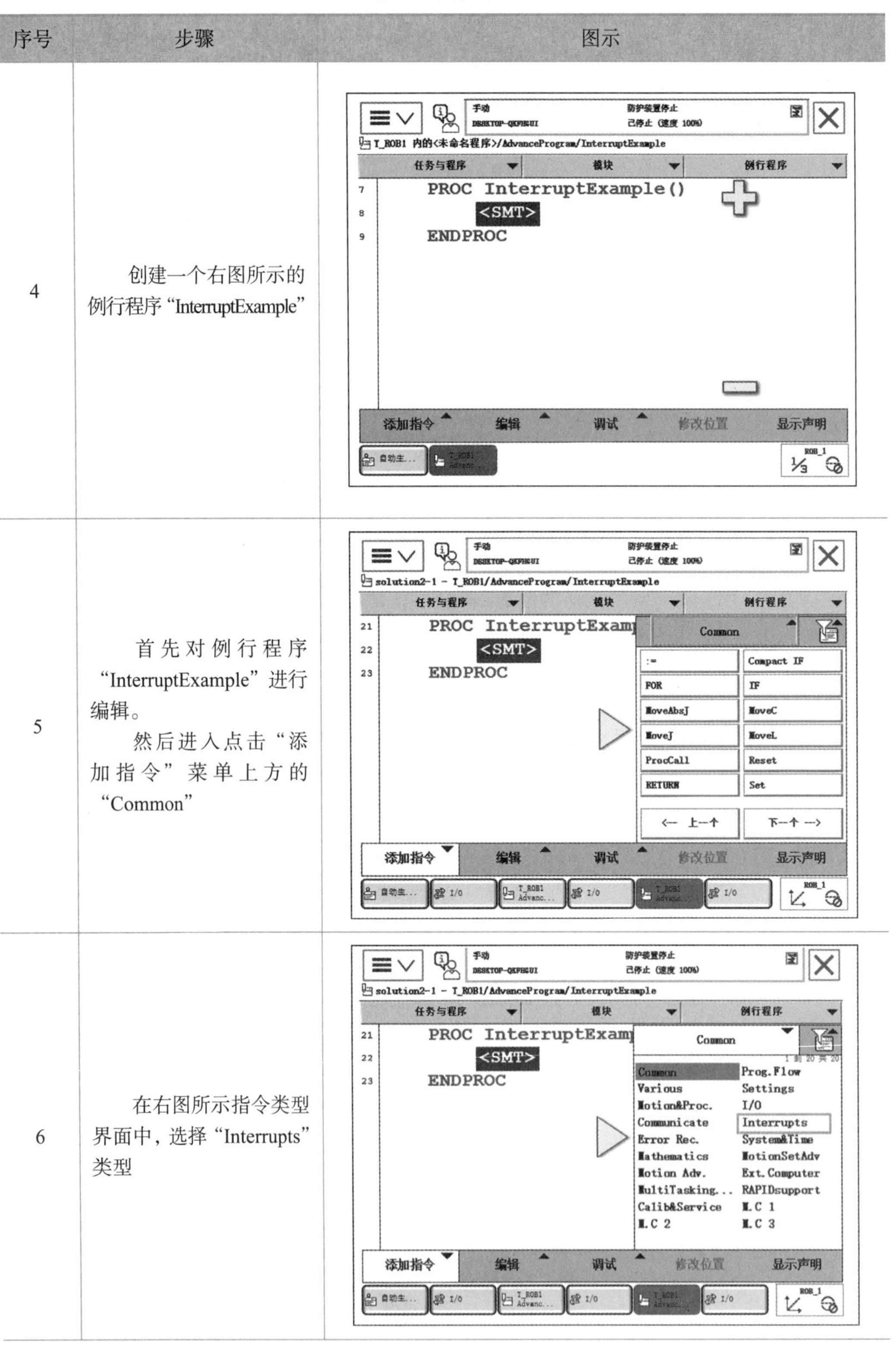

序号	步骤	图示
4	创建一个右图所示的例行程序“InterruptExample”	
5	首先对例行程序“InterruptExample”进行编辑。 然后进入点击“添加指令”菜单上方的“Common”	
6	在右图所示指令类型界面中，选择“Interrupts”类型	

表 5-5（续 2）

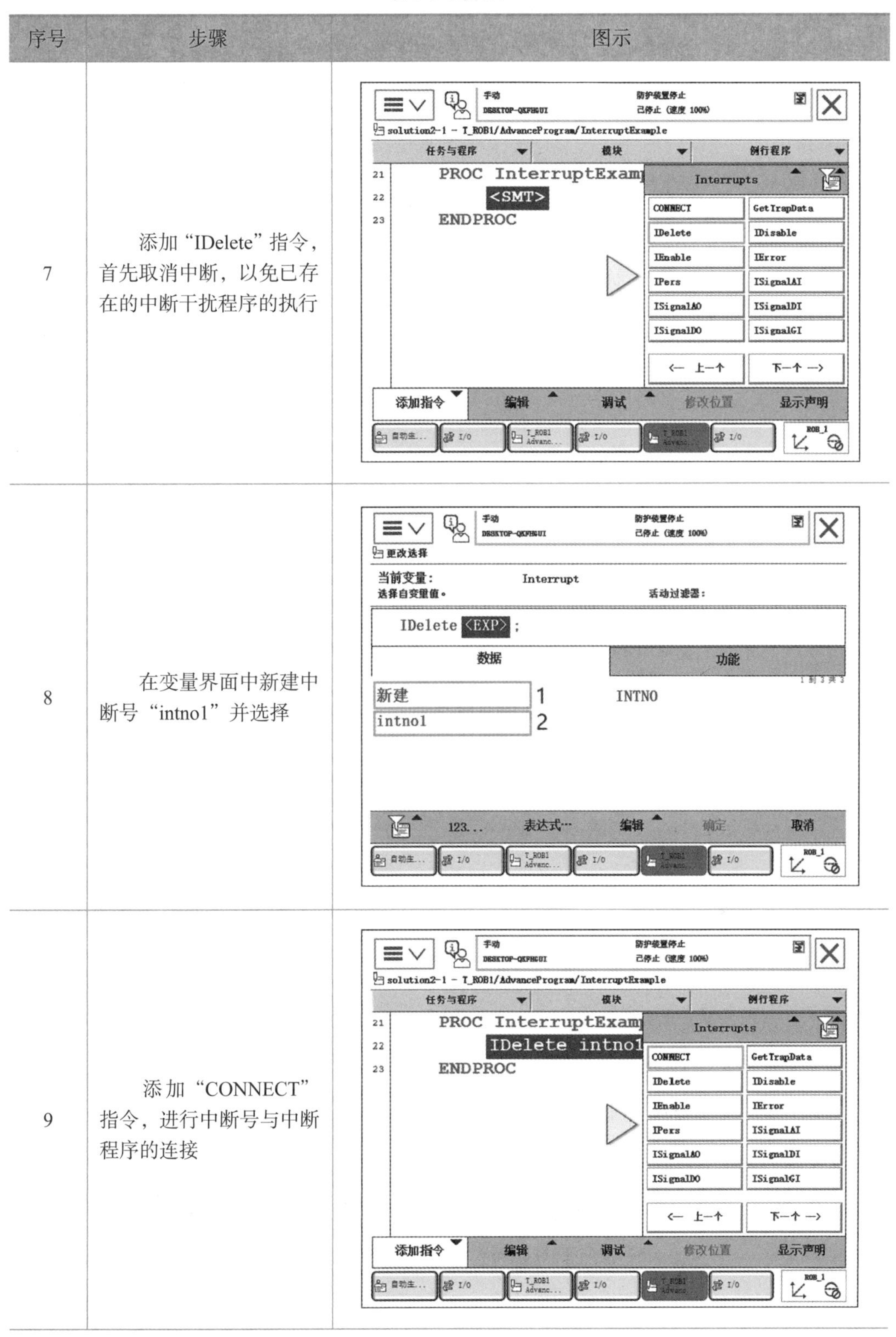

序号	步骤	图示
7	添加“IDelete”指令，首先取消中断，以免已存在的中断干扰程序的执行	
8	在变量界面中新建中断号“intno1”并选择	
9	添加“CONNECT”指令，进行中断号与中断程序的连接	

表 5-5（续 3）

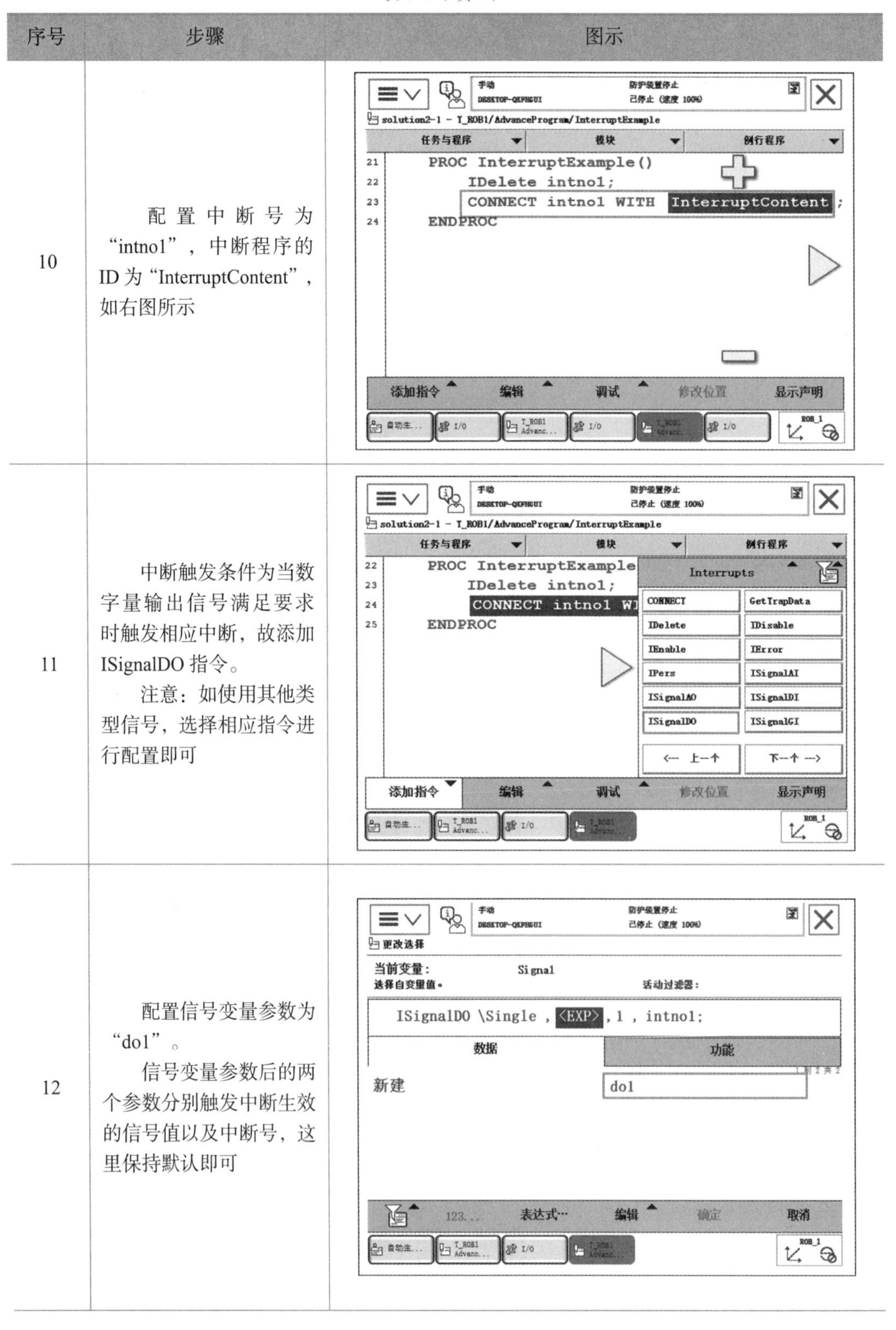

序号	步骤	图示
10	配置中断号为“intno1”，中断程序的ID为“InterruptContent”，如右图所示	
11	中断触发条件为当数字量输出信号满足要求时触发相应中断，故添加ISignalDO指令。 注意：如使用其他类型信号，选择相应指令进行配置即可	
12	配置信号变量参数为“do1”。 信号变量参数后的两个参数分别触发中断生效的信号值以及中断号，这里保持默认即可	

表 5-5（续 4）

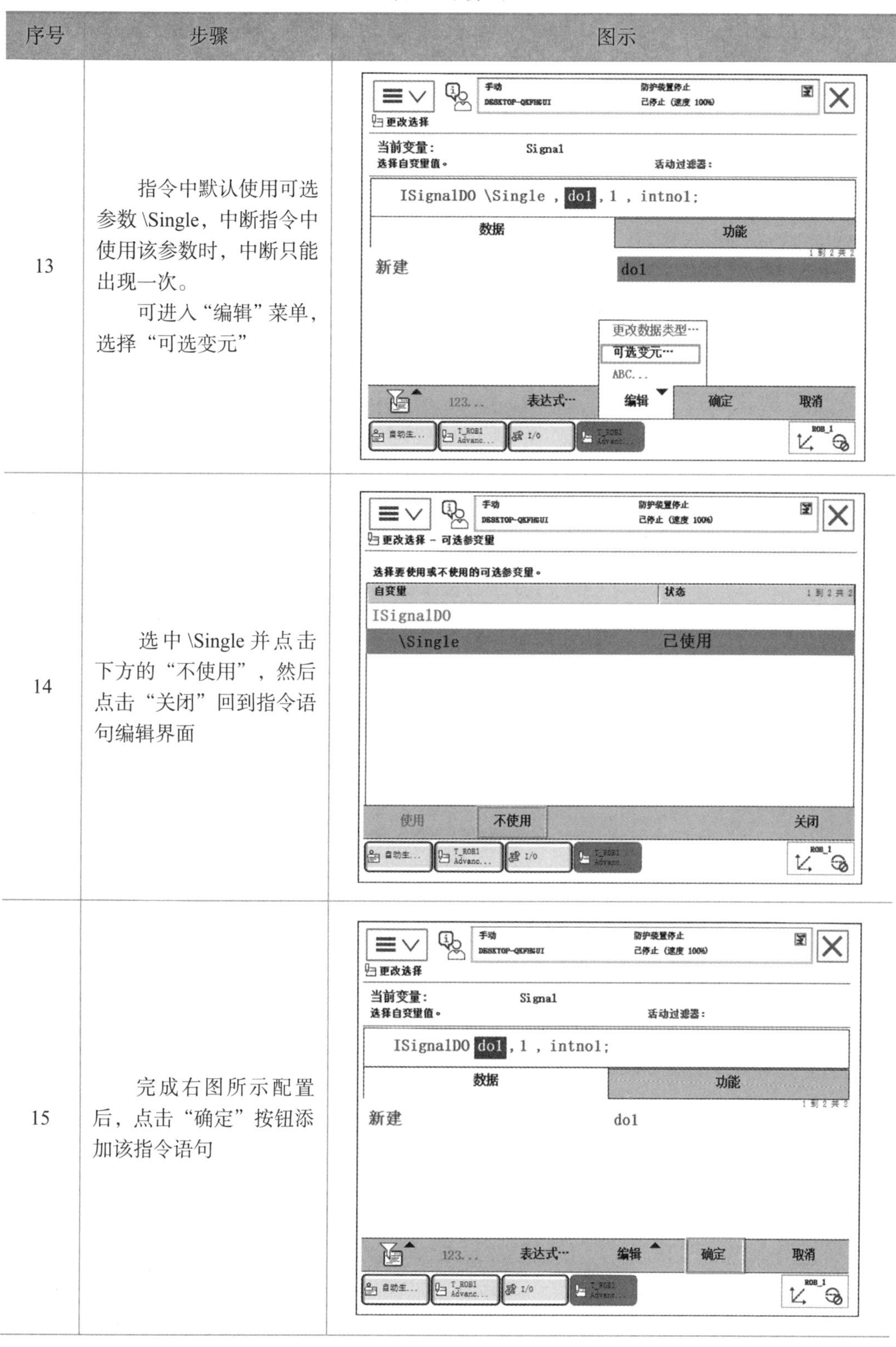

序号	步骤	图示
13	指令中默认使用可选参数 \Single，中断指令中使用该参数时，中断只能出现一次。 可进入“编辑”菜单，选择“可选变元”	
14	选中 \Single 并点击下方的“不使用”，然后点击“关闭”回到指令语句编辑界面	
15	完成右图所示配置后，点击“确定”按钮添加该指令语句	

表 5-5（续 5）

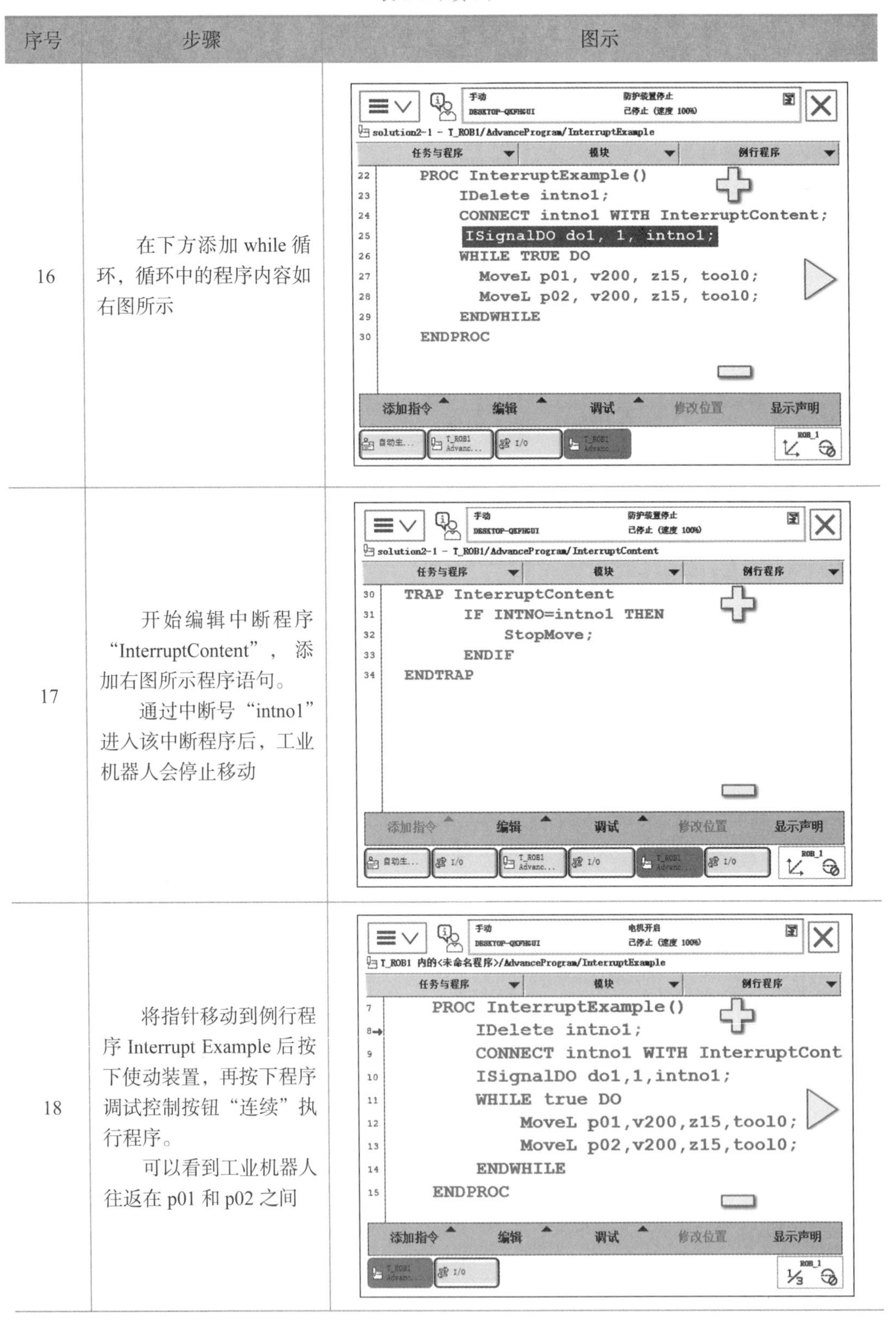

序号	步骤	图示
16	在下方添加 while 循环，循环中的程序内容如右图所示	手动 DESKTOP-QKFHGUI 防护装置停止 已停止（速度 100%） solution2-1 - T_ROB1/AdvanceProgram/InterruptExample 任务与程序 模块 例行程序 22 PROC InterruptExample() 23 IDelete intno1; 24 CONNECT intno1 WITH InterruptContent; 25 ISignalDO do1, 1, intno1; 26 WHILE TRUE DO 27 MoveL p01, v200, z15, tool0; 28 MoveL p02, v200, z15, tool0; 29 ENDWHILE 30 ENDPROC 添加指令 编辑 调试 修改位置 显示声明
17	开始编辑中断程序“InterruptContent”，添加右图所示程序语句。 通过中断号“intno1”进入该中断程序后，工业机器人会停止移动	手动 DESKTOP-QKFHGUI 防护装置停止 已停止（速度 100%） solution2-1 - T_ROB1/AdvanceProgram/InterruptContent 任务与程序 模块 例行程序 30 TRAP InterruptContent 31 IF INTNO=intno1 THEN 32 StopMove; 33 ENDIF 34 ENDTRAP 添加指令 编辑 调试 修改位置 显示声明
18	将指针移动到例行程序 Interrupt Example 后按下使动装置，再按下程序调试控制按钮“连续”执行程序。 可以看到工业机器人往返在 p01 和 p02 之间	手动 DESKTOP-QKFHGUI 电机开启 已停止（速度 100%） T_ROB1 内的<未命名程序>/AdvanceProgram/InterruptExample 任务与程序 模块 例行程序 7 PROC InterruptExample() 8 IDelete intno1; 9 CONNECT intno1 WITH InterruptCont 10 ISignalDO do1,1,intno1; 11 WHILE true DO 12 MoveL p01,v200,z15,tool0; 13 MoveL p02,v200,z15,tool0; 14 ENDWHILE 15 ENDPROC 添加指令 编辑 调试 修改位置 显示声明

表 5-5（续 6）

序号	步骤	图示
19	在输入输出界面中，更改 do1 的值为 1，可观察到工业机器人停止运动，表示中断生效，中断程序“InterruptContent”已被触发	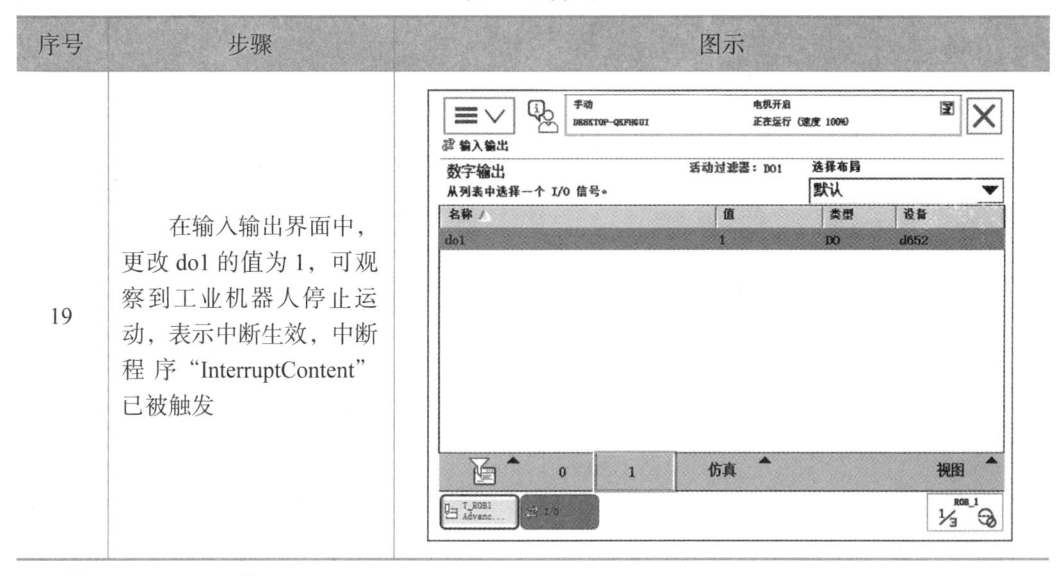

【项目评测】

1. 填空题

（1）Return 在例行程序中用于________，在函数中用于________。

（2）使用中断时，需要使用 CONNECT 指令连接________与________。

2. 判断题

（1）(　　)将模式切换开关转动到自动操作模式后，点击程序调试控制按钮“连续”可以直接自动运行程序。

（2）(　　) 中断程序不可以通过 ProcCall 指令进行调用。

（3）(　　) 一个中断程序只能连接一个中断号。

项目 6　工业机器人的日常维护

在工业机器人使用过程中，为了延长工业机器人寿命，保证工业机器人系统稳定，需对工业机器人进行日常维护。本项目中主要介绍了转数计数器的更新、工业机器人本体电池的更换、工业机器人系统参数管理等内容，其中重点讲解了转数计数器更新的内容。

任务 6.1　转数计数器的更新

【任务描述】

当工业机器人零点数据丢失时，需更新转数计数器，从而实现对零点的粗略校准。在更新转数计数器前应首先将工业机器人各关节轴运动回机械零点。本任务在介绍转数计数器相关知识的同时，还讲解了工业机器人回归机械零点与转数计数器更新的方法。

【知识准备】

1. 更新转数计数器的原因

工业机器人本体中运用了编码器和转数计数器进行关节轴电机数据的获取和记录。编码器一般分为增量式编码器与绝对式编码器两种。工业机器人中使用的是增量式编码器，为了获取关节轴的位置，使用计数器对脉冲进行统计，从而得出关节轴的当前位置。

零点数据被储存在工业机器人本体的串行测量板（SMB）上，当工业机器人转数计数器掉电、拆机维修、遇到撞击或零点信息被误删时，可能导致零点信息丢失。零点数据丢失后，工业机器人将无从得知关节轴对应电机旋转到了什么位置，因此需在工业机器人回归到机械零点后更新转数计数器。

2. 何时需要更新转数计数器

在以下几种情况下，需要对转数计数器进行更新：

① 当系统报警提示“10036 转数计数器更新”时；

② 当转数计数器发生故障，修复后；

③ 在转数计数器与串行测量板之间断开过之后；

④ 在断电状态下，工业机器人关节轴发生移动时；

⑤ 更换伺服电机转数计数器电池之后。

【任务实施】

项目名称	工业机器人的日常维护			任务名称	转数计数器的更新	
班级		姓名		学号		组别	
任务内容	本任务介绍了转数计数器的相关知识，同时实践了工业机器人回归机械零点与转数计数器更新的方法					
任务目标	1. 掌握使工业机器人回机械零点的技能					
	2. 掌握工业机器人转数计数器更新的方法					

1. 回机械零点的方法

此处以地面安装的工业机器人为例，根据 4—5—6—3—2—1 的顺序将各关节轴调整至机械零点位置。本书所述型号以外的工业机器人零点位置请查看厂家说明书。工业机器人回机械零点的方法见表 6-1。

表 6-1　工业机器人回机械零点的方法

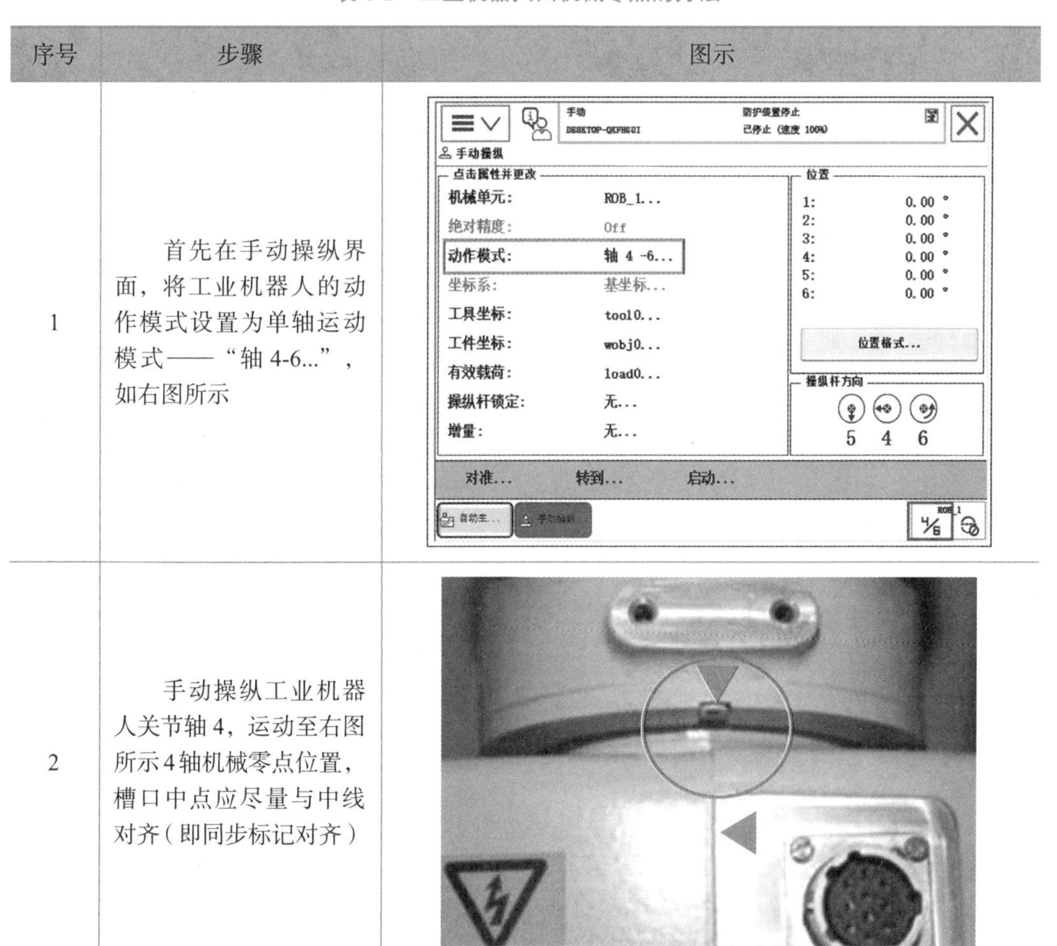

序号	步骤	图示
1	首先在手动操纵界面，将工业机器人的动作模式设置为单轴运动模式——“轴 4-6...”，如右图所示	
2	手动操纵工业机器人关节轴 4，运动至右图所示 4 轴机械零点位置，槽口中点应尽量与中线对齐（即同步标记对齐）	

表 6-1（续 1）

序号	步骤	图示
3	参照步骤 2 的方法完成关节轴 5 的调整，如右图所示	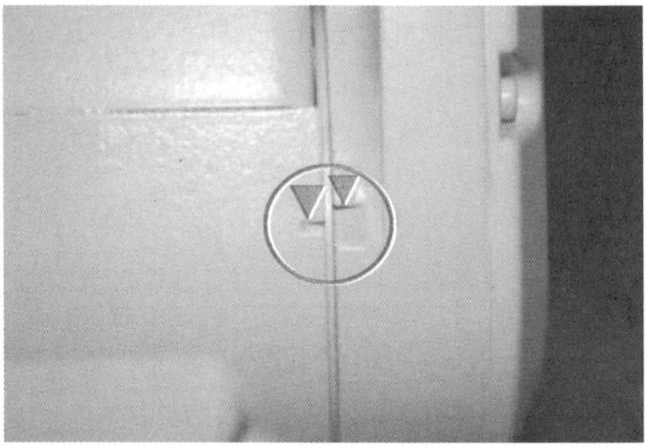
4	参照步骤 2 的方法完成关节轴 6 的调整，如右图所示。 注意：此处刻度线为黑色，需仔细寻找	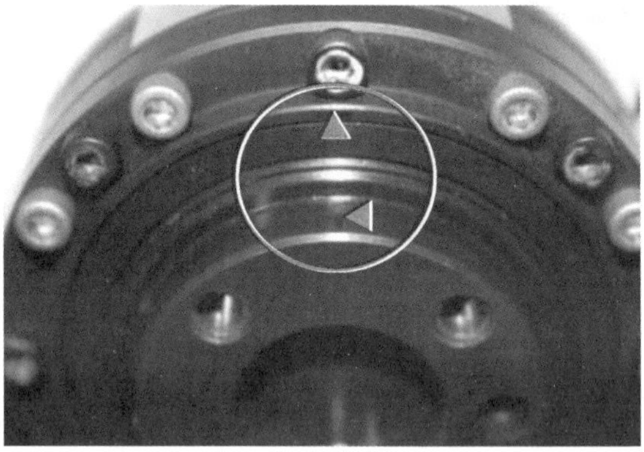
5	完成关节轴 4，5，6 回机械零点的操作后，在手动操纵界面切换动作模式为“轴 1-3...”，如右图所示	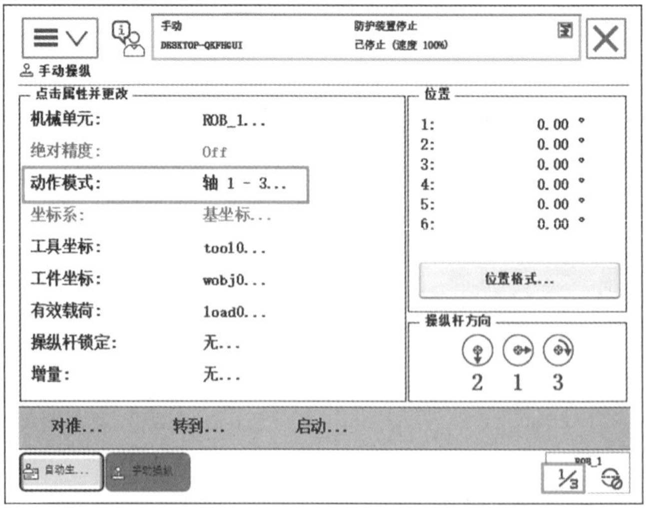

表 6-1（续 2）

序号	步骤	图示
6	参照步骤 2 的方法完成关节轴 3 的调整，如右图所示	
7	参照步骤 2 的方法完成关节轴 2 的调整，如右图所示	
8	参照步骤 2 的方法完成关节轴 1 的调整，如右图所示。 到此完成工业机器人回机械零点的操作	

2. 更新转数计数器

更新转数计数器

前文已说明需要进行转数计数器更新的几种情况，此时首先按表 6-1 的步骤将工业机器人各关节轴调整至机械零点位置后，再进行转数计数器的更新。

此处注意，步骤 6 中机身铭牌上的电机校准偏移数据是在机器人未进行微校的情况下使用的；如机器人进行过微校，则步骤 6 中应当使用微校后的电机校准偏移数据。转数计数器的更新方法见表 6-2。

表 6-2　转数计数器的更新方法

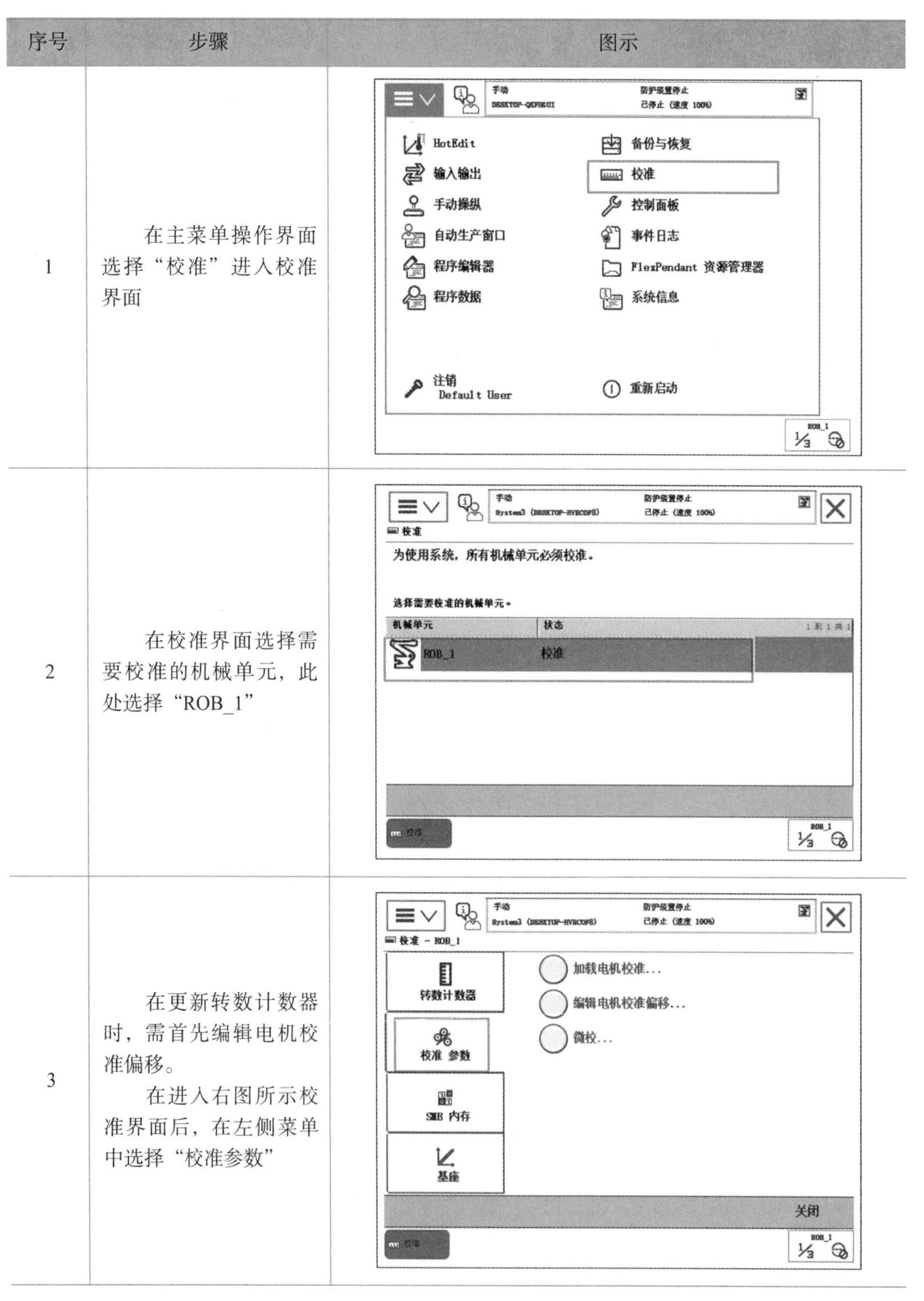

序号	步骤	图示
1	在主菜单操作界面选择“校准”进入校准界面	
2	在校准界面选择需要校准的机械单元，此处选择“ROB_1”	
3	在更新转数计数器时，需首先编辑电机校准偏移。 在进入右图所示校准界面后，在左侧菜单中选择“校准参数”	

表 6-2（续 1）

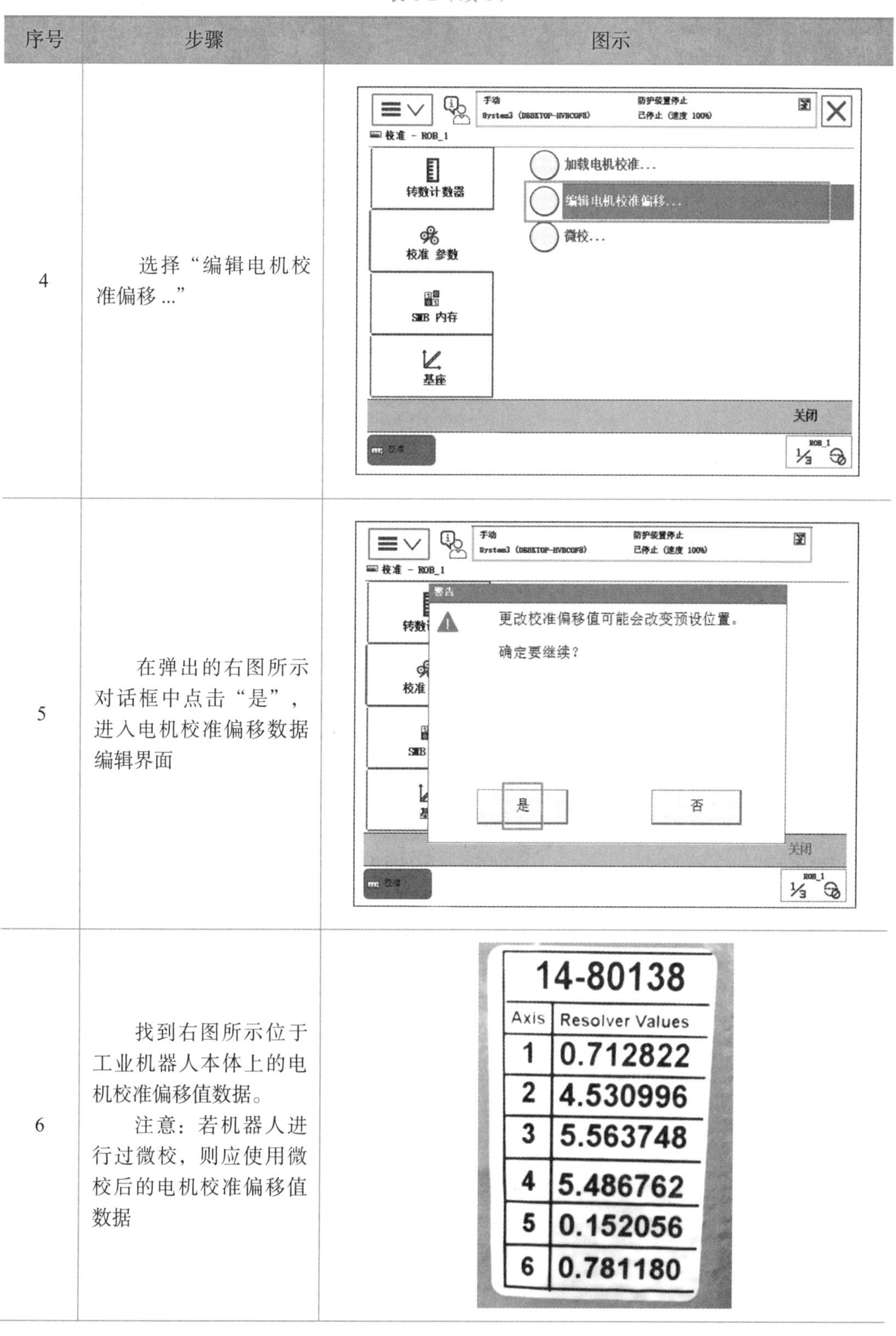

序号	步骤	图示
4	选择“编辑电机校准偏移...”	
5	在弹出的右图所示对话框中点击“是”，进入电机校准偏移数据编辑界面	
6	找到右图所示位于工业机器人本体上的电机校准偏移值数据。 注意：若机器人进行过微校，则应使用微校后的电机校准偏移值数据	

表 6-2（续 2）

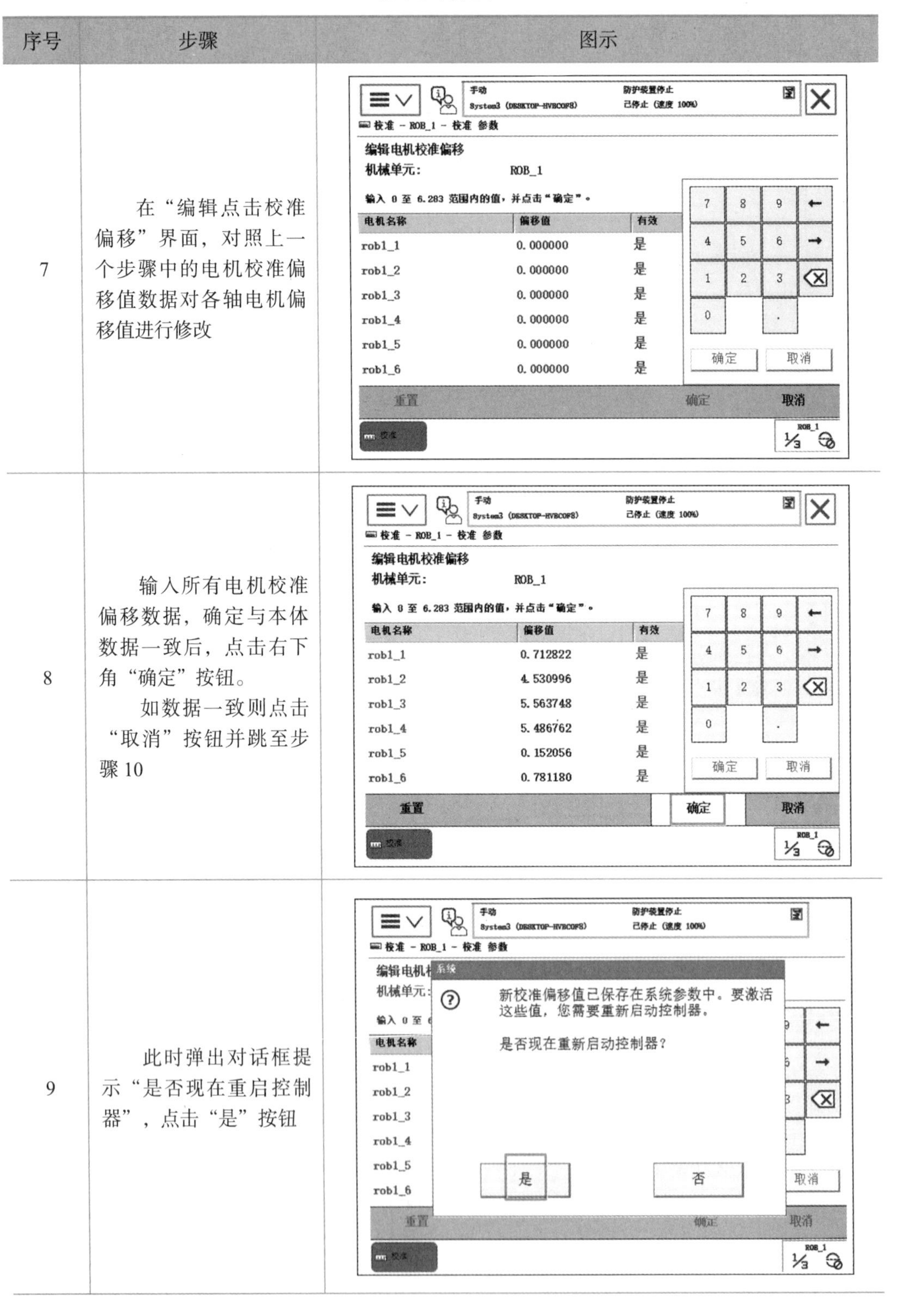

序号	步骤	图示
7	在“编辑点击校准偏移”界面，对照上一个步骤中的电机校准偏移值数据对各轴电机偏移值进行修改	
8	输入所有电机校准偏移数据，确定与本体数据一致后，点击右下角“确定”按钮。 如数据一致则点击“取消”按钮并跳至步骤 10	
9	此时弹出对话框提示“是否现在重启控制器”，点击“是”按钮	

表 6-2（续 3）

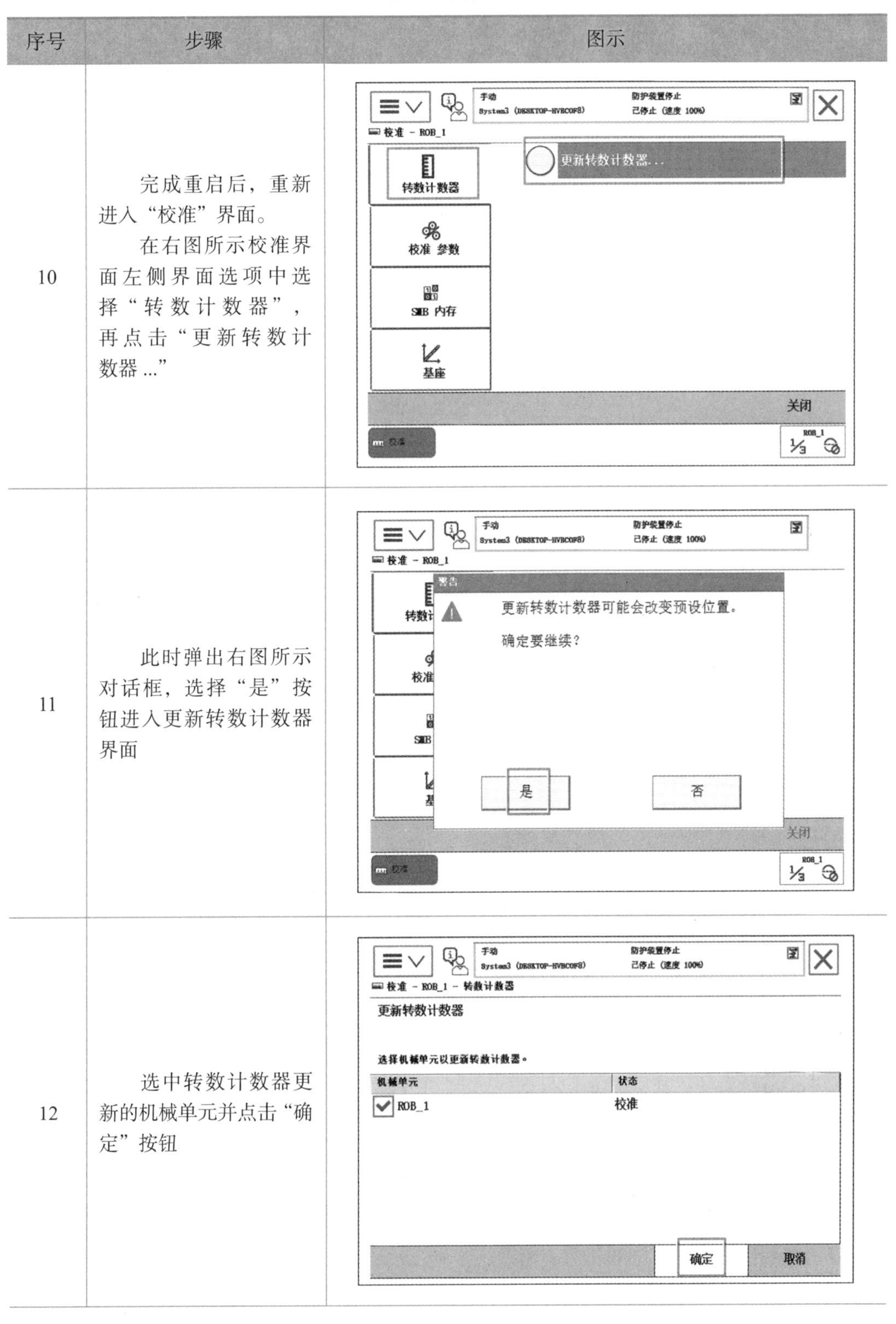

序号	步骤	图示
10	完成重启后，重新进入“校准”界面。 在右图所示校准界面左侧界面选项中选择“转数计数器”，再点击“更新转数计数器...”	
11	此时弹出右图所示对话框，选择“是”按钮进入更新转数计数器界面	
12	选中转数计数器更新的机械单元并点击“确定”按钮	

表 6-2（续 4）

序号	步骤	图示
13	点击左下角的“全选”，确认所有关节轴前的复选框被勾上后点击“更新”	
14	在弹出的右图所示对话框中点击“更新”	
15	出现右图所示对话框时，请等待系统完成更新工作	

表 6-2（续 5）

序号	步骤	图示
16	当显示右图所示“转数计数器更新已成功完成。”对话框时，点击“确定”按钮。 到此完成转数计数器的更新	

任务 6.2　本体电池的更换

【任务描述】

工业机器人的零点数据保存在本体的串行测量板上，为了防止断电时零点信息丢失，需要工业机器人本体电池为其供电。本任务中详细讲解了工业机器人本体电池及其更换的步骤。

【知识准备】

工业机器人本体电池

串行测量板的电源有两个：一个是工业机器人外部主电源，负责在接通工业机器人电源时为其供电；另一个是工业机器人本体电池，负责在主电源断开后为其供电。当本体电池电量不足时，示教器界面会出现提示信息“38213，电池电量低”，此时需要对本体电池进行更换。

本体电池在工业机器人中的位置如图 6-1 所示。

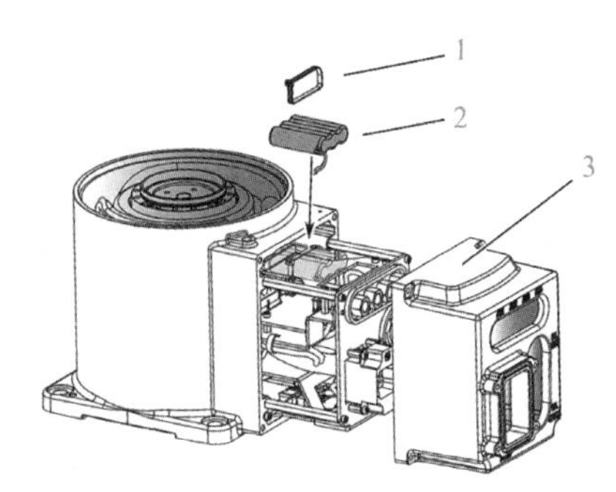

1—电池组；2—电缆带；3—底座盖。

图 6-1　本体电池在工业机器人中的位置示意图

ABB 工业机器人的串行测量板与电池有 2 电极触点与 3 电极触点两种型号。2 电极触点型号在每周关闭 2 天的情况下，新电池可以使用 36 个月，如果每天关闭 16 个小时，则可以使用 18 个月。3 电极触点型号具有更长的电池使用寿命。如果生产中断时间比较长，则可通过电池关闭服务例行程序来延长使用寿命。

【任务实施】

项目名称	工业机器人的日常维护			任务名称	本体电池的更换		
班级		姓名		学号		组别	
任务内容	本任务中详细讲解了工业机器人本体电池更换的原因及步骤						
任务目标	掌握工业机器人本体电池更换的方法						

在更换工业机器人电池前，请将工业机器人按照任务 6.1 中方法调至机械零点。

注意：①在更换工业机器人电池前，务必关闭工业机器人所有电力、液压、气压供给，同时做好静电防护的措施；

②不同型号工业机器人操作方法略有不同，具体请查看厂家说明书；

③在电池更换完成后，需要进行转数计数器更新。

更换工业机器人本体电池的方法见表 6-3。

更换机器人本体电池

表 6-3　更换工业机器人本体电池的方法

序号	步骤	图示
1	将工业机器人系统关闭，断开主电源	
2	使用相应的内六角扳手将工业机器人本体上的底座盖的螺钉拧松取下，然后取下底座盖	

表 6-3（续）

序号	步骤	图示
3	当底座盖被取下后，可以发现位于串行测量板上方的工业机器人本体电池。 松开电池紧固装置，此处使用斜口钳剪开紧固电池的扎带。 注意：实际情况可能有所不同，可根据需要选择工具与方式	
4	断开电池与串行测量板的连接。此处为拔掉串行测量板上的接线柱，见右图圈内所示位置	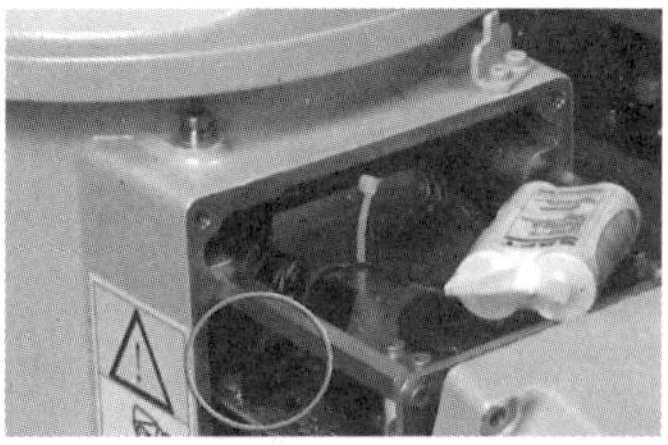
5	连接新电池与串行测量板。 此处将接线柱重新插到串行测量板上	
6	电池更换好后将其重新固定，此处使用扎带重新扎紧	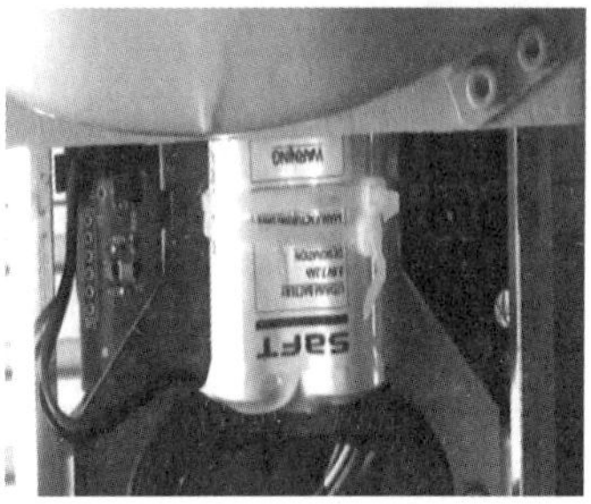
7	更换好的电池组固定完成后，重新安装工业机器人本体上的底座盖并拧紧螺钉。到此完成工业机器人本体电池的更换。 注意：完成本体电池更换后的工业机器人，使用前应先进行转数计数器的更新	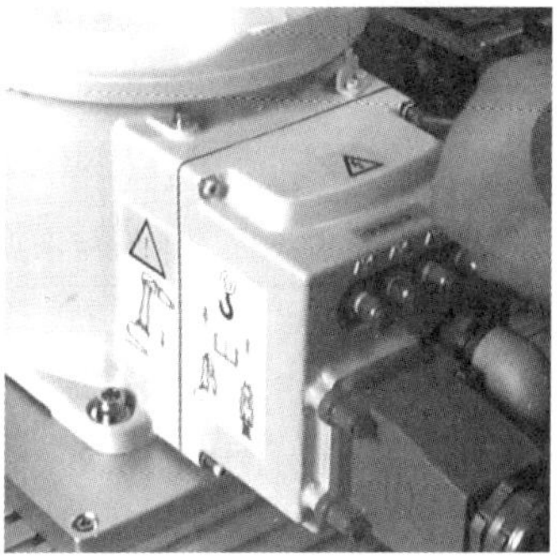

任务 6.3 系统参数的管理

【任务描述】

在任务 3.2 中，了解到 ABB IRB 120 型工业机器人的系统参数分为五大主题，每个主题下都包含多个不同类型的参数用于配置工业机器人系统。本任务将对工业机器人系统参数的类型进行介绍，并讲解系统参数的查看、备份与恢复的方法。

【知识准备】

工业机器人系统参数类型

进行工业机器人系统参数管理操作前，首先需要对其系统参数的类型进行了解。在 ABB IRB 120 型工业机器人的配置中，参数分为五大主题：人机通信（Man-machine communication）、控制器（Controller）、通信（Communication）、运动（Motion）和 I/O 系统（I/O System）。

这五大主题的功能与配置文件见表 6-4。

表 6-4 参数五大主题的功能与配置文件

主题	功能	配置文件
Communication	串行通道与文件传输层协议	SIO.cfg
Controller	安全性与 RAPID 专用函数	SYS.cfg
I/O System	I/O 板与信号	EIO.cfg
Man-machine communication	用于简化系统工作的函数	MMC.cfg
Motion	工业机器人与外轴	MOC.cfg

【任务实施】

<table>
<tr><td>项目名称</td><td colspan="3">工业机器人的日常维护</td><td>任务名称</td><td colspan="3">系统参数的管理</td></tr>
<tr><td>班级</td><td></td><td>姓名</td><td></td><td>学号</td><td></td><td>组别</td><td></td></tr>
<tr><td>任务内容</td><td colspan="7">本任务详细介绍了参数的查看、备份与恢复的方法</td></tr>
<tr><td rowspan="2">任务目标</td><td colspan="7">1. 掌握工业机器人系统参数查看的方法</td></tr>
<tr><td colspan="7">2. 掌握参数的备份与恢复方法</td></tr>
</table>

1. 工业机器人系统参数备份

进行系统参数备份操作时，应先按工业机器人系统参数查看中的方法将界面调至所需备份系统参数对应的主题界面。工业机器人系统参数备份的具体步骤见表 6-5。

表 6-5　工业机器人系统参数备份的方法

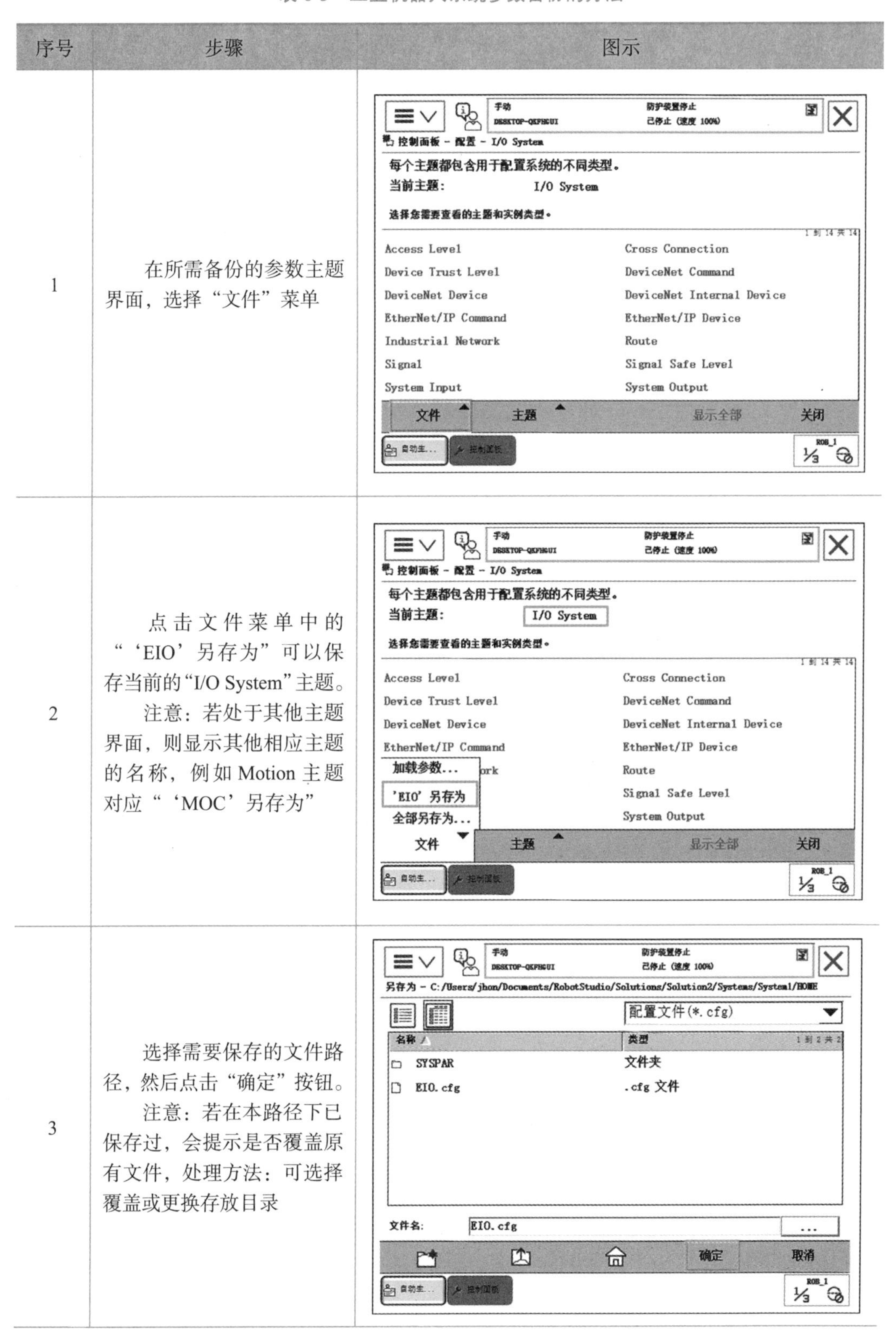

序号	步骤	图示
1	在所需备份的参数主题界面，选择“文件”菜单	
2	点击文件菜单中的“‘EIO’另存为”可以保存当前的“I/O System”主题。 注意：若处于其他主题界面，则显示其他相应主题的名称，例如 Motion 主题对应“‘MOC’另存为”	
3	选择需要保存的文件路径，然后点击“确定”按钮。 注意：若在本路径下已保存过，会提示是否覆盖原有文件，处理方法：可选择覆盖或更换存放目录	

表 6-5（续）

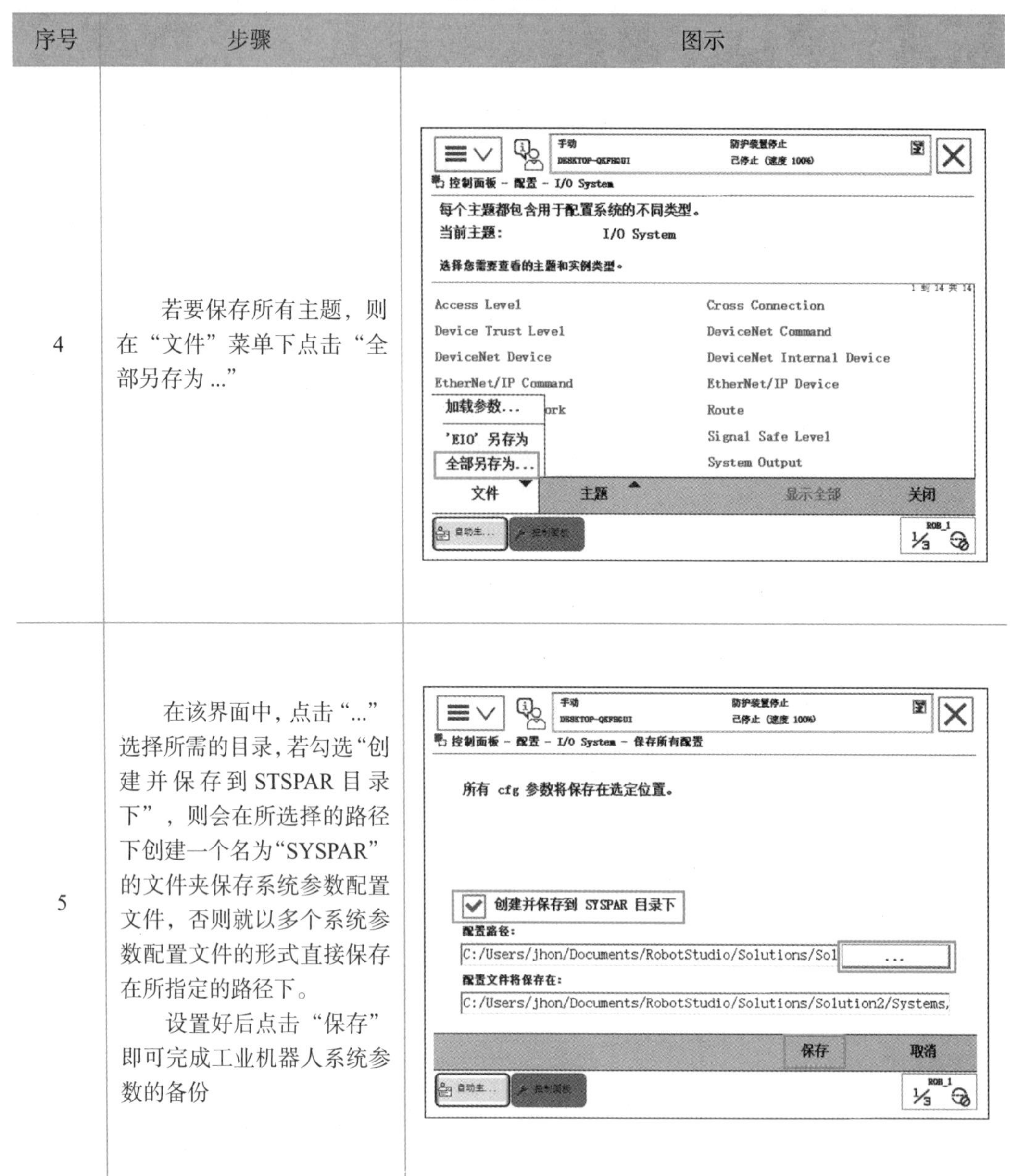

序号	步骤	图示
4	若要保存所有主题，则在“文件”菜单下点击“全部另存为 ...”	
5	在该界面中，点击“...”选择所需的目录，若勾选“创建并保存到 STSPAR 目录下”，则会在所选择的路径下创建一个名为“SYSPAR”的文件夹保存系统参数配置文件，否则就以多个系统参数配置文件的形式直接保存在所指定的路径下。 设置好后点击“保存”即可完成工业机器人系统参数的备份	

2. 工业机器人系统参数恢复

工业机器人系统参数在备份以后，如果不小心将参数修改错误，则需要恢复之前所备份的数据。进行本操作前，应先按工业机器人系统参数查看中的方法进入参数配置界面。参数恢复的方法见表 6-6。

表 6-6 工业机器人系统参数恢复的方法

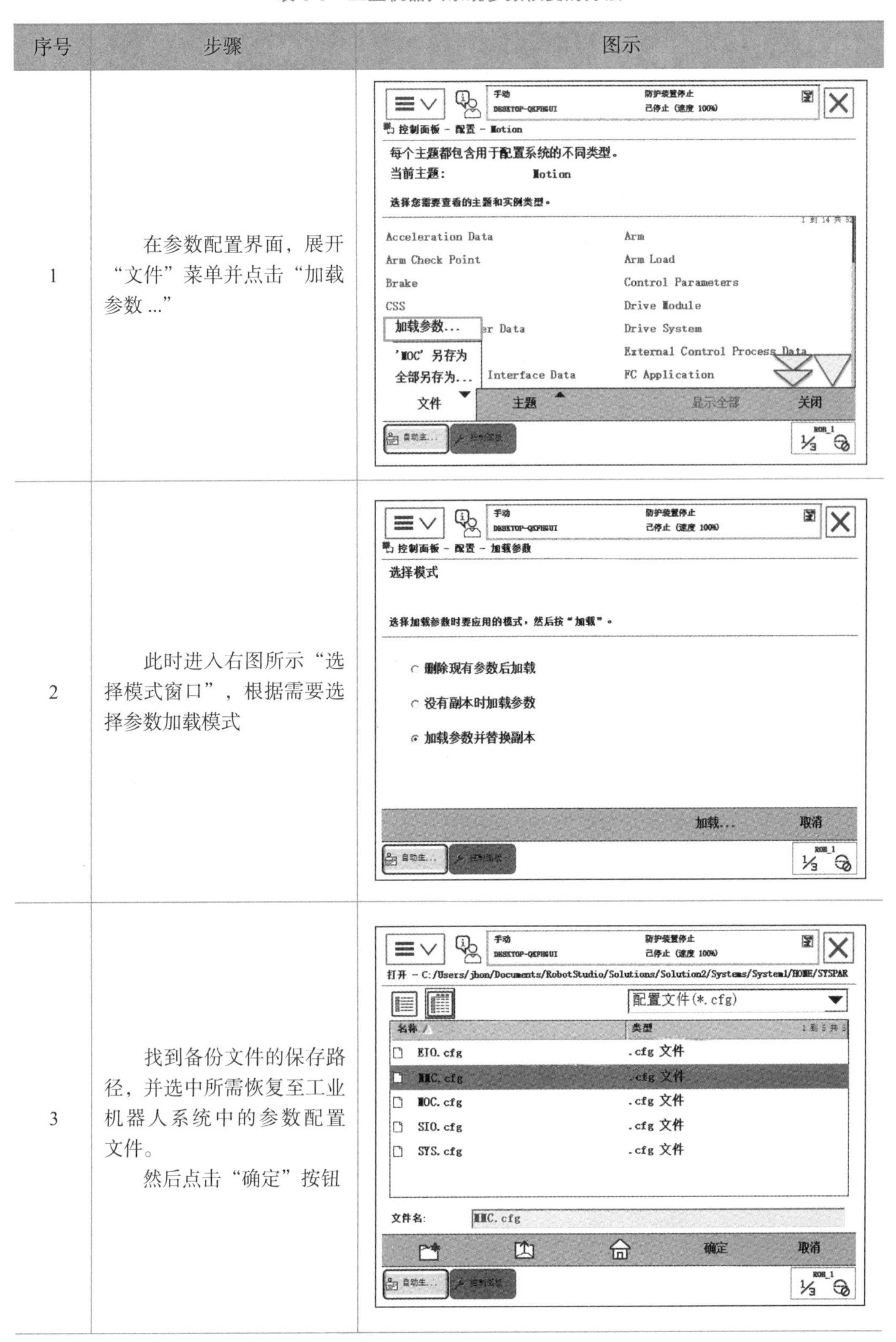

序号	步骤	图示
1	在参数配置界面，展开“文件”菜单并点击“加载参数...”	
2	此时进入右图所示“选择模式窗口”，根据需要选择参数加载模式	
3	找到备份文件的保存路径，并选中所需恢复至工业机器人系统中的参数配置文件。 然后点击“确定”按钮	

表 6-6（续）

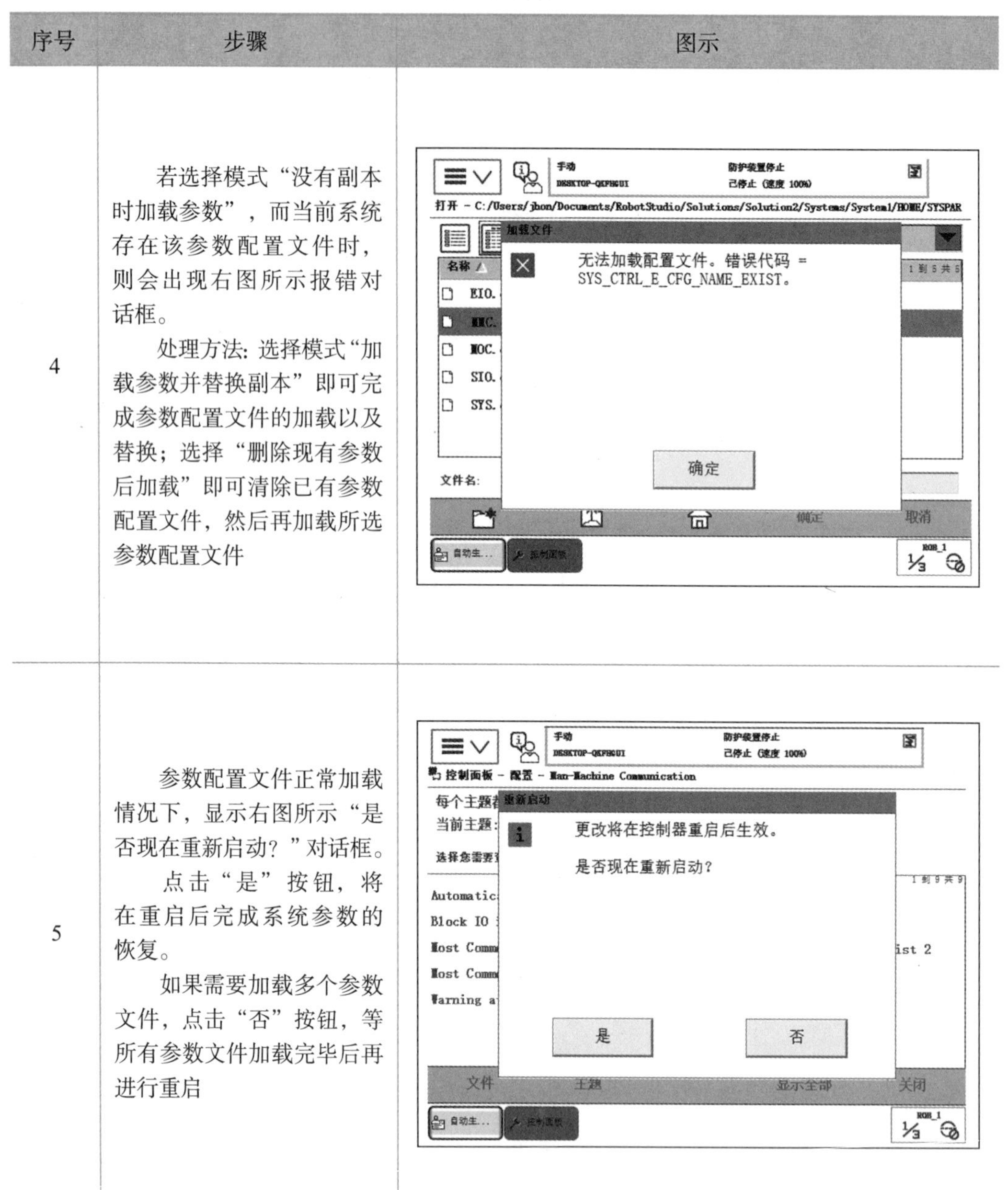

序号	步骤	图示
4	若选择模式“没有副本时加载参数”，而当前系统存在该参数配置文件时，则会出现右图所示报错对话框。 处理方法：选择模式“加载参数并替换副本”即可完成参数配置文件的加载以及替换；选择“删除现有参数后加载”即可清除已有参数配置文件，然后再加载所选参数配置文件	
5	参数配置文件正常加载情况下，显示右图所示“是否现在重新启动？”对话框。 点击“是”按钮，将在重启后完成系统参数的恢复。 如果需要加载多个参数文件，点击“否”按钮，等所有参数文件加载完毕后再进行重启	

任务 6.4　系统备份与恢复

【任务描述】

如果发生工业机器人系统故障和文件误删等情况，可使用系统备份文件来恢复工业机器人系统。本任务中介绍了系统备份的作用，并讲解了系统备份与恢复的方法。

【任务实施】

项目名称	工业机器人的日常维护		任务名称	系统备份与恢复	
班级		姓名		学号		组别	
任务内容	本任务中详细讲解了系统备份与恢复的方法				
任务目标	1. 掌握系统备份的技能				
	2. 掌握系统恢复的技能				

1. 系统备份

工业机器人系统的备份

通过系统备份可将整个工业机器人系统的文件保存到指定文件路径中，进行操作前应首先按照任务 5.4 中的方法将 U 盘与示教器进行连接。系统备份的方法见表 6-7。

表 6-7 系统备份的方法

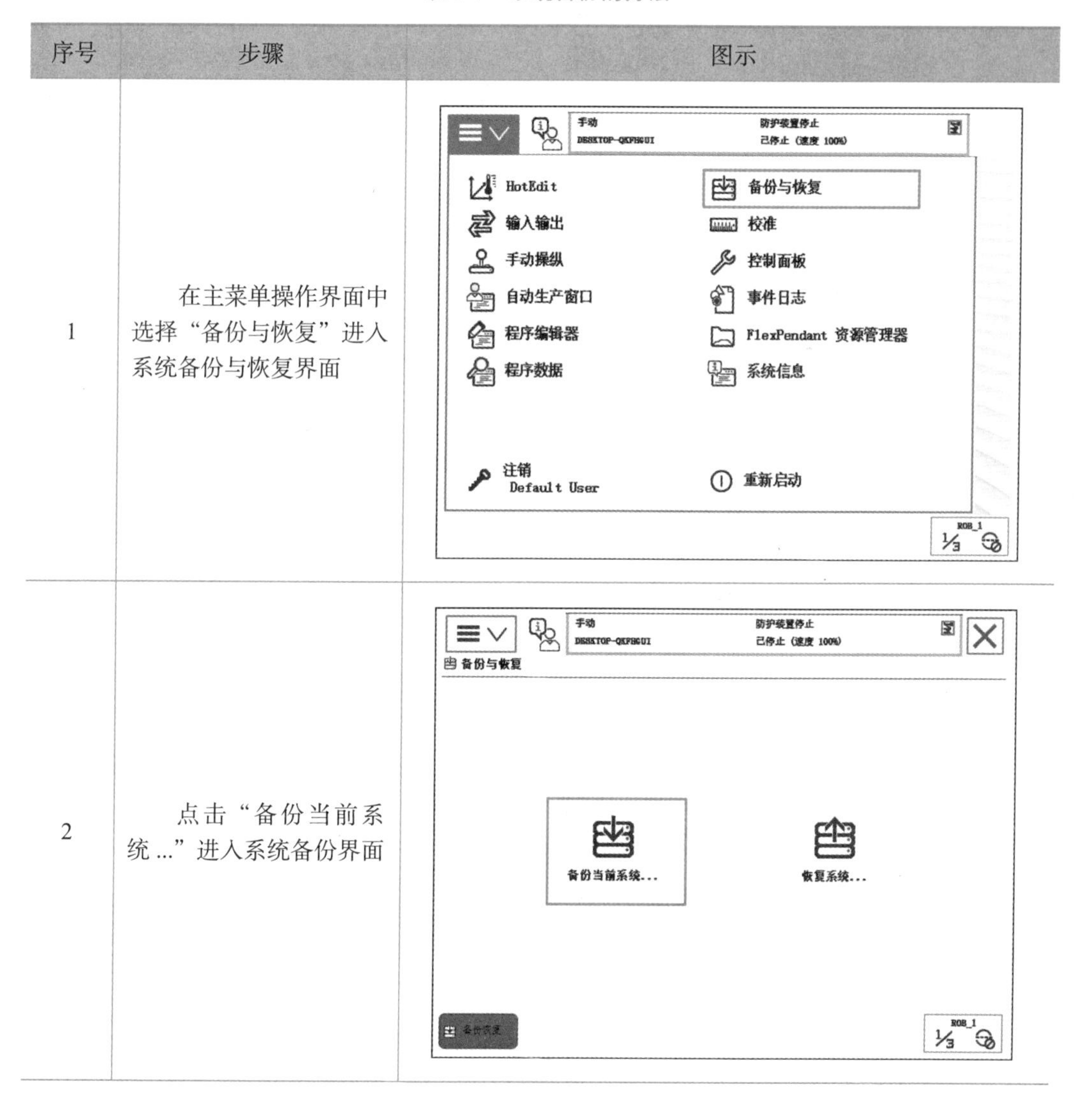

序号	步骤	图示
1	在主菜单操作界面中选择“备份与恢复”进入系统备份与恢复界面	
2	点击“备份当前系统...”进入系统备份界面	

表 6-7（续 1）

序号	步骤	图示
3	在右图所示备份当前系统界面，分别点击“ABC...”和“...”可修改备份文件夹名称和设定系统文件的备份路径	 手动 DESKTOP-QKFHGUI 防护装置停止 已停止（速度 100%） 备份当前系统 所有模块和系统参数均将存储于备份文件夹中。 选择其它文件夹或接受默认文件夹。然后按一下“备份”。 备份文件夹: System1_Backup_20200831 ABC... 备份路径: C:/Users/jhon/Documents/RobotStudio/Solutions/Solution2/Systems/BACKUP/ ... 备份将被创建在: C:/Users/jhon/Documents/RobotStudio/Solutions/Solution2/Systems/BACKUP/System1_Backup_20200831/ 高级... 备份 取消 ROB_1 1/3
4	点击“ABC...”后，在文本框中输入相应名称并点击“确定”按钮。完成系统备份文件名称的设定	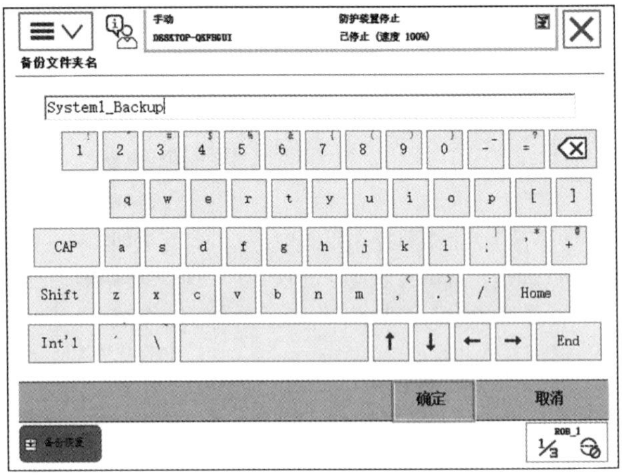 手动 DESKTOP-QKFHGUI 防护装置停止 已停止（速度 100%） 备份文件夹名 System1_Backup 1 2 3 4 5 6 7 8 9 0 - = q w e r t y u i o p [ ] CAP a s d f g h j k l ; ' + Shift z x c v b n m , . / Home Int'l ` \ ↑ ↓ ← → End 确定 取消 ROB_1 1/3
5	在点击“...”进行文件保存路径设定时，可通过界面下方的按钮进行文件夹新建、返回上一级等操作。 完成保存路径的设定后，点击“确定”按钮确认保存至当前指定路径中	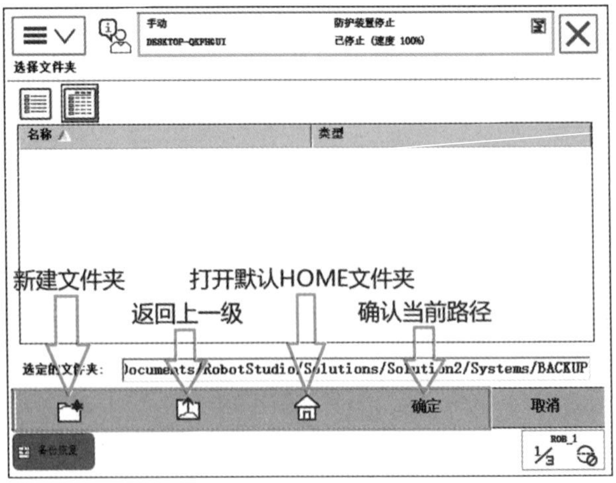 手动 DESKTOP-QKFHGUI 防护装置停止 已停止（速度 100%） 选择文件夹 名称 类型 新建文件夹 打开默认HOME文件夹 返回上一级 确认当前路径 选定的文件夹: Documents/RobotStudio/Solutions/Solution2/Systems/BACKUP 确定 取消 ROB_1 1/3

表 6-7（续 2）

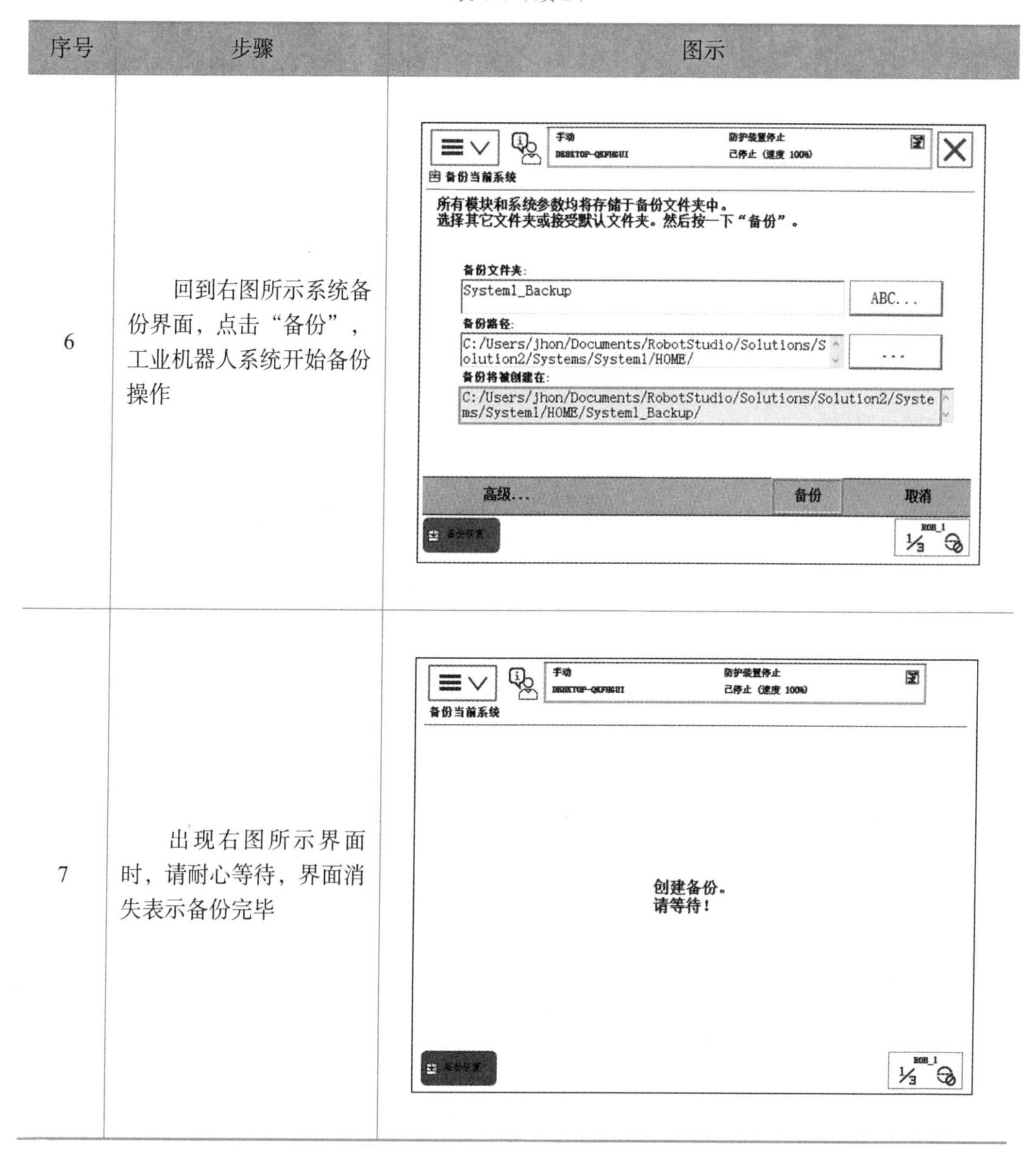

序号	步骤	图示
6	回到右图所示系统备份界面，点击“备份”，工业机器人系统开始备份操作	
7	出现右图所示界面时，请耐心等待，界面消失表示备份完毕	

2. 系统恢复

当需要用已有的系统备份恢复系统时，如果备份文件保存在 U 盘中，应在进行本操作前确认示教器与 U 盘已正确连接。

注意：系统备份文件具有唯一性，应当使用对应机器人本身的备份，如果使用其他设备的备份文件可能会造成机器人故障。

系统恢复的方法见表 6-8。

表 6-8 系统恢复的方法

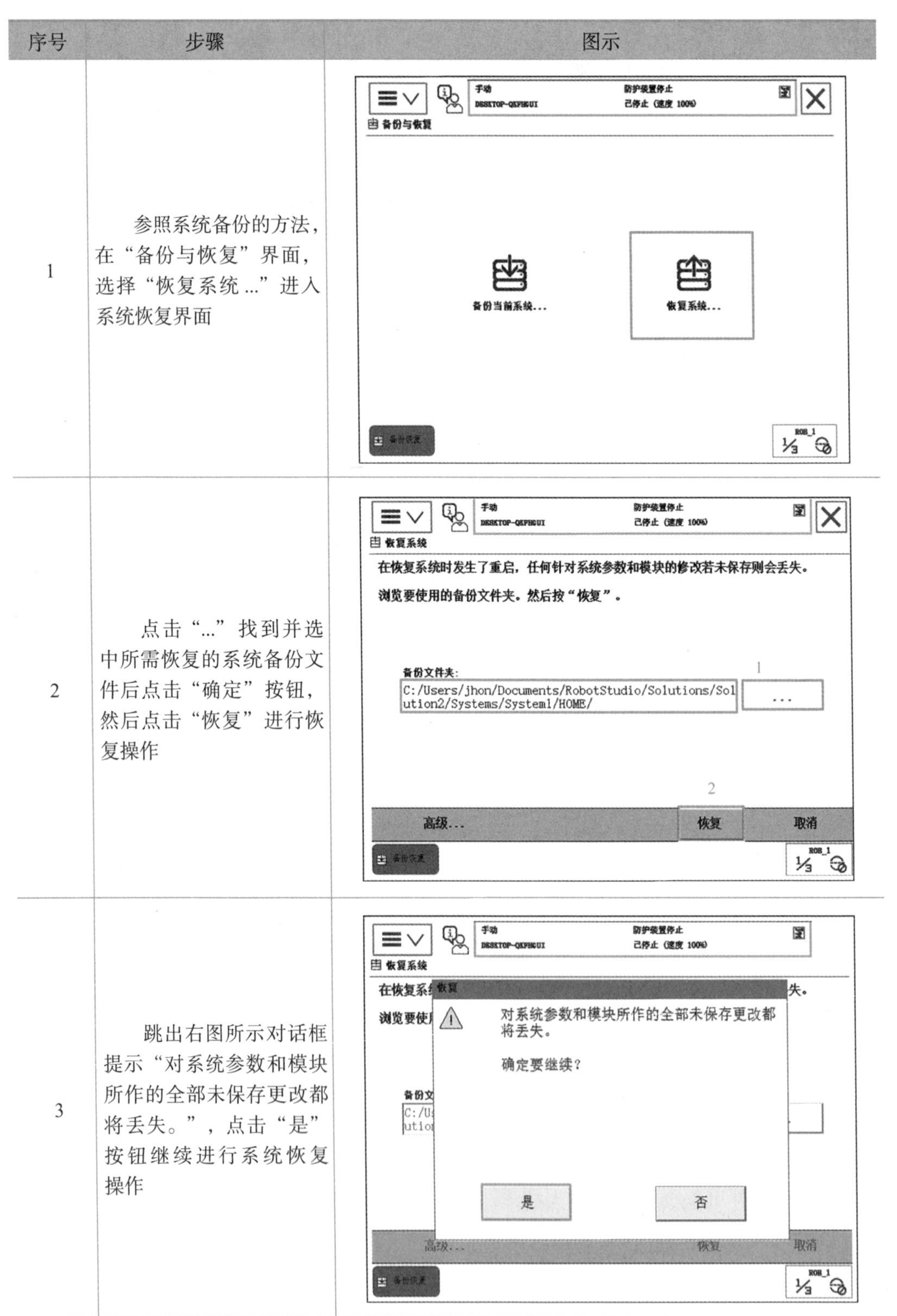

序号	步骤	图示
1	参照系统备份的方法，在“备份与恢复”界面，选择“恢复系统 ...”进入系统恢复界面	
2	点击“...”找到并选中所需恢复的系统备份文件后点击“确定”按钮，然后点击“恢复”进行恢复操作	
3	跳出右图所示对话框提示“对系统参数和模块所作的全部未保存更改都将丢失。”，点击“是”按钮继续进行系统恢复操作	

表 6-8（续）

序号	步骤	图示
4	此时出现右图所示界面，请耐心等待，稍后系统会自动重启，重启完成后系统恢复完毕	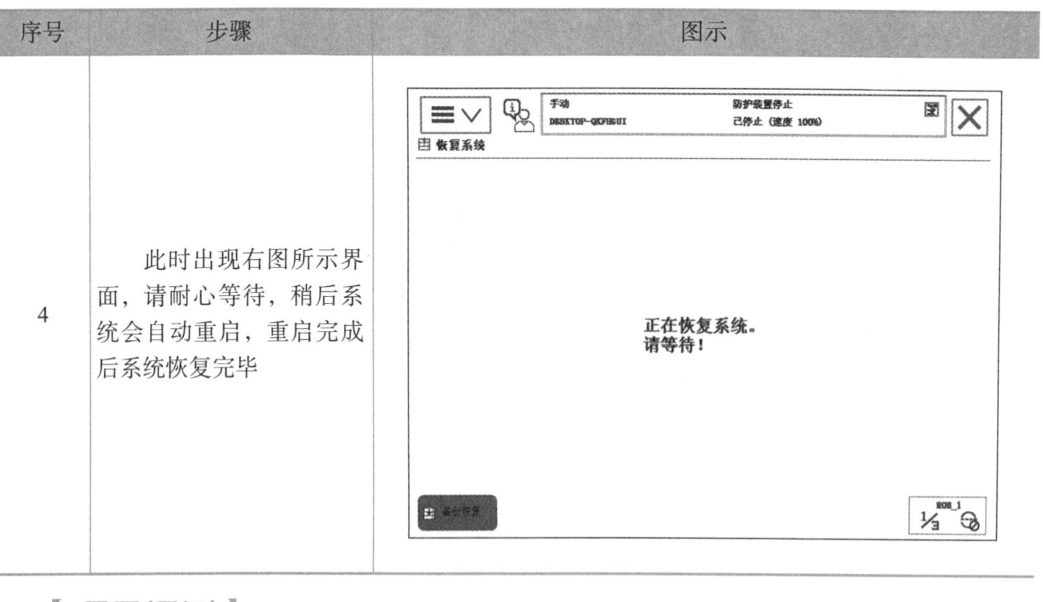

【项目评测】

1. 选择题

（1）下列选项中不属于工业机器人系统参数主题的是（　　）。

A. I/O System　　B. Motion

C. Connect　　D. Communication

（2）下列哪种情况下不需要对转数计数器进行更新？（　　）

A. 手动操纵工业机器人关节轴移动后

B. 更换伺服电机转数计数器电池之后

C. 转数计数器发生故障，修复后

D. 系统报警提示“10036 转数计数器更新”时

2. 填空题

（1）转数计数器更新前，应首先将工业机器人________________。

（2）更换本体电池后，还需要________________。

（3）工业机器人本体电池是用来为________________供电的。

3. 判断题

（1）（　　）工业机器人每天开机时间越长，机器人本体电池消耗越快。

（2）（　　）只要觉得机器人不准，就可以使用微校对机器人进行校准。

（3）（　　）系统备份包含了参数与程序模块，因此可以只进行系统备份。

参考文献

[1] 张春芝，钟柱培，许妍妩．工业机器人操作与编程［M］．北京：高等教育出版社，2018.

[2] 张宏立，何忠悦．工业机器人操作与编程（ABB）［M］．北京：北京理工大学出版社，2017.

[3] 陈永平，李莉．工业机器人操作与编程［M］．上海：上海交通大学出版社，2018.